まえがき

簿記論と財務諸表論は同時に学ぼう！

本書を手にしたみなさんにとって大切なことは「まずは、いかにして税理士試験の会計科目（簿記論、財務諸表論）に合格していくか」ということではないでしょうか。

そこで、認識しておきたいのが、次の状況です。
・簿記論はほぼ100％計算問題であり、財務諸表論では50％が計算問題、残りの50％が理論問題で出題され、計算問題の内容は簿記論と財務諸表論で差がないこと
・これまで財務諸表論で出題されていた内容が突然簿記論で出題されるなど、片方だけの学習では網羅できない可能性があること
・計算問題を解くにも、理論的な背景（財務諸表論の理論部分）がわかっている方が有利なこと
・学習する際にも理論と計算を並行した方が頭には入りやすいこと
・財務諸表論の合格率は、平均すると20％弱と比較的高いこと
・仮に簿記論を落としても、財務諸表論さえ合格していれば、学習量的にみて税法に進めること

これらの状況を勘案すると、簿記論と財務諸表論は絶対に同時に学習した方がいい。1つの計算ミスで合否が入れ替わってしまう簿記論の試験のためだけに、1年かけて学習するのはリスクが大きすぎる。

このような判断から、簿記論・財務諸表論一体型の教科書及び問題集になっています。
さらに、本書はネットスクールが提供するWEB講座の採用教材にもなっていますので、独学で学習する方が授業を聴きたいと思ったときにも無駄になることなく活用いただけます。

また本書は、日商簿記３～２級の学習経験者がスムーズに学習し、合格してもらうために作られた本ですので、日商簿記３～２級の復習からはじまり、本試験のレベルまでを収載しています。

状況は我々が整えます。
みなさんは、この本で勇気を持って始め、本気で学んでみてください。
そうすれば、みなさん自身ばかりではなく、みなさんの周りの人たちをも幸せにできる、そんな人生が開けてきます。
さあ、この一歩、いま踏み出しましょう！

ネットスクール株式会社
代表　　桑原　知之

目次

Contents

税理士試験　問題集
簿記論・財務諸表論Ⅱ　基礎完成編

本書で使用する略語や記号について

本書で学習するうえで、次の略語を使用しています。下記の略語は、一般的にも使用されているので、ぜひ覚えてください。

① B/S ： 貸借対照表(Balance Sheetの略)
② P/L ： 損益計算書(Profit and Loss statementの略)
③ S/S ： 株主資本等変動計算書(Statements of Shareholders'equityの略)
④ C/F ： キャッシュ・フロー計算書(Cash Flow statementの略)
なおC/S(Cash flow Statement)と表記する場合もありますが、本書ではC/Fで統一しています。
⑤ C/R ： 製造原価報告書(Cost Reportの略)
⑥ T/B ： 試算表(Trial Balanceの略)
⑦ a/c ： 勘定(accountの略)
⑧ @ ： 単価や単位(atの略)

なお、本書では勘定科目(表示科目)については、科目名を意識していただく狙いから『　』を使って記載しています。つまり『○○』は、「○○勘定」を意味しています。

(例)投資有価証券勘定に加算するとともに、その他有価証券評価差額金勘定に計上…
→『投資有価証券』に加算するとともに、『その他有価証券評価差額金』に計上…

本書は2024年4月時点の会計基準等にもとづいて作成しています。

答案用紙については、ネットスクールホームページにて
ダウンロードサービスを行っております。

https://www.net-school.co.jp/

本書(問題集)の構成・特長

❶ 答案用紙ページ

答案用紙のページ番号を示しています。なお、答案用紙はネットスクールホームページにてダウンロードサービスも行っておりますのでご利用ください。

❷ 解答・解説ページ

解答・解説編のページ番号を示しています。問題(各問題の標準解答時間は、各Chapterの先頭ページに示しています)を解いた後でしっかり確認しましょう。

❸ 重要度ランキング

問題ごとに、A、B、Cで重要度を示しています(Aがもっとも重要度が高いことを表します)。なお、簿記論対策の問題は 簿A、財務諸表論(計算問題)対策の問題は 財A と示しています。

❹ 標準時間

問題ごとの標準時間です。時間内で解くことを目標にしてください。

❺ 難易度の区別

問題ごとに、基本問題は 基本、応用問題は 応用 と難易度を示しています。

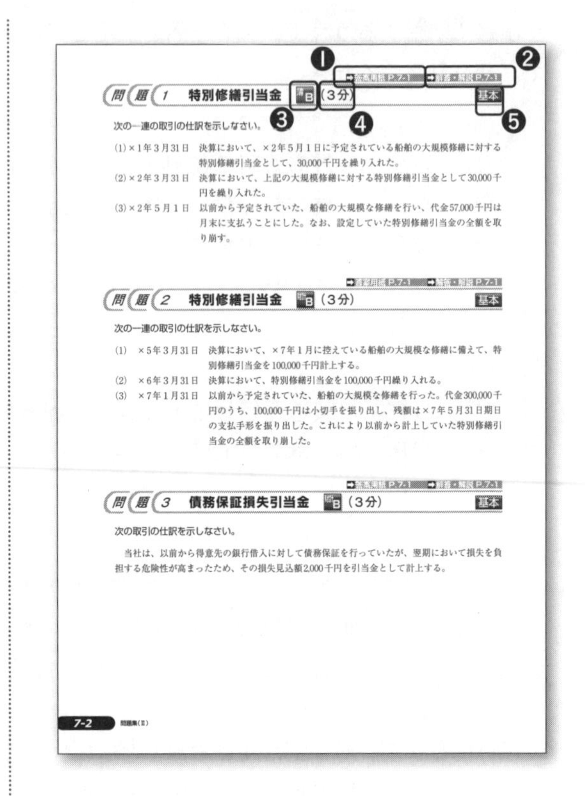

➡答案用紙 P.7-1 ➡解答・解説 P.7-1

問題 1 特別修繕引当金 簿B (3分) 基本

次の一連の取引の仕訳を示しなさい。

(1) ×1年3月31日 決算において、×2年5月1日に予定されている船舶の大規模修繕に対する特別修繕引当金として、30,000千円を繰り入れた。
(2) ×2年3月31日 決算において、上記の大規模修繕に対する特別修繕引当金として30,000千円を繰り入れた。
(3) ×2年5月1日 以前から予定されていた、船舶の大規模な修繕を行い、代金57,000千円は月末に支払うことにした。なお、設定していた特別修繕引当金の全額を取り崩す。

➡答案用紙 P.7-1 ➡解答・解説 P.7-1

問題 2 特別修繕引当金 財B (3分) 基本

次の一連の取引の仕訳を示しなさい。

(1) ×5年3月31日 決算において、×7年1月に控えている船舶の大規模な修繕に備えて、特別修繕引当金を100,000千円計上する。
(2) ×6年3月31日 決算において、特別修繕引当金を100,000千円繰り入れる。
(3) ×7年1月31日 以前から予定されていた、船舶の大規模な修繕を行った。代金300,000千円のうち、100,000千円は小切手を振り出し、残額は×7年5月31日期日の支払手形を振り出した。これにより以前から計上していた特別修繕引当金の全額を取り崩した。

➡答案用紙 P.7-1 ➡解答・解説 P.7-1

問題 3 債務保証損失引当金 財B (3分) 基本

次の取引の仕訳を示しなさい。

当社は、以前から得意先の銀行借入に対して債務保証を行っていたが、翌期において損失を負担する危険性が高まったため、その損失見込額2,000千円を引当金として計上する。

7-2 問題集(Ⅱ)

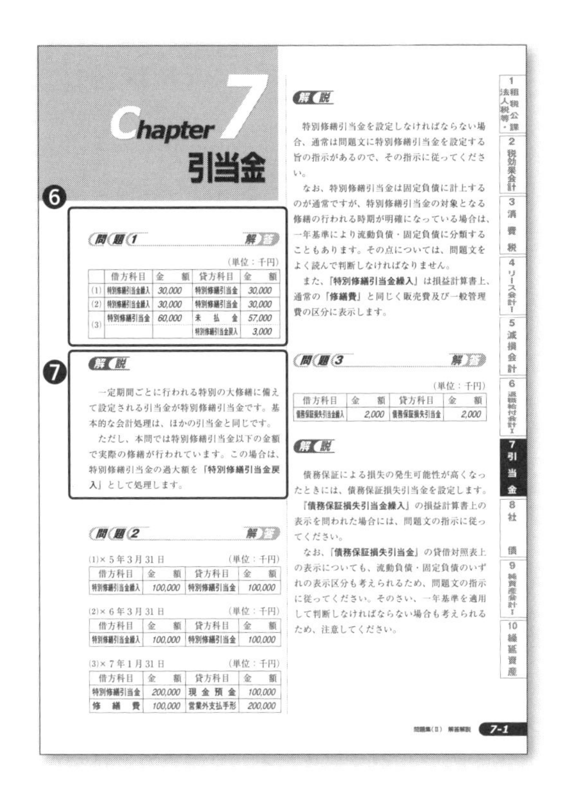

Chapter 7

引当金

❻

問題1　解答

(単位：千円)

	借方科目	金額	貸方科目	金額
(1)	特別修繕引当金繰入	30,000	特別修繕引当金	30,000
(2)	特別修繕引当金繰入	30,000	特別修繕引当金	30,000
(3)	特別修繕引当金	60,000	未払金	57,000
			特別修繕引当金戻入	3,000

❼

解説

一定期間ごとに行われる特別の大修繕に備えて設定される引当金が特別修繕引当金です。基本的な会計処理は、ほかの引当金と同じです。

ただし、本問では特別修繕引当金以下の金額で実際の修繕が行われています。この場合は、特別修繕引当金の過大額を**「特別修繕引当金戻入」**として処理します。

問題2　解答

(1)×5年3月31日　(単位：千円)

借方科目	金額	貸方科目	金額
特別修繕引当金繰入	100,000	特別修繕引当金	100,000

(2)×6年3月31日　(単位：千円)

借方科目	金額	貸方科目	金額
特別修繕引当金繰入	100,000	特別修繕引当金	100,000

(3)×7年1月31日　(単位：千円)

借方科目	金額	貸方科目	金額
特別修繕引当金	200,000	現金預金	100,000
修繕費	100,000	営業外支払手形	200,000

解説

特別修繕引当金を設定しなければならない場合、通常は問題文に特別修繕引当金を設定する旨の指示があるので、その指示に従ってください。

なお、特別修繕引当金は固定負債に計上するのが通常ですが、特別修繕引当金の対象となる修繕の行われる時期が明確になっている場合は、一年基準により流動負債・固定負債に分類することもあります。その点については、問題文をよく読んで判断しなければなりません。

また、**「特別修繕引当金繰入」**は損益計算書上、通常の**「修繕費」**と同じく販売費及び一般管理費の区分に表示します。

問題3　解答

(単位：千円)

借方科目	金額	貸方科目	金額
債務保証損失引当金繰入	2,000	債務保証損失引当金	2,000

解説

債務保証による損失の発生可能性が高くなったときには、債務保証損失引当金を設定します。

「債務保証損失引当金繰入」の損益計算書上の表示を問われた場合には、問題文の指示に従ってください。

なお、**「債務保証損失引当金」**の貸借対照表上の表示についても、流動負債・固定負債のいずれの表示区分も考えられるため、問題文の指示に従ってください。そのさい、一年基準を適用して判断しなければならない場合も考えられるため、注意してください。

1 租税公課・法人税等　2 税効果会計　3 消費税　4 リース会計Ⅰ　5 減損会計　6 退職給付会計Ⅰ　7 引当金　8 社債　9 純資産会計Ⅰ　10 繰延資産

問題集(Ⅱ) 解答解説　7-1

❻ 解答

問題の解答です。しっかり答え合わせをしましょう。

❼ 解説

問題の解説です。間違えた箇所があれば、解説内容と照らし合わせてその誤りの原因をしっかり確認しておきましょう。また、正解できた箇所についても解説内容をしっかり読んで、解答手順を忘れないようにすることが大切です。

学習をはじめる前に

講師からのメッセージ

WEB講座の講師である中村雄行先生、穂坂治宏先生から、本書を学習する前の心構えとしてメッセージがございます。本書を最大限に有効活用するためにも、まずはこのメッセージをお読みください。

プロフィール
講師　中村雄行（なかむらゆうこう）
講師歴35年。
実務的な話を織り交ぜながら誰もが納得できるように工夫された、わかり易い講義が大好評！
WEB講座税理士簿記論講義等を担当。

プロフィール
講師　穂坂治宏（ほさかはるひろ）
講師歴21年、税理士開業（登録平成6年）。「わかればできる」をモットーに、経験に基づく実践的な講義は、楽しみながら学習出来ると大好評！
ＷＥＢ講座税理士財務諸表論講義等を担当。

◆基礎完成編の内容について

教科書と問題集は、「基礎導入編」「基礎完成編」「応用編」の３部構成となっています。
基礎完成編で主に取り上げられている項目は「税効果会計」「リース会計」「減損会計」「退職給付会計」「社債」「純資産会計」「外貨換算会計」などです。基礎導入編で取り上げた内容と同様、これらの項目はいずれも税理士試験で頻繁に出題される重要項目となりますので、引き続きしっかり学習を進めていきましょう。

◆基礎内容はこれで万全

簿記論と財務諸表論の計算問題では実にさまざまな項目が出題されますが、その内容の多くはこの基礎完成編までに取り上げられた個別項目が中心となっているのです。したがって、まずはここまでの内容をしっかりマスターできていれば、本試験で出題される基礎項目の多くは解答できるようになります。苦手項目を残さないよう、それぞれの内容をしっかり理解できるようしておくことが大切です。

◆繰り返し練習しましょう

基礎完成編の教科書と問題集は学習内容が完全に対応されていますので、教科書の学習を終えたら必ず問題集の問題を実際に解くようにしましょう。初めのうちは標準時間内に解き終えることができないかもしれませんが、繰り返し解くことにより解法手順が身につき、その結果、解くスピードが増すとともに正確な解答ができるようになってきます。問題集の問題は繰り返し解く練習をするようにしましょう。

”講師がちゃんと教える”　だから学びやすい！分かりやすい！

ネットスクールの税理士WEB講座

【開講科目】簿記論、財務諸表論、法人税法、消費税法、相続税法、国税徴収法

ネットスクールの税理士 WEB 講座の特長

◆自宅で学べる！　オンライン受講システム

臨場感のある講義をご自宅で受講できます。しかも、生配信の際には、チャットやアンケート機能を使った講師とのコミュニケーションをとりながらの授業となります。もちろん、講義は受講期間内であればお好きな時に何度でも講義を見直すことも可能です。

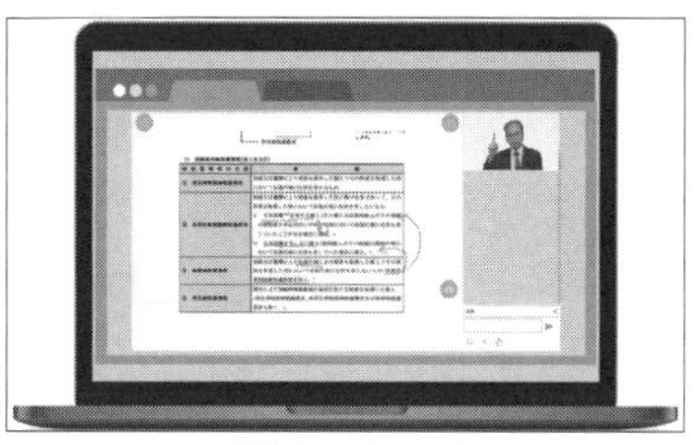

▲講義画面イメージ▲

★講義はダウンロード可能です★

オンデマンド配信されている講義は、お使いのスマートフォン・タブレット端末にダウンロードして受講することができます。事前に Wi-Fi 環境のある場所でダウンロードしておけば、通信料や通信速度を気にせず、外出先のスキマ時間の学習も可能です。

※講義をダウンロードできるのはスマートフォン・タブレット端末のみです。

※一度ダウンロードした講義の保存期間は 1 か月間ですが、受講期間内であれば、再度ダウンロードして頂くことは可能です。

ネットスクール税理士 WEB 講座の満足度

◆受講生からも高い評価をいただいております

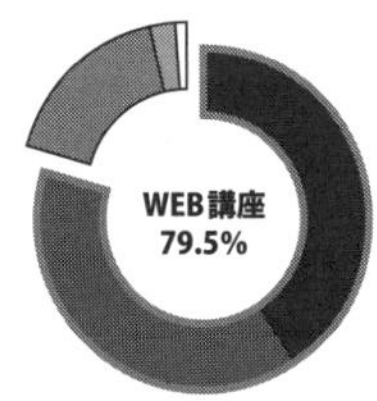

- ▶ Zoom 面談は、孤独な自宅学習の励みになりましたし、試験直前にお電話をいただいたときは本当に感動しました。（消費／上級コース）
- ▶合格できた要因は、質問を 24 時間受け付けている「学び舎」を積極的に利用したことだと思います。（簿財／上級コース）
- ▶質問事項や添削のレスポンスも早く対応して下さり、大変感謝しております。（相続／上級コース）
- ▶講義が 1 コマ 30 分程度と短かったので、空き時間等を利用して自分のペースで効率よく学習を進めることができました。（国徴／標準コース）

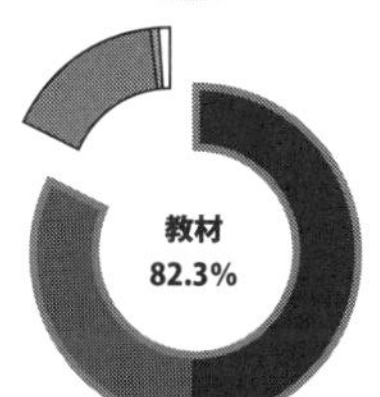

- ▶理論教材のミニテストと「つながる会計理論」のおかげで、今まで理解が難しかった論点が頭の中でつながった瞬間は感動しました。（財表／標準コース）
- ▶テキストが読みやすく、側注による補足説明があって理解しやすかったです。（全科目共通）

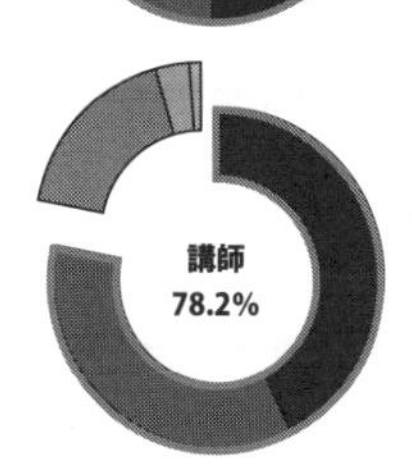

- ▶財務諸表論の穂坂先生の理論講義がとてもわかり易く良かったです。（簿財／上級コース）
- ▶先生方の学習面はもちろん精神的にもきめ細かいサポートのおかげで試験を乗り越えることができました。（法人／上級コース）
- ▶堀川先生の授業はとても面白いです。印象に残るお話をからめて授業を進めて下さるので、記憶に残りやすいです。（国徴／標準コース）
- ▶田中先生の熱意に引っ張られて、ここまで努力できました。（法人／標準コース）

※ 2019 ～ 2023 年度試験向け税理士 WEB 講座受講生アンケート結果より

各項目について５段階評価

不満⬅ 1 2 3 4 5 ➡満足

税理士 WEB 講座の詳細はホームページへ　**ネットスクール株式会社 税理士 WEB 講座**

https://www.net-school.co.jp/　ネットスクール 税理士講座　検索

※税理士講座の最新情報は、ホームページ等をご確認ください。

ネットスクールの書籍シリーズのご案内

税理士試験合格に向けた学習

教科書／問題集　Ⅰ基礎導入編

次年度の試験に向けた学習を開始しましょう。まずは日商簿記検定３級・２級の学習内容を含めた基礎的な部分について、教科書でインプット学習をします。その後、教科書に準拠した問題集でアウトプット学習を行い、どれだけ理解できたかを確かめます。教科書には、問題集の問題番号が記載されているので、すぐに学習した内容の問題を解くことができます。

教科書／問題集　Ⅱ基礎完成編

基礎導入編での学習が終わったら、基礎完成編に移ります。基礎導入編と同様に、税理士試験で頻繁に出題される重要項目ばかりなので、漏れなく学習を進めましょう。

基礎完成編も基礎導入編と同様に、教科書でインプットしたことを必ず問題集を使ってアウトプットし、学習した知識を定着させましょう。

教科書／問題集　Ⅲ応用編

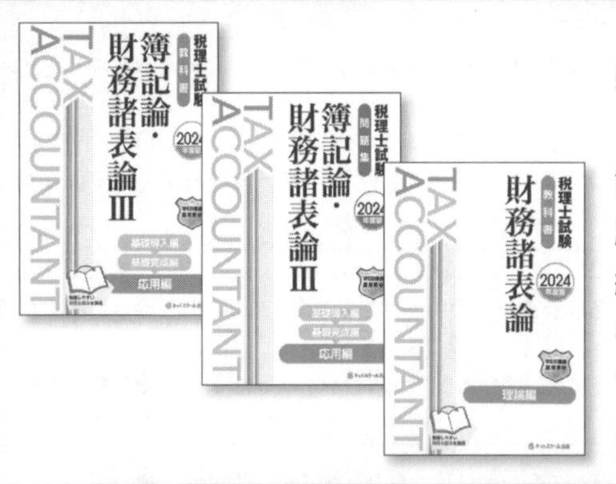

基礎完成編での学習が終わったら、応用編の学習に移ります。

また、理論問題対策用の教科書として、「財務諸表論 理論編」も刊行しています。「税理士試験 教科書 簿記論・財務諸表論」シリーズの各編（基礎導入編・基礎完成編・応用編）にある各 Chapter 名と同じテーマで並行して取り組んでいただくことで、計算対策と理論対策を同時に行うことができるようになっています。

穂坂式つながる会計理論

「財務諸表論」の“効率的”な理論学習を行なうための問題集で、模範解答を覚えることなく、問題集を「読む」ことで合格する力が付くような構成になっています。

この問題集を繰り返し解くことで、合格に必要な体系的な理論学習を行うことができます。本試験での応用的な出題にも対応できる力を身に付けましょう。

過去問ヨコ解き問題集

教科書や問題集を使った学習が一通り終わったら、本試験の過去問題を解きましょう。過去に出題された試験問題を解くことで、出題傾向や本試験のレベルを体験できます。

また、「ヨコ解き過去問題集」では、試験1回分を通しで解くのではなく項目ごとに解いていくため、苦手な項目をピンポイントで繰り返し解くことができます。苦手克服に繋げましょう。

解答・解説では解答方法の記載だけではなく、特筆すべき箇所については、各論点が実際に出題された際の考え方を『ポイント』や『参考』としてまとめておりますので、基本テキストを使った復習（今後の学習方法・戦略の立て方）にお役立てください。

ラストスパート模試

過去問題集での学習が終わったら、本試験形式で構成された模擬試験問題を解きましょう。本シリーズでは、ネットスクールの税理士講師の先生が作成した模擬問題を3回分収載しています。

試験問題を本体から取り外し、YouTubeで配信している「試験タイマー」を流しながら解くことで、試験本番の臨場感の中で解くことができます。学習してきた力を試験本番で十分に発揮できるよう訓練をしましょう。

試験合格！

※掲載している書影は、すべて2024年8月現在の最新版、教科書／問題集シリーズは2024年度版のものとなります。
※書籍のお求めは全国の書店・インターネット書店、またはネットスクールWEB-SHOPをご利用ください。

多数の"合格者の声"が信頼と実績の証です！

ネットスクールWEB講座 合格者の声

ネットスクールで見事！合格を勝ち取った受講生様からのお言葉を紹介いたします。

takk 様（40 代男性、簿記論・財務諸表論合格）

簿記1級より引き続き、ネットスクールで簿記論･財務諸表論を受講し、合格をすることができました。ネットスクールの皆様には感謝の言葉しかありません。

1級合格後、簿記論と財務諸表論のテキストを購入しましたが、独学が非効率だと感じ、簿記論・財務諸表論上級コースを受講することにしました。1級と勝手が違うこと、既に講義が始まっていたこと、財務諸表論の理論は馴染みがなかったことから混乱しましたが、疑問点やスケジューリングなど、ことあるごとに先生に相談をしていました。

直前期はとにかく問題を解きました。総合問題を主軸に、理論は講義を受けつつアウトプットとして穂坂先生のつながる会計理論を周回していました。おかげで平均点はじりじりと上がっていきましたが、ときにはひどい点数の時もあり、何度先生に泣きついたか。陰鬱な内容を送ってしまうこともありましたが、聞き入れてくださり、気持ちを前向きにする助けとなりました。メンタルコントロールにとても配慮していただいたように思います。

試験当日は平常心を心掛け、ベストを尽くしてきました。ケアレスミスが若干あり、自己採点では合否どちらにも転がりうるという感じでしたが、結果は合格でした。ほっと胸を撫で下ろすとともに、合格の旨を報告させていただきました。

M.K. 様（30 代女性、医療従事者、財務諸表論合格）

簿記とは全く縁のない職種で働いておりますが、第一子の出産を機に、税理士を目指して簿記論と財務諸表論を独学で勉強しておりました。試験について無知であったため、直前対策コースを受講しましたが、学び足りないことを痛感して１年目の試験を受け、不合格でした。２年目は標準コースで学びなおそうと思い、受講したことが今回の財務諸表論の合格につながったと思っています。

本年は、育休から復帰し、仕事と家事と第一子の育児、また第二子の出産 (11 月) とイベントが多く、勉強する時間が限られておりました。しかし、講師の方々のわかりやすく丁寧な講義を早朝や通勤時間にダウンロードして見ることができたこと、再生スピードを調整することができたこと、また、試験までの見通しを把握して勉強できたことが合格につながったと思います。

簿記論は合格できませんでしたので、また来年度の試験に挑もうと思っております。税法にも挑戦できればいいなと思っているところです。

財務諸表論に合格できたのはひとえにネットスクール講師の先生のおかげだと思っております。本当にありがとうございました。

官報合格者も
続々輩出！

中井　優様（40代男性、会計事務所勤務、財務諸表論・官報合格）

所長税理士の引退が現実味を帯び、事務所内に有資格者がいない中、会計2科目を残す自分が合格を目指すしかない状況となった。2021年1月より簿記論・財務諸表論の学習を他校で開始した。第71回本試験では、両科目とも合格ボーダーに全く届かず。しかし、不十分ながらも最後まで学習を継続したことで、簿記の「歩留まり」が自分に発生する。

学習を継続して挑んだ第72回本試験では、簿記論は合格。財務諸表論は53点（理論18点、計算35点）で惜しくも不合格となった。時間的な余裕もないので、穂坂先生の講義を受けるべく、ネットスクールの門を叩いた。

答練期より、自身の学習スタイルが確立する。5時起床からの2時間の早朝学習。21時から23時までの2時間の夜学習の計4時間／日の学習の習慣化、学習時間の確保である。基本、この学習スタイルを継続した。休日はこの学習に数時間を加算した。通勤移動のスキマ時間には、スマートフォンなどを用いた理論の学習をした。答練期の一例では、早朝の2時間で過去問や答練の解答。夜に採点と間違いノートへの書き出しと復習を行った。答練の成績は大原で上位20%程度（上位40%位までが合格圏内）であった。

財務諸表論の理論学習については、つながる会計理論の知識を定着させること意識して、基本センテンスの書き出しや音読、デジタルアプリ「ノウン」の問題編をタブレットやスマートフォンで繰り返し回答した。

結果、合格確実ラインを超える点数（理論29点計算41点の計70点）を得て、官報合格を勝ち取ることができた。

C．T様（女性、財務諸表論合格）

以前は他社の通信講座で2年程学習していましたが、全く結果が出せなかったので、思い切ってネットスクールに乗り換えました。

そこでまず驚いたのが、手厚いサポートでした。最初のZoomカウンセリングにて、これまでの状況を手短に説明しただけで、熊取谷先生に「財務諸表論は計算問題から取り掛かるようにしたらどうですか」というアドバイスをもらいました。私にとってはすごく参考になりました。

講義もとにかく面白く分かり易かったです。ライブ授業の日は、毎回朝から楽しみでした。そして、ひたすら苦行だった理論の勉強が、穂坂先生の講義のお陰で、めちゃくちゃ楽しい時間に変わった事にも驚きました。試験対策だけではなく、背景にあるものや作問に関わっている先生方がどういう考えでいるかなど、とても興味深い話が聞けて、飽きることなく学べました。

現在、3人の子供達の子育てをしながら勉強しておりますが、今年は結果が届いてすぐ、子供達に「合格したよ！」と知らせる事ができ、心の底から嬉しかったです。子供達も一緒に喜んでくれました。毎年、子供達に少し寂しい思いをさせてしまいますが、今年は結果が出せて本当に良かったです。

ネットスクールが自信をもって提唱する

簿財一体型の学習法

【税理士受験を始めた人に共通する最大の悩み】

⇒簿財の会計2科目のボリュームが多くて心が折れそう……

しかし、実は簿財の学習内容は**50％重複**しています。

※ ( )内の時間は1年間での標準学習時間となりますが、日商簿記検定などの学習経験や学習時期などの相違により個人差があります。

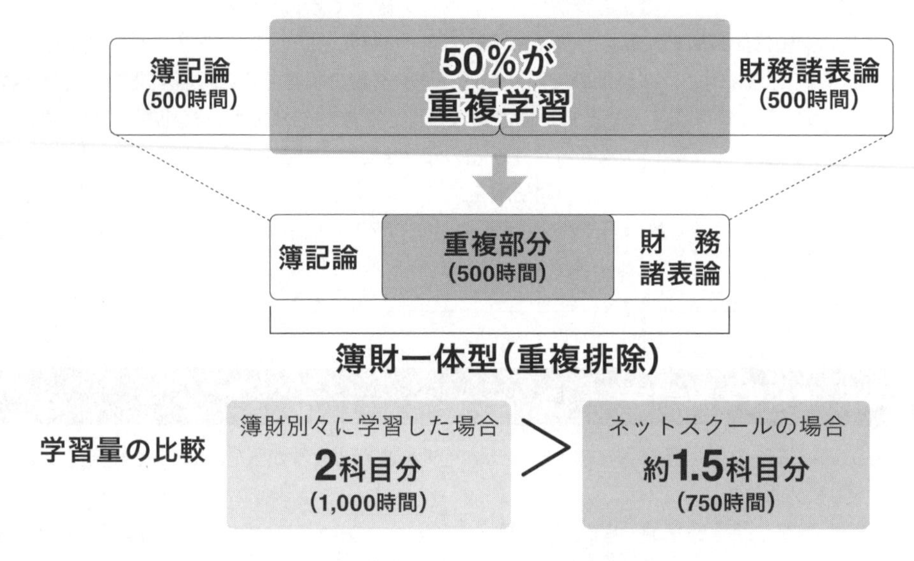

⇒悩みをスッキリ解決する新学習法が、**簿財一体型の学習法**です！

【参考】簿記論・財務諸表論の重複学習項目一覧

貸借対照表の作成	現金預金	金銭債権	棚卸資産	金融商品
有形固定資産	無形固定資産	繰延資産	営業費	負債会計
退職給付会計	純資産会計	外貨換算会計	リース会計	減損会計

なお、簿記論は基本的にはすべて計算問題として出題されますが、**財務諸表論では100点満点中50点までが理論問題の出題**となり、その出題量は相当なものとなりますので、**十分な理論対策が必要**となります。理論学習は日商簿記検定試験では1級会計学の出題内容となるため、特に3～2級までの学習修了者にとってはその理論対策が重要となってきます。

基礎導入編、基礎完成編、応用編の教科書・問題集は主に簿記論・財務諸表論の計算問題対策の教材となっていますので、財務諸表論の理論対策については別冊の**「財務諸表論教科書・理論編」**をご利用ください。

プロの会計人を目指すチャンス到来

今こそ税理士試験にチャレンジしよう！

簿記論および財務諸表論の受験資格が不要となったことに伴い、日商簿記の学習経験者にとってはこれまでよりも税理士試験（簿・財）にチャレンジしやすい環境になるものと考えられます。

これまで多くの税理士受験生が日商簿記検定の学習からスタートし、学習の進捗度合いや各級の合格を機に、簿記論や財務諸表論へステップアップしています。

そこで、以下の日商簿記検定試験の学習範囲との関連性（重複学習の度合い）をご参照いただき、今後における税理士試験へのチャレンジに向けて、学習開始の目安としていただきたいと思います。

なお、税理士試験では原価計算の出題はありません。また、工業簿記についても原価計算を行わない簡便的な工業簿記（商的工業簿記）の出題に限られています。

◆ 日商簿記検定試験の学習範囲との関連性

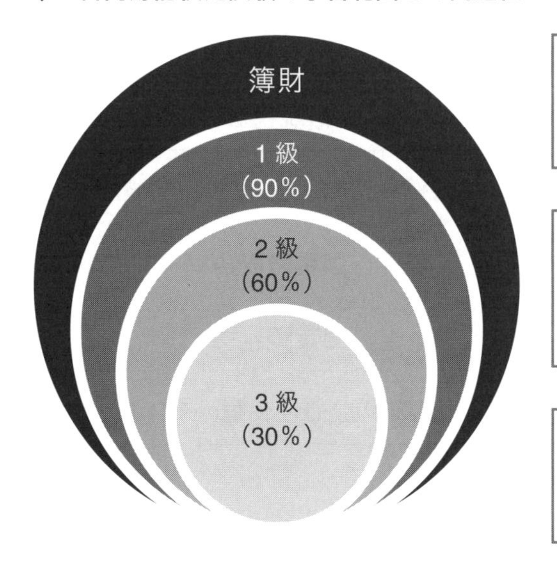

日商簿記１級

・ほとんどの内容は学習済みであり、復習もかねて学習を開始することができます。

・11月の検定試験後～年明けからのスタートが可能です。

日商簿記２級

・学習済みの内容も多く、比較的余裕をもって学習を開始することができます。

・理想は9月からですが、11月前後からのスタートも可能です。

日商簿記３級

・新規の学習項目も多くなりますが、基礎固めをしながら学習を進めていくことになります。

・9月から約1年をかけての学習をおススメします。

税理士試験（簿記論・財務諸表論）の学習については、これまででしたら日商簿記検定２級（商業簿記）の学習修了者が主な対象と考えられてきていたのですが、近年の日商簿記検定試験の出題範囲の改正等も考慮すると、**今後は日商簿記検定３級の学習修了者でも税理士試験（簿記論・財務諸表論）の学習開始は十分可能**であると考えられます。

さあ、今こそ税理士試験にチャレンジしましょう！

税理士試験は難易度の高い試験ではありますが、科目合格制度を採用しており、コツコツと努力を続ければ必ず合格できる可能性がある試験です。そして、税理士の資格は様々な分野で活躍できる魅力にあふれています。この魅力あふれる資格に今こそチャレンジしてみてください！

税理士試験の2大特徴

特徴その1　科目選択制度

以下の試験科目全11科目から5科目を選択して受験する制度です。会計科目の2科目と選択必須科目1科目以上を含む税法科目3科目の合計5科目に合格する必要があります。

<table>
<tr><td rowspan="2">会計科目</td><td rowspan="2">必須の2科目</td><td>簿記論</td></tr>
<tr><td>財務諸表論</td></tr>
</table>

<table>
<tr><td rowspan="9">税法科目</td><td rowspan="2">選択必須の1科目
※法人税法または所得税法のいずれか</td><td>法人税法</td></tr>
<tr><td>所得税法</td></tr>
<tr><td rowspan="5">選択科目
[2科目または1科目選択]</td><td>相続税法</td></tr>
<tr><td>消費税法または酒税法のいずれか</td></tr>
<tr><td>国税徴収法</td></tr>
<tr><td>固定資産税</td></tr>
<tr><td>事業税または住民税のいずれか</td></tr>
</table>

特徴その2　科目合格制度

1度の受験で5科目全てに合格する必要はなく、1科目ずつ受験することができます。
なお、1度合格した科目は生涯有効となります。

税理士試験の受験資格及び試験日程については、国税庁ホームページをご覧下さい。

https://www.nta.go.jp/index.htm

国税庁ホームページ ＞ 税の情報・手続・用紙 ＞ 税理士に関する情報 ＞ 税理士試験

Chapter 1

法人税等・租税公課

No	内　容	標準時間	重要度	難易度
問題1	法人税等の処理 1	3分	簿B	基本
問題2	事業税の外形標準課税	3分	簿C	応用
問題3	租税公課の処理	3分	簿B	基本
問題4	法人税等と租税公課	10分	簿A	応用
問題5	法人税等の処理 2	3分	財計A	基本
問題6	法人税等と外形標準課税	5分	財計A	基本
問題7	法人税等の追徴	5分	財計B	基本
問題8	法人税等とその他の税金	10分	財計B	応用

➡答案用紙 P.1-1　➡解答・解説 P.1-1

問題 1　法人税等の処理 1 （3分）　

次の各取引の仕訳を示しなさい。なお、法人税等の仮払いに相当する分は、仮払法人税等として処理することとし、取引は現金を通じて行っている(現金預金勘定で処理)。

(1)　法人税等の中間納付7,700千円を支払った。
(2)　所有する有価証券にかかる配当金240千円(60千円の源泉所得税控除後)を受け取った。
(3)　当期の確定年税額((1)の中間納付および(2)の源泉所得税控除前)は、17,000千円であったので、未納付額を計上する。

➡答案用紙 P.1-1　➡解答・解説 P.1-1

問題 2　事業税の外形標準課税 （3分）　応用

次の各取引の仕訳を示しなさい。なお、仕訳のさいに使用する勘定科目は、以下の枠内から選ぶこと。

現　　　金	当 座 預 金	車　　　両	仮払法人税等
買　掛　金	未払法人税等	未　払　金	租 税 公 課
法 人 税 等			

(1)　法人税等の中間納付として5,000千円を現金で支払った。なお、そのうち120千円は事業税の外形標準にかかる金額(資本割・付加価値割)である。仮払法人税等を計上する方法によること。
(2)　期末になり、法人税等の確定納付額が以下のように算定された。
　法人税　4,500千円　　住民税　2,600千円　　事業税　1,240千円
　なお、事業税のうち310千円は事業税の外形標準にかかる金額である。法人税等の計上にあたっては、(1)の中間納付額を考慮すること。
(3)　3,500千円の自動車を購入し、代金は翌月に支払うこととした。なお、環境性能割70千円は、購入時に小切手を振り出して支払った。
(4)　所有する車両にかかる自動車税51千円を現金で納付した。

➡答案用紙 P.1-1　➡解答・解説 P.1-2

問題 3　租税公課の処理 （3分）　基本

次の資料にもとづき、答案用紙の決算整理後残高試算表(一部)を完成させなさい。

【資料1】 決算整理前残高試算表(一部)

決算整理前残高試算表　(単位：千円)

勘定科目	金額	勘定科目	金額
現金預金	321,000		
仮払法人税等	34,300		
租税公課	770		

【資料2】 決算整理事項等

1　土地95,000千円を購入し、土地購入にともなう不動産取得税2,850千円を小切手をあわせて振り出して支払っていたが、未処理であった。

2　固定資産税930千円を現金で支払っていたが、未処理であった。

3　決算の結果、当期の法人税等の確定年税額(中間納付控除前の金額)は74,700千円と計算されたので、未納付額を計上する。なお、残高試算表の仮払法人税等は、期中に行った中間納付によるものである。

➡答案用紙 P.1-2　➡解答・解説 P.1-2

問題 4　法人税等と租税公課 （10分）　応用

次の資料にもとづき、答案用紙の決算整理後残高試算表(一部)を完成させなさい。なお、事業税の外形標準課税制度については考慮する必要はない。

【資料1】　決算整理前残高試算表(一部)

決算整理前残高試算表　　（単位：千円）

勘定科目	金額	勘定科目	金額
現金	24,680	未払法人税等	6,540
土地	30,000	その他諸収益	105,775
租税公課	13,580		
その他諸費用	79,280		

なお、上記試算表以外の費用・収益はないものとする。

【資料2】　修正および決算整理事項

1　租税公課の内訳は以下のとおりである。必要な修正を行うこと。

固定資産税の支払額　　420千円
不動産取得税の支払額　　900千円(当期に購入した土地にかかるもの)
収入印紙の購入額　　350千円(うち50千円は期末未使用)
法人税等の中間納付額　5,000千円
法人税等の追徴納付額　　370千円
前期の未払法人税等の支払額(2を参照のこと)　6,540千円

2　前期末に計上した未払法人税等を当期に支払ったさいに、以下の仕訳で処理していた(単位：千円)。

(借) 租　税　公　課　　6,540　　(貸) 現　　　金　　6,540

3　当期の法人税等の確定年税額(中間納付控除前の金額)は10,310千円と計算されたので、未納付額を計上する。

➡答案用紙 P.1-2　➡解答・解説 P.1-3

問題 5　法人税等の処理２　財計A（3分）　基本

次の資料にもとづいて、貸借対照表（流動負債）に記載される未払法人税等の金額を答えるとともに、答案用紙に示した損益計算書（一部）を完成させなさい。

【資料１】　決算整理前残高試算表（一部）

決算整理前残高試算表　（単位：千円）

勘定科目	金額	勘定科目	金額
仮払法人税等	15,000	受取利息	400

【資料２】　決算整理の未処理事項等

1　決算整理前残高試算表の仮払法人税等は、法人税、住民税及び事業税の中間納付額である。

2　受取利息400千円は、源泉所得税100千円控除後の手取額を計上したものであり、当該源泉所得税については未処理である。

3　当期の確定年税額（中間納付及び源泉税控除前）は38,100千円と計算された。

➡答案用紙 P.1-3　➡解答・解説 P.1-3

問題 6　法人税等と外形標準課税 

基本

次の資料にもとづいて、貸借対照表（流動負債）に記載される未払法人税等の金額を答えるとともに、答案用紙に示した損益計算書（一部）を完成させなさい。

【資料１】　決算整理前残高試算表（一部）

決算整理前残高試算表　（単位：千円）

勘定科目	金額	勘定科目	金額
販売費及び一般管理費	499,000		
仮払法人税等	25,200		

【資料２】　決算整理の未処理事項等

1　決算整理前残高試算表の仮払法人税等の内訳は次のとおりである。

(1) 法人税および住民税の中間納付額　22,000千円

(2) 事業税の中間納付額　3,200千円（うち400千円は資本割および付加価値割である）

2　確定申告により計算された納付税額（中間納付額控除後の金額）は次のとおりである。

(1) 法人税および住民税　27,500千円

(2) 事業税　4,500千円（うち600千円は資本割および付加価値割である）

➡答案用紙 P.1-3　➡解答・解説 P.1-4

問題 7　法人税等の追徴　財計B（5分）　基本

次の資料にもとづいて、貸借対照表（流動負債）に記載される未払法人税等の金額を答えるとともに、答案用紙に示した損益計算書（一部）を完成させなさい。なお、事業税の外形標準課税制度については考慮しなくてよい。

【資料1】　決算整理前残高試算表（一部）

決算整理前残高試算表　（単位：千円）

勘定科目	金額	勘定科目	金額
法人税等	112,450	未払法人税等	52,800

【資料2】　決算整理事項等

1　決算整理前残高試算表の法人税等の内訳は次のとおりであるため、適切な処理に改める。

(1)　前期の法人税、住民税及び事業税の納付額　52,800千円

なお、残高試算表の未払法人税等の金額は、前期末に計上された当該納付にかかるものである。

(2)　当期に納付した法人税等の追徴税額　12,650千円

(3)　当期の法人税、住民税及び事業税の中間納付額　47,000千円

2　当期の法人税、住民税及び事業税の確定年税額（中間納付額控除前）は、123,450千円と計算された。

➡答案用紙 P.1-4　➡解答・解説 P.1-4

問題 8　法人税等とその他の税金　財計B（10分）　応用

次の資料にもとづいて、答案用紙に示した貸借対照表と損益計算書を作成し、必要な注記を記入しなさい。なお、事業税の外形標準課税制度については考慮しなくてよい。

【資料１】　決算整理前残高試算表（一部）

決算整理前残高試算表　（単位：千円）

勘定科目	金額	勘定科目	金額
車両	4,000	受取利息配当金	1,800
土地	50,000		
販売費及び一般管理費	348,860		

【資料２】　決算整理の未処理事項等

1　決算整理前残高試算表の販売費及び一般管理費（租税公課）には、次のものが含まれている。

(1)　法人税、住民税及び事業税の中間納付額　28,000千円
(2)　車両の購入にともなう環境性能割　80千円（下記２を参照）
(3)　当期分の自動車税　150千円（下記２を参照）
(4)　土地の購入にともなう不動産取得税　1,500千円
(5)　当期分の固定資産税　950千円
(6)　配当金の受取りにともなう源泉取得税　300千円

2　残高試算表の車両は当期首に営業用に購入したものであり、次の方法により減価償却を行う。なお、減価償却累計額は科目別に注記する方法によること。

車両：残存価額をゼロとした定額法（償却率：0.25）

3　当期の法人税、住民税及び事業税の確定年税額（中間納付額および源泉税控除前）は60,000千円と計算された。

Chapter 2

税効果会計

No	内　容	標準時間	重要度	難易度
問題１	繰延税金資産の計上１	３分	簿A	基本
問題２	繰延税金資産の計上２	３分	簿A	基本
問題３	法人税等の算定	３分	簿A	基本
問題４	繰延税金資産の計上３	10分	簿A	応用
問題５	将来減算一時差異１	10分	簿A	基本
問題６	将来減算一時差異２	６分	簿B	基本
問題７	将来減算一時差異のまとめ	15分	簿B	応用
問題８	繰延税金負債の計上	５分	簿A	基本
問題９	その他有価証券１	12分	簿A	基本
問題 10	法人税等調整額の算定１	５分	簿A	基本
問題 11	法人税等調整額の算定２	５分	簿B	応用
問題 12	将来減算一時差異３	５分	財計A	応用
問題 13	商品評価損	３分	財計A	基本
問題 14	減価償却費	３分	財計A	基本
問題 15	貸倒引当金繰入	３分	財計A	基本
問題 16	将来減算一時差異４（本試験改題）	10分	財計A	応用
問題 17	未払事業税	３分	財計A	基本
問題 18	圧縮積立金	10分	財計B	応用
問題 19	その他有価証券２	５分	財計A	基本
問題 20	税効果会計のまとめ	10分	財計A	応用
問題 21	注記事項	５分	財計B	応用

➡答案用紙 P.2-1　➡解答・解説 P.2-1

問題 1　繰延税金資産の計上 1 （3分）　基本

次の各取引の仕訳を示しなさい。なお、税効果会計を適用し、法定実効税率は30%とする。

(1)　期末において、翌期に支払う賞与に備えて賞与引当金4,200千円を計上した。なお、賞与引当金は当期より設定し、税務上はその全額が損金として認められない。

(2)　翌期になり、賞与4,200千円を支払い（現金預金勘定で処理）、賞与引当金を全額取り崩した。なお、これにともない、賞与引当金4,200千円の損金算入が認められた。

➡答案用紙 P.2-1　➡解答・解説 P.2-1

問題 2　繰延税金資産の計上 2 （3分）　基本

次の各取引の仕訳を示しなさい。なお、税効果会計を適用し、法定実効税率は30%とする。

(1)　当期首に取得した建物200,000千円（取得原価）に対し、以下の条件で減価償却を行った（間接法）。

　償却年数：20年　償却方法：定額法　残存価額：ゼロ

　ただし、税務上認められる減価償却限度額は4,000千円であるため、限度超過額に対して税効果会計を適用する。

(2)　売掛金10,000千円に対して４%の貸倒引当金を設定したが、税務上認められる繰入率は１%であり、認められない部分に対して税効果会計を適用する。貸倒引当金の残高はゼロである。

(3)　交際費300千円（交際費勘定で処理）を現金で支払った（現金預金勘定で処理）が、税務上はその全額が損金として認められなかった。

➡答案用紙 P.2-1　➡解答・解説 P.2-1

問題 3　法人税等の算定 （3分）　基本

次の資料にもとづいて、当期の損益計算書に計上される法人税等の金額を答えなさい。

【資　料】

1　法人税等の計上以外の修正事項および決算整理事項を考慮した後の金額

　諸収益：70,000千円　　諸費用：50,000千円　　法人税等調整額：1,875千円（貸方）

2　法人税等調整額を加減した額が税引前当期純利益の30%になるように「法人税等」を計上する。

➡答案用紙 P.2-2　➡解答・解説 P.2-2

問題 4　繰延税金資産の計上 3　簿A（10分）　応用

次の資料にもとづいて、当期の貸借対照表および損益計算書を完成させなさい。なお、税効果会計を適用し、法定実効税率は30%とする。また、法人税等調整額が貸方残高となる場合、数値に「△」を付すこと。

【資料1】　決算整理前残高試算表(一部)

決算整理前残高試算表　（単位：千円）

勘定科目	金額	勘定科目	金額
繰越商品	30,000	建物減価償却累計額	10,000
建物	200,000	売上	784,500
繰延税金資産	5,100		
仕入	450,000		

【資料2】　決算整理事項

1　期末商品帳簿棚卸高10,000千円、期末商品実地棚卸高9,500千円、期末商品実地棚卸高の正味売却価額9,300千円　棚卸減耗損は売上原価に算入する。

棚卸減耗損は税務上も損金算入が認められるが、商品評価損は税務上損金に算入されない。なお、前期末において商品評価損は計上していない。

2　前期首に取得した建物(取得原価200,000千円)に対し、以下の条件で減価償却を行った。

償却年数：20年　　償却方法：定額法　　残存価額：ゼロ

税務上の法定耐用年数は50年(残存価額はゼロ、定額法)であり、前期末における減価償却超過額は6,000千円であった。

3　前期に法人税等50,000千円(うち事業税11,000千円)を計上し、当期に未納分を支払済みである。

当期の法人税等として52,500千円(うち事業税11,600千円)を計上する。なお、事業税は税務上支払時に損金算入される。

➡答案用紙 P.2-3　➡解答・解説 P.2-3

問題 5　将来減算一時差異 1　簿A　(10分)　基本

下記の資料に基づいて、甲株式会社の当期(第27期)における答案用紙を完成させなさい。
決算は年1回である。

【資料1】　固定資産について

1．第24期

(1)　期首に固定資産10,000円を取得した。

(2)　企業会計上の耐用年数は4年である。

(3)　税務上の耐用年数は5年である。

(4)　減価償却を定額法、残存価額10%により行う(税務上も同様とする。)。

2．当期(第27期)

(1)　期末に上記固定資産を800円で売却した。

(2)　上記以外の諸収益15,000円、諸費用6,550円である。

【資料2】　法人税等について

1．税率は30%。

2．第24期より税効果会計を適用している。

3．法人税等調整額を加減した額が税引前当期純利益の30%になるように法人税等を計上する。

➡答案用紙 P.2-4　➡解答・解説 P.2-3

問題 6　将来減算一時差異 2　簿B（6分）　基本

下記の資料に基づいて、01年度及び02年度における法人税等及び税効果に係る仕訳を示しなさい。税率は30%とする。

(1) 01年度

① 01年度における期末商品は原価20,000円、正味売却価額18,000円であった。よって、会計上は商品評価損2,000円を計上した。

② ただし、税務上は評価損が否認されたため、以下のように税務調整を行った。

税務調整	(単位：円)
税引前当期純利益	500,000
損金不算入：商品評価損否認	
課税所得	

(2) 02年度

① 01年度末における商品は30,000円で販売された。

② 01年度における評価損は税務上認容されたため、以下のように税務調整を行った。

税務調整	(単位：円)
税引前当期純利益	600,000
損金算入：商品評価損認容	
課税所得	

➡答案用紙 P.2-4　➡解答・解説 P.2-4

問題 7　将来減算一時差異のまとめ （15分）　応用

次の資料にもとづいて、答案用紙の決算整理後残高試算表を完成させなさい。なお、決算日は毎年3月31日であり、法定実効税率は毎期30％である。また、前期末において、一時差異は建物の減価償却にかかる一時差異のみであった。

【資料１】　決算整理前残高試算表

決算整理前残高試算表　（単位：千円）

勘定科目	金額	勘定科目	金額
現金預金	57,680	買掛金	178,130
売掛金	221,000	貸倒引当金	3,400
仮払金	32,500	建物減価償却累計額	54,000
建物	1,200,000	資本金	1,000,000
繰延税金資産	9,720	諸収益	791,470
諸費用	506,100		
合計	2,027,000	合計	2,027,000

【資料２】　決算整理事項等

1　期中において、買掛金1,000千円決済のため、売掛金のある得意先の引受けを得て為替手形を振り出していたが、未処理であった。

2　売掛金の期末残高に対して2.5％の貸倒引当金を差額補充法により設定する。なお、税務上の繰入限度額は１％であるため、限度超過額に対して税効果会計を適用するものとする。

3　建物は、耐用年数50年、残存価額を取得原価の10％とする定率法（償却率0.045）により減価償却を行う。当該建物は前期首に取得している。なお、税務上認められている減価償却方法は定額法（耐用年数および残存価額は会計上の方法と同様）であるため、税効果会計を適用する。

4　翌期の６月に支給される夏期賞与支給見込額は24,000千円であり、賞与引当金を計上する。夏期賞与の支給対象期間は12月から５月までの６カ月間となっている。なお、賞与は支払時に損金算入されるので、賞与引当金繰入額の全額に対して税効果会計を適用する。

5　法人税等調整額を加減した額が税引前当期純利益の30％になるように「法人税等」を計上する。なお、仮払金は法人税等の中間納付額であり、「法人税等」の当期計上額から中間納付額を控除した金額を「未払法人税等」として計上する。

➡答案用紙 P.2-5　➡解答・解説 P.2-6

問題 8　繰延税金負債の計上 （5分）　基本

次の各取引の仕訳を示しなさい。なお、税効果会計を適用し、法定実効税率は30%とする。

(1)　期首に国庫補助金200,000千円を受け取り、自己資金1,000,000千円を加えて建物1,200,000千円を購入し、代金は小切手を振り出して支払った(現金預金勘定で処理)。

(2)　期末において、建物の減価償却(定額法、耐用年数20年、残存価額ゼロ、間接法)を行う。

(3)　期末において、国庫補助金相当額から税効果相当額を控除した残額140,000千円について圧縮積立金を積み立てるとともに、7,000千円を取り崩した。

　税務上は国庫補助金相当額200,000千円が損金に算入されるとともに、当期配分額の10,000千円が益金に算入された。

➡答案用紙 P.2-5　➡解答・解説 P.2-6

問題 9 その他有価証券１  （12分） 基本

次の資料にもとづいて、当期の決算整理後残高試算表を完成させなさい。なお、税効果会計を適用し、法定実効税率は30%とする。当期は×５年４月１日～×６年３月31日の１年間である。

【資料１】　決算整理前残高試算表(一部)

決算整理前残高試算表　(単位：千円)

勘定科目	金額	勘定科目	金額
有価証券	50,000	受取配当金	1,000
投資有価証券	118,600	有価証券利息	750
関係会社株式	100,000	有価証券評価損益	2,000

【資料２】　決算整理事項

当社が期末に保有している有価証券の内訳は以下のとおりである。

銘柄	取得原価	前期末時価	当期末時価	保有目的
A社株式	50,000千円	48,000千円	51,000千円	売買目的
B社社債	29,000千円	—	29,200千円	満期保有目的
C社株式	100,000千円	90,000千円	40,000千円	支配目的
D社株式	80,000千円	82,000千円	75,000千円	その他
E社社債	9,500千円	9,650千円	9,800千円	その他

1　A社株式は前期に取得したもので洗替方式を採用している。

2　B社社債(償還期限５年)は当期(×５年10月１日)に発行と同時に取得したもので、額面金額(30,000千円)と取得原価(29,000千円)との差額が金利の調整と認められるため、償却原価法(定額法)を適用する。

なお、利払日(利率は年３％)は３月末日と９月末日の年２回である。

3　C社株式は前期に支配する目的で取得した子会社株式であり、当期末における時価が著しく下落しており、回復する見込みは不明である。

4　D社株式は前期に取得したもので、その他有価証券については部分純資産直入法を採用している。なお、税務上は時価への評価替えは認められないため、税効果会計を適用する。

5　E社社債(償還期限５年)は前期首(×４年４月１日)に発行と同時に取得したもので、額面金額(10,000千円)と取得原価(9,500千円)との差額が金利の調整と認められるため、償却原価法(定額法)を適用している。なお、利払日(利率は年３％)は３月末日の年１回である。また、税務上は時価への評価替えは認められないため、税効果会計を適用する。

➡答案用紙 P.2-5 ➡解答・解説 P.2-7

問題10 法人税等調整額の算定 1 簿A (5分) 基本

次の資料にもとづいて、税効果会計に関する仕訳を示すとともに、当期の貸借対照表に記載される繰延税金資産の金額を答えなさい。なお、法定実効税率は30%とする。

【資料1】 決算整理前残高試算表(一部)

決算整理前残高試算表 (単位:千円)

勘定科目	金額	勘定科目	金額
繰延税金資産	9,255		

【資料2】 将来減算一時差異に関する事項 (単位:千円)

		前期末	当期末
1	貸倒引当金損金算入限度超過額	3,300	3,570
2	賞与引当金繰入超過額	15,900	18,500
3	固定資産減価償却超過額	6,600	6,300
4	未払事業税の損金算入否認額	5,050	5,550
	合計	30,850	33,920

➡答案用紙 P.2-6 ➡解答・解説 P.2-7

問題11 法人税等調整額の算定 2 簿B (5分) 応用

次の資料にもとづいて、当期の貸借対照表に記載される繰延税金資産および繰延税金負債の金額(繰延税金資産と繰延税金負債を相殺する必要はない)を答えるとともに、当期の損益計算書(一部)を完成させなさい。なお、法人税等の法定実効税率は29%とする。

【資料1】 一時差異に関する事項

(単位:千円)

	将来減算一時差異	将来加算一時差異
前期末残高	18,000	5,100
当期解消額	△ 8,700	△ 1,700
当期発生額	14,700	0
当期末残高	24,000	3,400

【資料2】 その他の事項

法人税等の計上以外の修正事項および決算整理事項をすべて考慮したあとの当期総収益は350,000千円、当期総費用は280,000千円であった。法人税等調整額を加減した額が税引前当期純利益の29%になるように「法人税等」を計上する。

➡答案用紙 P.2-6　➡解答・解説 P.2-8

問題 12　将来減算一時差異３　財計A　（５分）　応用

次の資料にもとづいて、当期の貸借対照表および損益計算書の空欄に適切な金額を記入しなさい。なお、税効果会計を適用し、法定実効税率は30%とする。

【資料１】　決算整理前残高試算表(一部)

決算整理前残高試算表　（単位：千円）

勘定科目	金額	勘定科目	金額
建物	300,000	建物減価償却累計額	15,000
繰延税金資産	12,300		

【資料２】　決算整理事項

1　前期末に賞与引当金10,000千円を計上していたが、当期に賞与を支払い賞与引当金を全額取り崩した。当期末に翌期の賞与の支払いに備えて賞与引当金13,000千円を計上する。なお、賞与引当金繰入額は税務上損金として認められない。

2　前期首に取得した建物(取得原価300,000千円)に対し、次の条件で減価償却を行った。

　償却年数：20年　償却方法：定額法　残存価額：ゼロ

　税務上の法定耐用年数は50年(残存価額はゼロ)であり、前期末における減価償却超過額は9,000千円であった。

3　前期に法人税等100,000千円(うち事業税22,000千円)を計上し、当期に未納分を支払済みである。

　当期の法人税等として139,200千円(うち事業税31,000千円)を計上する。なお、事業税は税務上支払時に損金算入される。

➡答案用紙 P.2-7　➡解答・解説 P.2-9

問題 13　商品評価損　財計A　（３分）　基本

次の一連の取引について、税効果会計を適用した場合に必要となる仕訳を示しなさい。なお、法定実効税率は30%とする。

(1) 第１期

　仕入原価10,000千円の商品について、決算で評価損1,500千円を計上した。しかし、税務上は損金算入が認められなかった。

(2) 第２期

　当該商品を売却したため、前期に計上した評価損1,500千円の損金算入が認められた。

➡答案用紙 P.2-7　➡解答・解説 P.2-9

問題 14　減価償却費　財計A（3分）　基本

次の一連の取引について、税効果会計（法定実効税率30%）を適用した場合の各期の貸借対照表に計上される繰延税金資産と、損益計算書に計上される法人税等調整額の金額を答えなさい。ただし、金額がゼロの場合は、「0」とすること。

(1) 第1期
　期首に取得した備品90,000千円について、残存価額をゼロ、耐用年数3年、定額法により減価償却を行う。なお、税務上の耐用年数は5年である。

(2) 第2期
　当該備品につき、減価償却を行う。

(3) 第3期
　期首に当該備品を50,000千円で売却し、これにより第1期・第2期の一時差異24,000千円が解消した。

➡答案用紙 P.2-8　➡解答・解説 P.2-9

問題 15　貸倒引当金繰入　財計A（3分）　基本

次の一連の取引について、税効果会計を適用した場合に必要となる仕訳を示しなさい。なお、法定実効税率は30%とする。

(1) 第1期
　破産更生債権等に該当する売掛金3,000千円について、当社は貸倒引当金を100%（3,000千円）設定した。しかし、税務上の繰入限度額は50%であるため、超過額1,500千円は損金不算入となった。

(2) 第2期
　当該売掛金が貸し倒れたため、税務上損金算入が認められた。

➡答案用紙 P.2-8　➡解答・解説 P.2-10

問題 16　将来減算一時差異4　財計A　(10分)　(本試験改題)　応用

次の資料にもとづいて、当期の貸借対照表および損益計算書を完成させなさい。なお、税効果会計を適用し、法定実効税率は30%とする。

【資料1】 決算整理前残高試算表(一部)

決算整理前残高試算表　(単位：千円)

勘定科目	金額	勘定科目	金額
受取手形	218,750	貸倒引当金	2,100
売掛金	396,250		
繰延税金資産	975		
販売費及び一般管理費	193,692		

【資料2】 決算整理事項

当社は、金銭債権を「一般債権」、「貸倒懸念債権」、「破産更生債権等」に区分して貸倒引当金を設定している。なお、繰入れは差額補充法によるものとする。

1　当期に発生したA社に対する受取手形5,000千円を、一般債権から貸倒懸念債権に変更することにした。この債権に対して、担保として上場有価証券(期末時価200千円)を受け入れている。当期末において当社の債権で貸倒懸念債権として区分されたものは、A社に対する債権のみである。

なお、A社の債権に対しては、債権金額から担保処分見込額を控除した残額の50%相当額の貸倒引当金を設定する。ただし、税務上は一般債権として貸倒引当金の繰入限度額の計算を行っている。

2　B社に対する債権は、前期において貸倒懸念債権に区分していたが、同社は当期×8年12月に破産手続開始の申立てを行った。当期末におけるB社に対する債権は、受取手形3,750千円および売掛金6,250千円であり、一年内に回収される見込みはない。これらの債権に対して、担保設定等の債権保全手続きは取っていない。

当社はこれらの債権全額について貸倒引当金を設定する。ただし、税務上の繰入限度額は50%相当額である。

なお、前期末において、これらの債権に対し、貸倒引当金600千円が設定されている。

3　一般債権に対しては、過去の貸倒実績率にもとづき受取手形および売掛金の期末残高の１%を引当計上する。

4　B社以外の売上債権に対する税務上の貸倒引当金繰入限度額は4,400千円であり、繰入限度超過額に対して税効果会計を適用するものとする。なお、前期末において、貸倒引当金に税効果会計を適用し、計上した繰延税金資産は975千円である。

5　決算整理前残高試算表の貸倒引当金は、受取手形および売掛金に対する前期末残高であり、破産更生債権等に対するものはない。

6　破産更生債権等に係る繰入額は特別損失とする。

➡答案用紙 P.2-9　➡解答・解説 P.2-11

問題 17　未払事業税　財計A（3分）　基本

次の一連の取引について、税効果会計（法定実効税率30%）を適用した場合の仕訳を示しなさい。

(1) 第１期
期末において、法人税等が3,000千円計上された。このうち事業税は500千円であり、未払事業税として計上している。なお、事業税は税務上、納付した期の損金になる。

(2) 第２期
期中に前期分の未払事業税が納付され、損金算入された。

➡答案用紙 P.2-9　➡解答・解説 P.2-12

問題 18　圧縮積立金　財計B（10分）　応用

次の資料にもとづいて、当期の貸借対照表、損益計算書および株主資本等変動計算書を完成させなさい。なお、税効果会計を適用し、法定実効税率は30%とする。また、繰延税金資産と繰延税金負債を相殺する必要はない。

【資料１】　決算整理前残高試算表（一部）

決算整理前残高試算表　（単位：千円）

勘定科目	金額	勘定科目	金額
建物	1,500,000	繰延税金負債	各自計算
繰延税金資産	19,800	建物圧縮積立金	各自計算
		別途積立金	126,000
		繰越利益剰余金	300,000

【資料２】　決算整理事項

1　圧縮積立金

(1)　前期末に国庫補助金250,000千円を受け取り、自己資金1,250,000千円を加えて、建物（取得原価1,500,000千円）を購入した。前期末に積立金方式による圧縮記帳を行い、税務上は国庫補助金相当額が損金に算入された。

(2)　この建物を当期首より事業の用に供し、当期末に減価償却（定額法、耐用年数20年、残存価額ゼロ）を行う。

(3)　当期末に建物圧縮積立金のうち、8,750千円を取崩した。税務上は国庫補助金相当額のうち当期配分額の12,500千円が益金に算入された。

2　法人税等

(1)　前期に法人税等420,000千円（うち事業税66,000千円）を計上し、当期に未納分を支払済みである。

(2)　当期の法人税等として506,250千円（うち事業税93,000千円）を計上する。なお、事業税は税務上支払時に損金算入される。

➡答案用紙 P.2-10 ➡解答・解説 P.2-13

問題 19 その他有価証券2 財計A (5分) 基本

次の資料にもとづいて、各問いに答えなさい。なお、当社は税効果会計を適用しており、法定実効税率は30%である。また、決算整理前残高試算表における繰越利益剰余金は100,000千円である。なお、法人税等調整額が貸方残高の場合は数値に「△」を付し、残高がゼロの場合は、「0」と記入すること。

当期末に保有する有価証券の内訳

銘　　柄	分　　類	取得原価	当期末時価	備　考
T社株式	その他有価証券	20,000千円	26,000千円	(注)
K社株式	その他有価証券	15,000千円	13,000千円	〃

(注)その他有価証券はいずれも当期に取得したものである。

問1　その他有価証券の評価方法として、全部純資産直入法を採用した場合の貸借対照表および損益計算書を完成させなさい。当期の法人税等は3,000千円であるものとする。

問2　その他有価証券の評価方法として、部分純資産直入法を採用した場合の貸借対照表および損益計算書を完成させなさい。当期の法人税等は3,000千円であるものとする。

➡答案用紙 P.2-11 ➡解答・解説 P.2-15

問題 20　税効果会計のまとめ　財計A （10分）　応用

甲株式会社の当期（×6年4月1日～×7年3月31日）にかかる次の資料にもとづいて、貸借対照表を完成させるとともに、損益計算書の法人税等調整額の金額を答えなさい。なお、法人税等調整額が貸方残高の場合は、数値に「△」を付すこと。

【資料1】　決算整理前残高試算表（一部）

決算整理前残高試算表　（単位：千円）

勘定科目	金額	勘定科目	金額
繰延税金資産	30,400		

【資料2】　参考事項

前期末および当期末の一時差異および永久差異は、次のとおりである。

（単位：千円）

区分	前期末	当期末
一時差異		
棚卸資産評価損	5,000	8,000
貸倒引当金繰入限度超過額	6,500	20,000
賞与引当金の損金不算入額	6,000	2,000
未払事業税否認	17,000	17,500
退職給付引当金繰入限度超過額	55,000	60,000
役員退職慰労引当金の損金不算入額	0	125,000
その他一時差異	5,500	7,500
小計	95,000	240,000
「その他有価証券」の評価差額（評価益）	0	△20,000
合計	95,000	220,000
永久差異		
交際費等	7,000	8,500

1　「その他有価証券」（投資有価証券に該当する）の時価評価による評価差額は全部純資産直入法により処理している。

2　法定実効税率は、前期末および当期末のいずれも32%として計算すること。

3　繰延税金資産の回収可能性に問題はないものとする。

➡答案用紙 P.2-12 ➡解答・解説 P.2-16

問題 21 注記事項 財計B（5分） 応用

次の資料にもとづいて、当期末の貸借対照表および損益計算書ならびに税効果会計に関する注記事項を完成させなさい。なお、貸借対照表上、繰延税金資産と繰延税金負債は相殺して、いずれか一方に記入すること。

【資　料】

前期末および当期末における一時差異は以下のとおりである。法定実効税率は30％とする。当期の損益計算書における法人税等は159,750円、税引前当期純利益は500,000円である。

（単位：円）

区　　分	前期末	当期末
将来減算一時差異		
(1)未払事業税の損金不算入額	10,000	5,000
(2)貸倒引当金繰入限度超過額	12,500	7,500
(3)退職給付費用の損金不算入額	157,500	172,500
合　　計	180,000	185,000
将来加算一時差異		
(1)圧縮積立金の損金算入額	50,000	47,500
合　　計	50,000	47,500
永久差異		
交際費の損金不算入額	－	40,000
受取配当金の益金不算入額	－	15,000

Chapter 3

消費税

No	内　　容	標準時間	重要度	難易度
問題１	消費税の処理１	４分	簿A	基本
問題２	消費税の処理２	５分	簿B	基本
問題３	消費税の処理３	３分	簿B	応用
問題４	消費税の処理４	15分	簿A	応用
問題５	消費税の処理５（本試験改題）	15分	簿B	応用
問題６	消費税の処理６	３分	財計A	基本
問題７	消費税の処理７	３分	財計A	基本
問題８	消費税の処理８	12分	財計B	応用
問題９	消費税（総合問題）	30分	簿A	応用

➡答案用紙 P.3-1　➡解答・解説 P.3-1

問題 1　消費税の処理１  

　次の各取引の仕訳を示しなさい。なお、消費税率は10%とし、消費税の処理は税抜方式によっている。

(1)　商品3,300千円(税込み)を掛けで仕入れた。
(2)　商品7,920千円(税込み)を掛けで売り上げた。
(3)　備品2,200千円(税込み)を購入し、代金は月末に支払うこととした。
(4)　当期に掛けで売り上げた商品に対し、660千円(税込み)の売上値引を行った。
(5)　当期の取引を集計したところ、仮払消費税等は500千円、仮受消費税等は660千円であった。

➡答案用紙 P.3-1　➡解答・解説 P.3-1

問題 2　消費税の処理２  基本

　次の各取引の仕訳を示しなさい。なお、(税込み)とある取引については消費税等10%が含まれており、(税抜き)とある取引については消費税等10%が含まれていない。(税込み)または(税抜き)とある取引については消費税等を考慮し、消費税等の処理は税抜方式によっている。また、仕訳のさいに使用する勘定科目は、以下の枠内のものを使用すること。

現　　　金	当座預金	売　掛　金	未収消費税等
仮払消費税等	備　　　品	買　掛　金	未払消費税等
仮受消費税等	売　　　上	固定資産売却益	仕　　　入
貸倒損失	固定資産売却損		

(1)　期首に備品13,200千円(税込み)を購入し、代金は小切手を振り出して支払った。
(2)　期首に備品(帳簿価額5,000千円)を5,280千円(税込み)で売却し、代金は小切手で受け取った。
(3)　商品3,800千円(税抜き)を掛けで仕入れた。
(4)　商品6,300千円(税抜き)を掛けで売り上げた。
(5)　当期に販売した商品にかかる売掛金のうち、1,100千円(税込み)が貸し倒れた。
(6)　上記(1)～(5)にもとづき、決算で消費税等の納付額または還付額を計上した。

➡答案用紙 P.3-2　➡解答・解説 P.3-2

問題 3　消費税の処理３　簿B（３分）　応用

次の取引の仕訳を示しなさい。なお、(税込み)とあるものについては消費税10%(税抜方式によっている)を考慮すること。

当期首において、旧車両(取得原価2,000,000千円、期首減価償却累計額875,000千円、間接法により記帳)を1,034,000千円(税込み)で下取りに出し、新車両1,980,000千円(税込み)を購入し、差額の946,000千円を現金で支払った。

➡答案用紙 P.3-2　➡解答・解説 P.3-2

問題 4　消費税の処理４　簿A（15分）　応用

次の資料にもとづいて、答案用紙の決算整理後残高試算表(一部)を完成させなさい。なお、商品の売買についてはすべて掛けで行っている。また、資料中に(税込み)とある取引についてのみ、消費税10%を考慮すること。

【資料１】　決算整理前残高試算表(一部)

決算整理前残高試算表　(単位：千円)

勘定科目	金額	勘定科目	金額
売掛金	125,860	買掛金	94,928
仮払消費税等	30,000	仮受消費税等	48,000
備品	63,000	貸倒引当金	2,700
仕入	300,000	備品減価償却累計額	34,020
租税公課	14,970	売上	480,000

【資料２】　修正および決算整理事項

1　商品3,080千円(税込み)を仕入れていたが、未記帳であった。

2　仕入れた商品のうち440千円(税込み)は不良品であったため返品していたが、未記帳であった。

3　前期発生の売掛金2,860千円(税込み)は、取引先の倒産により回収の見込みがなくなったと判断し、全額を貸倒れ処理する。

4　売掛金の期末残高に対し、貸倒実績率３%の貸倒引当金を差額補充法により設定する。

5　期首および期末において、商品の在庫はなかった。

6　期中に備品のすべてを28,600千円(税込み)で売却し、代金は翌期に受け取ることとしたが、未処理であった。なお、期首から売却時までの減価償却費は5,670千円であり、期中の備品にかかる取引はほかになかった。

7　消費税等の中間納付額9,000千円を納付したさい、租税公課で処理していた。

8　消費税等の納税額(仮受消費税等の残高から仮払消費税等の残高を控除した金額)に対して、未払消費税等を計上する。

➡答案用紙 P.3-2　➡解答・解説 P.3-3

問題 5　消費税の処理 5　簿B（15分）　（本試験改題）応用

NS株式会社（当社）は、商品の販売業を営んでおり、当期（×1年4月1日〜×2年3月31日）の2月末現在の残高試算表（一部）は、【資料1】のとおりである。

【資料1】、【資料2】（×2年3月中の取引）および【資料3】（修正および決算整理事項）にもとづいて、決算整理後残高試算表（一部）を完成させなさい。

（留意事項）

消費税および地方消費税（以下「消費税等」という）の会計処理は、税抜方式を採用している。資料中の（税込み）とある取引のみ消費税等10％を考慮すること。

【資料1】　×2年2月末残高試算表（一部）

残　高　試　算　表　　（単位：千円）

勘定科目	金額	勘定科目	金額
現金	20,819	買掛金	98,740
当座預金	135,072	仮受消費税等	13,871
売掛金	58,286	貸倒引当金	350
繰越商品	4,728	売上	138,535
仮払消費税等	9,134		
仮払金	120		
商品仕入	91,303		
営業費	4,636		

【資料2】　×2年3月中の取引

1　商品の売上は掛売上52,690千円（税込み）であった。売掛金の回収は、当座預金への振込みが27,817千円、小切手による回収が12,701千円、買掛金との相殺が11,628千円であった。

2　商品について、得意先から2月売上分990千円（税込み）について売掛金の回収前に返品があり、商品を受け入れた。

3　営業費8,030千円（税込み）が当座預金から支払われている。

【資料3】　修正および決算整理事項

1　修正事項

(1)　得意先M社に対して、期末に売掛金の残高確認を行ったところ、先方の買掛金残高は3,540千円、当方の売掛金残高は3,980千円であった。差異の原因を調査したところ、当社営業担当者がM社に対して商品売上値引440千円（税込み）を行っていたが、当社の営業担当者から経理担当者への通知がなされておらず、会計処理を行っていなかった。

(2)　仮払金は、営業担当者の出張旅費（営業費）の仮払額である。営業担当者は出張後、経理部に領収書（交通費110千円（税込み））と残額の現金を持参していたが、経理担当者は処理を行っていなかった。

2　決算整理事項

(1)　期末商品棚卸高は3,825千円（【資料2】2の返品分を含む）であり、減耗損や評価損は計上されなかった。

(2)　貸倒引当金は、売掛金の期末残高に対し1.0％相当額とする。なお、繰入れは差額補充法により行う。

(3)　消費税等の納税額（仮受消費税等の残高から仮払消費税等の残高を控除した金額）に対して「未払消費税等」を計上する。

➡答案用紙 P.3-3　➡解答・解説 P.3-4

問題 6　消費税の処理6　財計A（3分）　基本

次の資料にもとづいて、当期の貸借対照表に計上される未払消費税等の金額を答えなさい。

【資　料】 決算整理前残高試算表(一部)

決算整理前残高試算表　　(単位：千円)

勘定科目	金額	勘定科目	金額
仮払金	35,000	仮受消費税等	523,000
仮払消費税等	475,000		

(注)　仮払金35,000千円は消費税等の中間納付額である。なお、消費税等の未納付額は未払消費税等として計上し、資料以外の事項については考慮しなくてよい。

➡答案用紙 P.3-3　➡解答・解説 P.3-5

問題 7　消費税の処理7　財計A（3分）　基本

次の資料にもとづいて、答案用紙に示した各項目について、当期の貸借対照表または損益計算書に記載される金額を答えなさい。

【資料1】 決算整理前残高試算表(一部)

決算整理前残高試算表　　(単位：千円)

勘定科目	金額	勘定科目	金額
仮払消費税等	436,800	仮受消費税等	540,000
販売費及び一般管理費	2,808,170	雑収入	1,230

【資料2】 決算整理事項等

1　消費税等の中間納付額54,600千円は、販売費及び一般管理費で処理していた。

2　当期の消費税および地方消費税(以下、消費税等という)の確定年税額(中間納付額控除前)は、103,000千円と計算された。なお、消費税等については、確定納付額を未払消費税等に計上し、残高試算表の相殺残高との差額があれば、販売費及び一般管理費または雑収入として処理すること。

➡答案用紙 P.3-3　➡解答・解説 P.3-5

問題 8　消費税の処理8　財計B　(12分)　応用

次の資料にもとづいて、答案用紙の貸借対照表と損益計算書の空欄に適切な金額と、注記事項(重要な会計方針にかかる事項に関するもの)を記入しなさい。なお、資料中に消費税について指示があるものは消費税および地方消費税(以下「消費税等」という)を考慮し、それ以外については消費税等を考慮しなくてよい。消費税等の処理は税抜方式を採用しており、決算日は毎年３月31日である。

【資料１】　決算整理前残高試算表(一部)

決算整理前残高試算表　(単位：千円)

勘定科目	金額	勘定科目	金額
受取手形	31,300	仮受消費税等	36,000
売掛金	63,100	貸倒引当金	2,466
仮払消費税等	21,600	売上	350,000
仮払金	5,780		
販売費及び一般管理費	75,600		

【資料２】　決算整理の未処理事項および参考事項

1　当期末に得意先Ａ社に商品4,400千円(内消費税等400千円)を販売し、Ａ社振出しの約束手形を受け取っていたが、未処理であった。

2　前期に発生した得意先Ｂ社に対する売掛金2,200千円(内消費税等200千円)につき、Ｂ社の業績の悪化により回収が見込めなくなったため、貸倒れとして処理することとした。

3　過去の貸倒実績率にもとづき、受取手形および売掛金の期末残高に対して１％の貸倒引当金を差額補充法により設定する。

4　仮払金は、当期の12月１日に以下の車両を購入したさいに計上したものである。

区分	金額
車両本体の購入価格	5,060千円(内消費税等460千円)
環境性能割および重量税	200千円
自動車税	50千円
保険料	470千円

なお、環境性能割および重量税は付随費用として車両の取得原価に算入し、自動車税および保険料は全額を当期の費用(販売費及び一般管理費)とし、当該車両は購入日より使用を開始している。

5　車両は定率法(年償却率0.500)により月割りで償却を行う。

6　仮受消費税等と仮払消費税等の差額を未払消費税等として計上する。

➡答案用紙 P.3-4　➡解答・解説 P.3-7

問題 9　消費税（総合問題）　簿A　（30分）　応用

本山商事株式会社（以下「当社」という。）は、商品の販売業を営んでいる。当社の当期（自×15年1月1日　至×15年12月31日）中の×15年11月30日現在の残高試算表は以下の【資料１】のとおりである。よって、【資料２】に示す×15年12月中の取引および【資料３】に示す決算整理事項等に基づいて、当期の決算整理後残高試算表を作成しなさい。

【資料１】　×15年11月30日現在の残高試算表（単位：千円）

借方		貸方	
科目	金額	科目	金額
現金預金	106,274	支払手形	11,264
受取手形	17,600	買掛金	22,440
売掛金	48,400	仮受消費税等	36,200
繰越商品	21,000	貸倒引当金	1,650
仮払消費税等	30,080	借入金	80,000
建物	72,000	減価償却累計額	39,600
車両	18,000	資本金	100,000
備品	30,000	利益準備金	20,000
建設仮勘定	44,000	繰越利益剰余金	16,500
仕入	232,000	売上	332,000
営業費	68,800	雑収入	30,000
支払利息	1,500		
合計	689,654	合計	689,654

（注）消費税等の会計処理は税抜方式による（税率は10%）。問題文中「税込み」とある金額には消費税等が含まれているが、それ以外は消費税等を考慮しないものとする。

【資料２】　×15年12月中の取引

1．仕入取引（すべて税込み）
当座仕入4,928千円、手形仕入5,940千円、掛仕入18,150千円、仕入返品（掛）1,320千円

2．売上取引（すべて税込み）
当座売上5,610千円、手形売上9,020千円、掛売上34,540千円、売上返品（掛）2,860千円

3．買掛金の支払取引
小切手振出12,100千円、約束手形振出3,300千円

4．売掛金の回収取引
得意先振出小切手30,800千円、得意先振出約束手形8,800千円

5．売掛金の貸し倒れ（すべて税込み）
前期発生分528千円、当期発生分352千円

6．固定資産に関する取引

(1) 建築中であった新建物が12月２日に完成し、同日より使用している。建設代金のうち44,000千円（税込み）は建設仮勘定に計上されており、建設代金の残額8,800千円（税込み）は小切手を振り出して支払った。

(2) 備品(取得原価8,000千円、期首帳簿価額5,120千円)を12月12日に5,500千円(税込み)で売却した。

7．その他の入出金取引
約束手形取立13,420千円、約束手形支払7,700千円、営業費支払7,040千円(税込み)

【資料3】 決算整理事項等

1．期末商品棚卸高24,600千円
2．減価償却を次のとおり行う(残存価額0円)。
(1) 建物：定額法、耐用年数40年
(2) 車両：定額法、耐用年数5年
(3) 備品：定率法、償却率20%(備品はすべて×13年1月に取得)
3．支払利息の見越500千円
4．貸倒引当金を期末売上債権残高に対し2.5%設定する(差額補充法)。
5．仮受消費税等の残高から仮払消費税等の残高を控除した金額を消費税等の納税額とする。
6．法人税等の納税額は26,000千円である。

Chapter 4
リース会計Ⅰ

No	内　容	標準時間	重要度	難易度
問題1	ファイナンス・リース取引(所有権移転)1	5分	簿A	基本
問題2	ファイナンス・リース取引(所有権移転外)1	5分	簿B	応用
問題3	ファイナンス・リース取引(所有権移転外)2	5分	簿B	基本
問題4	ファイナンス・リース取引(所有権移転外)3	8分	簿A	基本
問題5	ファイナンス・リース取引(所有権移転外)4	5分	簿A	応用
問題6	ファイナンス・リースとオペレーティング・リース	5分	簿B	応用
問題7	ファイナンス・リース取引(所有権移転)2	4分	財計A	基本
問題8	ファイナンス・リース取引(所有権移転外)5	5分	財計B	応用
問題9	オペレーティング・リース取引	2分	財計C	基本

➡答案用紙 P.4-1　➡解答・解説 P.4-1

問題 1　ファイナンス・リース取引（所有権移転）1　簿A（5分）　基本

以下の資料にもとづき、決算整理後残高試算表(一部)を完成させなさい。なお、当期は×３年４月１日から×４年３月31日までの１年間である。また、計算上端数が生じた場合は、円未満をそのつど四捨五入すること。

【資料１】

決算整理前残高試算表（一部）　（単位：円）

リース資産	193,750	リース債務	?
支払利息	?		

【資料２】リース契約詳細

1　当社は×１年４月１日に、リース契約によって備品を調達した。
2　当該リース契約は所有権移転ファイナンス・リース取引に該当する。
3　リース料総額：269,060 円（期末にリース料年額 53,812 円を後払いする）
4　見積現金購入価額：262,000 円（貸手の購入価額は当社にとって明らかではない）
5　解約不能のリース期間：５年
6　当該備品の経済的耐用年数：８年
7　当社は備品の減価償却について、定額法、残存価額は取得原価の 10％により行っており、直接法によって記帳している。
8　当社の追加借入利子率は年 2.5％である。また、利率 2.5％における期間５年の年金現価係数は 4.6458 である。
9　リース料に含まれる利息相当額の計算は、利息法によるものとする。

➡答案用紙 P.4-1　➡解答・解説 P.4-2

問題 2　ファイナンス・リース取引（所有権移転外）1　簿B（5分）　応用

以下の資料にもとづき、決算整理後残高試算表(一部)を完成させなさい。なお、当期は×２年４月１日から×３年3月31日までの１年間である。また、計算上端数が生じた場合は、円未満をそのつど四捨五入すること。

【資料１】

決算整理前残高試算表（一部）　（単位：円）

リース資産	300,000	リース債務	?
支払利息	?	リース資産減価償却累計額	?

【資料２】リース契約詳細

1　前期首においてリース契約によって備品を調達した。
2　当該リース取引は所有権移転外ファイナンス・リース取引に該当する。
3　リース料総額：322,300円（毎年４月１日にリース料年額80,575円を前払いする）
4　貸手の購入価額：300,000円（貸手の購入価額を取得原価とする）
5　解約不能のリース期間：４年
6　経済的耐用年数：５年
7　減価償却：定額法（残存価額10%）
8　計算上の利子率は年５%を用いる。
9　リース料に含まれる利息相当額の計算は、利息法によるものとする。

➡答案用紙 P.4-1　➡解答・解説 P.4-3

問題3　ファイナンス・リース取引（所有権移転外）2　簿B（5分）　基本

以下の資料にもとづき、決算整理後残高試算表(一部)を完成させなさい。なお、当期は×１年４月１日から×２年３月31日までの１年間である。また、計算上端数が生じた場合は、円未満をそのつど四捨五入すること。

【資料１】

決算整理前残高試算表（一部）　（単位：円）

リース資産	?	リース債務	?
支払利息	?		

【資料２】リース契約詳細

1　当期首においてリース契約によって備品を調達した。
2　当該リース取引は所有権移転外ファイナンス・リース取引に該当する。
3　リース料総額：964,480円（毎年３月31日にリース料年額241,120円を後払いする）
4　貸手の購入価額：875,000円（当社にとって明らかである）
5　解約不能のリース期間：４年
6　経済的耐用年数：５年
7　減価償却：定額法（残存価額10%）
8　リース料に含まれる利息相当額の計算は、利息法によるものとする。なお、借手の追加借入利子率は年５%として計算すること。

➡答案用紙 P.4-2　➡解答・解説 P.4-4

問題 4　ファイナンス・リース取引（所有権移転外）3　簿A（8分）　基本

下記の資料に基づいて、空欄①～⑥に当てはまる金額を答えるとともに、当期（05年4月1日から06年3月31日までの1年）におけるリース料支払時（当座預金引落）及び減価償却の仕訳を示しなさい。

【資料1】決算整理前残高試算表

残高試算表　（単位：千円）

リース資産	①	リース債務	②
支払利息		リース資産減価償却累計額	③

【資料2】リース取引に関する事項

(1) リース物件：業務処理用大型コンピューター（ファイナンス・リース取引に該当）
(2) 契約日：03年4月1日
(3) 解約不能のリース期間：03年4月1日から07年3月31日まで
(4) リース料：04年3月31日より毎年1回3月31日に1年分10,000千円を支払う。
(5) 所有権移転条項：なし
(6) リース会社における現金購入価額及び計算利子率：不明
(7) リース料総額の割引現在価値：35,460千円
(8) 同種資産の見積現金購入価額：36,000千円
(9) 同種資産の経済的使用可能予測期間：５年
(10) 減価償却方法：定額法
(11) 利息法適用のための計算利子率：年５％（利息の千円未満は四捨五入する。）
(12) リース債務の返済スケジュール（単位：千円）

返済日	期首元本	返済合計	元本分	利息分	期末元本
04年３月31日	①	10,000	?	?	④
05年３月31日	④	10,000	⑤	?	?
06年３月31日	?	10,000	?	?	?
07年３月31日	?	10,000	?	⑥	0
合計	－	40,000	①	?	－

➡答案用紙 P.4-2　➡解答・解説 P.4-5

問題 5　ファイナンス・リース取引(所有権移転外) 4 簿A (5分)　応用

以下の資料にもとづき、当期末の決算整理後残高試算表(一部)を完成させなさい。なお、当期は×20年4月1日から×21年3月31日までの1年間である。また、計算上端数が生じた場合は、最終値において千円未満を四捨五入すること。

【資料1】

前期末決算整理後残高試算表(一部)　(単位：千円)

備　　品	10,600	備品減価償却累計額	3,585

【資料2】当社の使用する備品に関する資料

	取得原価	耐用年数	減価償却累計額(前期末)
備品A	6,600 千円	12年	1,485千円
備品B	4,000 千円	12年	2,100千円
備品C	(　　)千円	5年 (リース期間)	

(1)　備品Aは残存価額を10%とする定額法により減価償却している。

(2)　備品Bを×20年10月31日に1,500千円ですべて売却した。残存価額を10%とする定額法により減価償却している。

(3)　×20年11月1日に備品Cに関するリース契約(所有権移転外ファイナンス・リース)を結び、「売買処理」を行った。当該リース契約の詳細は以下のとおりである。

①　リース料総額：6,065千円(毎年10月31日にリース料年額1,213千円を後払いする)

②　貸手の購入価額：5,500千円(当社にとって明らかである)

③　解約不能のリース期間：5年

④　経済的耐用年数：6年

⑤　減価償却：定額法

⑥　リース料に含まれる利息相当額の計算は利息法によるものとし、借手の追加借入利子率は年4%とする。

➡答案用紙 P.4-3　➡解答・解説 P.4-7

問題 6　ファイナンス・リースとオペレーティング・リース　簿B（5分）応用

以下の資料にもとづき、決算整理後残高試算表(一部)を完成させなさい。なお、当期は×1年4月1日から×2年3月31日までの1年間である。また、計算上端数が生じた場合は、円未満をそのつど四捨五入すること。

【資料1】

決算整理前残高試算表（一部）　（単位：円）

リース資産	?	リース債務	?
支払リース料	?		

【資料2】備品リース契約詳細

1　×1年8月1日においてリース契約によって備品を調達した。
2　当該リース契約は所有権移転ファイナンス・リース取引に該当する。
3　リース料総額：120,560円（毎年7月31日にリース料年額30,140円を後払いする）
4　貸手の購入価額：106,875円（当社にとって明らかである）
5　解約不能のリース期間：4年
6　当該備品の経済的耐用年数：5年
7　当社は備品の減価償却について、定額法、残存価額は取得原価の10%により行っており、間接法によって記帳している。
8　リース料に含まれる利息相当額の計算は利息法によるものとし、利子率は年5%とする。

【資料3】機械リース契約詳細

1　×1年4月1日においてリース契約によって機械を調達した。
2　当該リース取引はオペレーティング・リース取引に該当する。
3　リース料年額：15,000円（毎年3月31日に後払いする）

➡答案用紙 P.4-3　➡解答・解説 P.4-8

問題 7　ファイナンス・リース取引(所有権移転) 2　財計A　(4分)　基本

×1年4月1日にＴ社(借手)は、Ｎ社(貸手)と次の条件でリース契約を結んだ(Ｔ社の決算日は年1回3月31日である)。

リ　ー　ス　物　件：機械(経済的耐用年数：５年)
解約不能のリース期間：３年
リ　ー　ス　料：年額1,200千円(年1回３月31日後払い)

なお、このリース契約は、所有権移転ファイナンス・リース取引に該当する。また、計算上の利子率は年9.7%、リース資産計上額は判明しているＮ社の購入価額3,000千円とし、減価償却は残存価額10%の定額法により行う。

以上から、(1)×1年４月１日におけるリース資産の計上に関する仕訳を示し、(2)×2年３月31日におけるＴ社の貸借対照表(一部)を完成させなさい。なお、計算過程で千円未満の端数が生じた場合は、四捨五入すること。

➡答案用紙 P.4-4　➡解答・解説 P.4-9

問題 8　ファイナンス・リース取引(所有権移転外)5　財計B　(5分)　応用

ＴＡ社の当期(×1年4月1日から×2年3月31日)の会計資料にもとづいて、貸借対照表(一部)を完成させ、また当期の「支払利息」の金額を答えなさい。

【資　料】

車両に関する事項

(1)　×1年4月1日にリース会社と車両のリース契約を結んだ。当該車両はリース期間終了後、リース会社に返却する。なお、利息相当額の算定にあたって用いる利子率は年8.56%とし、千円未満の金額が生じた場合には、四捨五入すること。

リ　ー　ス　物　件：車両(経済的耐用年数：８年)
解約不能のリース期間：５年
リ　ー　ス　料：月額1,000千円、支払いは半年ごとに後払い
リース資産計上額：48,000千円

(2)　当該車両の減価償却は定額法による。

➡答案用紙 P.4-4　➡解答・解説 P.4-10

問題 9　オペレーティング・リース取引　財計C　(2分)　基本

Ｔ社(借手)はＮ社(貸手)に対して、当年度分のリース料150,000千円を当座預金より支払った。Ｔ社の仕訳を示しなさい。なお、当該リース取引はオペレーティング・リース取引に該当する。

Chapter 5

減損会計

No	内　容	標準時間	重要度	難易度
問題1	減損処理1	3分	簿A	基本
問題2	減損処理2	5分	簿A	基本
問題3	グルーピング1	4分	簿B	基本
問題4	共用資産1	3分	簿A	基本
問題5	共用資産2	5分	簿C	応用
問題6	共用資産3	8分	簿C	応用
問題7	減損処理3	3分	財計A	基本
問題8	将来キャッシュ・フローの算定	5分	財計C	応用
問題9	グルーピング2	5分	財計B	応用

➡答案用紙 P.5-1　➡解答・解説 P.5-1

問題 1　減損処理 1　簿A（3分）　基本

次の資料にもとづき、決算整理後残高試算表（一部）を完成させなさい。なお、円未満の端数が生じた場合は、計算の最終数値を四捨五入すること。

【資　料】

1　当社が保有する機械（取得原価 600,000 円、当期償却後減価償却累計額 350,000 円）について減損の兆候が認められた。

2　機械にかかる将来キャッシュ・フローを見積もったところ、残存耐用年数 5 年の各年につき 30,000 円のキャッシュ・フローが生じ、使用後の処分価額は 20,000 円と見込まれた。

3　将来キャッシュ・フローの現在価値を算定するにあたっての割引率は 5 % である。

4　機械を現時点で売却する場合の価額は 160,000 円であり、そのための処分費用は 12,000 円と見込まれる。

➡答案用紙 P.5-1　➡解答・解説 P.5-1

問題 2　減損処理 2　簿A（5分）　基本

次の資料にもとづき、各問いに答えなさい。なお、割引率は年率 4% とし、計算過程で千円未満の端数が生じた場合は、千円未満を四捨五入すること。

【資　料】

減損の兆候がある機械A、BおよびCに関する情報は以下のとおりである。

		機械A	機械B	機械C
取得原価		200,000 千円	60,000 千円	160,000 千円
帳簿価額		110,000 千円	42,000 千円	88,000 千円
残存耐用年数		5 年	4 年	3 年
割引前将来キャッシュ・フロー（毎期末発生）	1 年目	20,800 千円	8,736 千円	18,720 千円
	2 年目	21,632 千円	8,220 千円	16,224 千円
	3 年目	27,040 千円	8,436 千円	15,748 千円
	4 年目	28,122 千円	11,698 千円	—
	5 年目	21,640 千円	—	—
残存価額※		9,732 千円	3,277 千円	14,623 千円
現時点における正味売却価額		100,000 千円	30,000 千円	63,000 千円

※割引前の金額であり、上記の割引前将来キャッシュ・フローには含まれていない。

問 1　個々の機械ごとに減損損失の認識に関する判定を行い、認識する必要がある場合は「○」を、認識する必要がない場合は「×」を答案用紙に記入しなさい。

問 2　問 1 で減損損失の認識が必要と判定した機械について、計上する減損損失の金額を計算しなさい。なお、減損損失の認識が必要ないと判定した機械については、「－」を記入すること。

問 3　機械A、BおよびCに関して、減損損失計上時の仕訳を示しなさい。ただし、原則的処理によることとし、仕訳はまとめること。

➡答案用紙 P.5-1　➡解答・解説 P.5-2

問題3　グルーピング１　簿B（4分）　基本

当社の事業は減損会計の適用単位として、いくつかの資産グループにグルーピングされるが、そのうちの「A資産グループ」について減損の兆候が認められた。よって、下記の資料に基づいて、「A資産グループ」の各構成資産について計上すべき減損損失の金額を答えなさい。

【資　料】

(1)　A資産グループの構成資産についての明細（単位：千円）

構成資産	帳簿価額	割引前将来C／F	正味売却価額	使用価値
土　地	280,000	――	246,000	――
建　物	150,000	――	129,000	――
機　械	70,000	――	61,000	――
合　計	500,000	475,000(総額)	436,000	443,250(総額)

(2)　A資産グループについて測定された減損損失は、各構成資産の帳簿価額の比率により配分する。

➡答案用紙 P.5-2　➡解答・解説 P.5-3

問題4　共用資産１　簿A（3分）　基本

次の資料にもとづき、必要な仕訳を示しなさい。なお、当社では以下の資産について減損の兆候が存在する。共用資産（建物）の減損処理は、「共用資産を含むより大きな単位」で行うこととする。また、減損損失の各資産への配分にあたり、回収可能価額が判明する資産については、減損損失配分後の各資産の帳簿価額が回収可能価額を下回らないように配分すること。共用資産の減損については共用資産勘定を用いること。

【資　料】

	土地	建物	共用資産	合計
帳簿価額	2,000円	1,000円	1,500円	4,500円
減損の兆候	あり	なし	あり	あり
割引前将来キャッシュ・フロー	1,500円	不明	不明	3,500円
回収可能価額	1,300円	不明	900円	3,100円

➡答案用紙 P.5-2　➡解答・解説 P.5-4

問題 5　共用資産2　簿C（5分）　応用

当社は、A、B、C、Dの資産グループにより4つの事業を営むとともに、共用資産として本社土地建物を所有している。B、C資産グループに関連する事業の経営環境が悪化し、減損の兆候がみられる。また、共用資産としての本社土地建物についても、周辺地価の下落にともない減損の兆候がみられる。次の【資料1】および【資料2】にもとづき、B資産グループに配分されるべき減損損失の金額として、正しい金額を答えなさい。

【資料1】資産の帳簿価額、割引前将来キャッシュ・フローおよび回収可能価額

A、B、C、Dの資産グループおよび共用資産の帳簿価額、割引前将来キャッシュ・フローおよび回収可能価額は以下のとおりである。

	A資産グループ	B資産グループ	C資産グループ	D資産グループ	共用資産
帳簿価額	150,000千円	250,000千円	180,000千円	110,000千円	200,000千円
割引前将来キャッシュ・フロー		270,000千円	130,000千円		
回収可能価額		180,000千円	90,000千円		

なお、共用資産を含む、より大きな単位での割引前将来キャッシュ・フローは870,000千円である。また、その回収可能価額は630,000千円である。

【資料2】その他の前提条件

1　当社は共用資産を含むより大きな単位での資産グループで、減損会計を適用している。

2　共用資産の正味売却価額は90,000千円である。

3　共用資産を含む、より大きな単位での減損判定の過程において、A資産グループ、D資産グループの割引前将来キャッシュ・フローおよび回収可能価額は以下のとおり算定された。

	A資産グループ	D資産グループ
割引前将来キャッシュ・フロー	250,000千円	130,000千円
回収可能価額	190,000千円	80,000千円

4　共用資産に配分される減損損失が、共用資産の帳簿価額と正味売却価額の差額を超過する場合には、当該超過額を各資産グループに配分する。なお、各資産グループの回収可能価額が容易に把握できたので、当該回収可能価額を下回る結果とならないように、当該超過額を、各資産グループの帳簿価額と回収可能価額の差額の比率により配分することとした。

➡答案用紙 P.5-2　➡解答・解説 P.5-5

問題 6　共用資産３　簿C（8分）　応用

次の資料にもとづき、建物および備品の貸借対照表価額（減価償却累計額および減損損失控除後）を答えなさい。

【資料１】

1　当社はA事業とB事業を営んでいる。B事業の資産は、キャッシュ・フローを生み出す最小単位としてＢ１とＢ２の２つの資産グループに分けられ、さらにこれらとは別に共用資産（建物）がある。当社が保有する資産の当期末（減価償却後）の状況は以下のとおりである。

（単位：千円）

	A事業		B事業					合計
			資産グループＢ１		資産グループＢ２		共用資産（建物）	
	建物	備品	建物	備品	建物	備品		
取得原価	275,000	122,000	189,000	126,000	254,800	72,800	150,000	1,189,600
減価償却累計額	110,500	48,900	141,750	47,250	80,080	29,120	71,250	528,850
帳簿価額	164,500	73,100	47,250	78,750	174,720	43,680	78,750	660,750

2　当期末にB事業について、資産グループB1および共用資産を含む、より大きな単位に減損の兆候が確認された。

3　将来キャッシュ・フローの見積期間は５年として、資産グループＢ１では年間22,400千円、B事業全体では年間84,240千円の正味キャッシュ・インフローが見込まれる。

4　当期末時点での正味売却価額は、資産グループＢ１では100,800千円、B事業全体では360,000千円である。

5　将来キャッシュ・フローの現在価値を求めるにあたり、割引率５％として計算する。

6　共用資産の正味売却価額は60,000千円である。

7　減損損失の各資産への配分は、帳簿価額を基準として比例配分する。また、回収可能価額が判明するものについては、減損損失配分後の各資産グループの帳簿価額が回収可能価額を下回ってはならない。

8　計算上生じる端数は、最終数値の千円未満を四捨五入すること。

➡答案用紙 P.5-3　➡解答・解説 P.5-7

問題 7　減損処理３　財計A（3分）　基本

以下の資料にもとづき、当期末の貸借対照表と損益計算書(一部)を完成させなさい。

【資　料】

1　当社が保有する備品(取得原価1,200,000千円、当期末の減価償却累計額300,000千円)について減損の兆候が認められた。

2　備品を使用した場合の割引前将来キャッシュ・フローの総額は600,000千円、割引後将来キャッシュ・フローの総額は520,000千円である。

3　当該備品を売却する場合の当期末の正味売却価額は480,000千円である。

➡答案用紙 P.5-4　➡解答・解説 P.5-7

問題 8　将来キャッシュ・フローの算定　財計C（5分）　応用

以下の資料にもとづき、各問いの指示に従って当期末の貸借対照表と損益計算書(一部)を完成させなさい。なお、千円未満の端数が生じた場合には、最終数値を四捨五入すること。

【資　料】

1　当社が保有する機械(取得原価600,000千円、当期末の減価償却累計額350,000千円)について減損の兆候が認められた。

2　機械にかかる将来キャッシュ・フローを見積もったところ、残存耐用年数5年の各年につき30,000千円のキャッシュ・フローが生じ、使用後の処分価値は20,000千円と見込まれた。

3　将来キャッシュ・フローの現在価値を算定するにあたっての割引率は5％である。

4　機械を現時点で売却する場合の価額は160,000千円であり、そのための処分費用は12,000千円と見込まれる。

問1　貸借対照表の表示は、独立間接控除形式によること。

問2　貸借対照表の表示は、合算控除形式(注記)によること。

➡答案用紙 P.5-5　➡解答・解説 P.5-8

問題 9　グルーピング2　財計B（5分）　応用

次に示す資料にもとづき、A社の当期末の貸借対照表と損益計算書(一部)を作成しなさい。なお、下記資料以外の事項は無視すること。

【資　料】　資産グループにおける固定資産に関するデータ(単位：千円)

1　資産グループ

	取得原価	期首減価償却累計額	当期減価償却費
建　物	1,500,000	450,000	30,000
機　械	720,000	180,000	135,000
土　地	1,800,000	―	―
合　計	4,020,000	630,000	165,000

2　上記資産グループについて、減損の兆候が認められた。

3　減損処理は当期の減価償却を行ったあとの各資産の帳簿価額にもとづいて行う。

4　上記資産グループがキャッシュ・フローを生み出す最小単位と判断される。

5　上記資産グループの割引前将来キャッシュ・フローの総額は、3,153,000千円と見積もられた。

6　上記資産グループを使用することで得られる割引後将来キャッシュ・フローの総額は、2,902,500千円と見積もられる。

7　上記資産グループの現時点での公正評価額は、3,012,500千円である。現時点で売却する場合、処分費用は2,500千円と見込まれる。

8　減損損失の配分は、資産グループを構成する各資産の減価償却後の帳簿価額を基準にして行う。

Chapter 6

退職給付会計 Ⅰ

No	内　容	標準時間	重要度	難易度
問題1	退職一時金制度1	2分	簿A	基本
問題2	退職一時金制度2	10分	簿A	応用
問題3	企業年金制度	3分	簿A	基本
問題4	決算整理後残高試算表の金額算定	5分	簿A	応用
問題5	差異の処理1	10分	簿B	応用
問題6	退職給付にかかる仕訳	4分	簿A	基本
問題7	差異の処理2(本試験改題)	10分	簿A	応用
問題8	差異の処理3	5分	簿B	応用
問題9	退職給付引当金・退職給付費用1	15分	簿A	基本
問題10	ワークシート	6分	簿B	応用
問題11	退職給付会計における簡便法(本試験改題)	3分	簿A	応用
問題12	退職給付引当金・退職給付費用2(差異なし)	3分	財計A	基本
問題13	退職給付引当金・退職給付費用3(差異なし)	3分	財計A	基本
問題14	退職給付引当金・退職給付費用4(差異あり)	4分	財計A	応用
問題15	税効果会計	12分	財計A	応用

➡答案用紙 P.6-1　➡解答・解説 P.6-1

問題 1　退職一時金制度 1 （2分）　基本

当社は退職一時金制度を採用している。下記の資料に基づいて、当期首に必要となる退職給付費用の計上に関する仕訳を示しなさい。

【資料1】　前期末の引当金残高
　　退職給付引当金：40,000千円（退職給付債務）

【資料2】　当期の取引等
1．勤務費用：2,300千円
2．割引率：年4.5％
3．数理計算上の差異及び過去勤務費用は生じていない。

➡答案用紙 P.6-1　➡解答・解説 P.6-1

問題 2　退職一時金制度2 （10分）　応用

下記の資料に基づいて、決算整理後残高試算表に記載される退職給付費用と退職給付引当金の金額をそれぞれ答えなさい。なお、当期は第25期事業年度（決算日：×25年3月31日）である。

【資料1】　決算整理前残高試算表

決算整理前残高試算表　（単位：千円）

借方科目	金額	貸方科目	金額
退職給付費用	60,000	退職給付引当金	1,253,600

【資料2】　退職給付会計の処理に関する事項
1．当社は退職一時金制度を採用しており、前期まで「退職給付に関する会計基準」に従い適正な会計処理を行っている。
2．勤務費用は45,000千円である。
3．利息費用は期首退職給付債務（各自推定）の２％である。
4．当期中に退職した従業員に対し一時金として60,000千円を支払っているが、その際に誤って支払額を退職給付費用として計上した以外、何ら会計処理を行っていなかった。
5．当期末の数理計算による退職給付債務は1,263,000千円と算定された。
6．過去勤務費用は発生していない。
7．数理計算上の差異は、発生年度より３年間で定額法により費用処理を行う。なお、数理計算上の差異の各期ごとの発生額は以下に示すとおりである。
　　第22期：2,400千円（借方）
　　第23期：1,800千円（貸方）
　　第24期：3,000千円（借方）

➡答案用紙 P.6-1　➡解答・解説 P.6-2

問題 3　企業年金制度　簿A（3分）　基本

当社は企業年金制度を採用している。下記の資料に基づいて、当期の期首に必要となる退職給付費用の計上に関する仕訳を示しなさい。

【資料1】　前期末の引当金残高

退職給付引当金：22,400千円（退職給付債務：40,000千円、年金資産：17,600千円）

【資料2】　当期の取引等

1．勤務費用：2,300千円
2．割引率：年4.5％
3．長期期待運用収益率：年5％
4．数理計算上の差異及び過去勤務費用は生じていない。

➡答案用紙 P.6-1　➡解答・解説 P.6-2

問題 4　決算整理後残高試算表の金額算定　簿A（5分）　応用

甲株式会社にかかる次の資料にもとづいて、決算整理後残高試算表（一部）の空欄に適切な金額を記入しなさい。なお、差異については考慮しなくてよい。

【資料1】　決算整理において判明した誤処理等

1　期首に行うべき退職給付にかかる見積計算を行っていなかった。
2　年金基金への掛金の拠出および退職一時金の支払いのさいに、借方を退職給付費用としていた。

【資料2】　決算整理前残高試算表（一部）

決算整理前残高試算表　（単位：千円）

勘定科目	金額	勘定科目	金額
退職給付費用	41,000	退職給付引当金	223,000

【資料3】　退職給付にかかるデータ

1　期首退職給付引当金の内訳
　退職給付債務：373,000千円　年金資産：150,000千円
2　当期勤務費用：45,942千円　割引率：2.5％　長期期待運用収益率：1.8％
3　期中の支払等（すべて現金で行っており、勘定科目は現金預金とすること）
　年金基金への掛金の拠出：14,000千円　退職一時金の支払額：27,000千円
　年金基金からの退職金の給付額：12,000千円
4　退職給付債務、年金資産ともに予測額と実績額は一致していた。

➡答案用紙 P.6-1　➡解答・解説 P.6-3

問題 5　差異の処理 1　簿B（10分）　応用

甲社の当期(×5年4月1日〜×6年3月31日)にかかる次の資料にもとづいて、損益計算書に計上すべき(1)退職給付費用の額および個別貸借対照表に計上すべき(2)退職給付引当金の額を求めなさい。

【資　料】

1　前期末退職給付債務　480,000千円
2　前期末年金資産の公正な評価額　195,000千円
3　前期末未認識数理計算上の差異(借方差異)　4,500千円
　この差異は、全額、前期末に生じたものである。数理計算上の差異は発生年度から平均残存勤務期間(10年間)で定額法により費用処理を行う。
4　当期勤務費用　23,000千円
5　割引率は４％である。
6　長期期待運用収益率は２％である。
7　企業年金からの年金給付支払額は18,000千円、企業年金への掛金拠出額は2,300千円であった。
8　当期末実際退職給付債務　530,000千円
9　当期末実際年金資産　200,000千円

➡答案用紙 P.6-2　➡解答・解説 P.6-5

問題 6　退職給付にかかる仕訳　簿A（４分）　基本

問１　次の資料にもとづいて、(1)期首の見積りおよび(2)期中に行うべき仕訳を示しなさい。

【資　料】

1　期首退職給付引当金の内訳
　退職給付債務：100,000千円　　年金資産：50,000千円
2　当期勤務費用：7,000千円　　割引率：5.0％　　長期期待運用収益率：4.0％
3　期中の支払等(すべて現金で行っており、勘定科目は現金預金とすること)
　年金基金への掛金の拠出：8,000千円　　退職一時金の支払額：4,000千円
　年金基金からの退職年金の給付額：6,000千円
4　退職給付債務、年金資産ともに予測額と実績額は一致していた。

問２　次の退職給付にかかる差異の償却の仕訳を示しなさい。なお、いずれの差異も発生年度から定額法により10年間で償却しており、会計期間は１年間とする。また、金額は当期の期首残高を示している。

(1)　数理計算上の差異：2,800千円(借方差異、当期発生)
(2)　過去勤務費用：4,500千円(貸方差異、前期首発生)

➡答案用紙 P.6-2 ➡解答・解説 P.6-6

問題 7 差異の処理 2 簿A（10分） （本試験改題） 応用

次の資料にもとづいて、(1)期末の退職給付引当金、(2)当期の退職給付費用、(3)期末の未認識過去勤務費用、(4)数理計算上の差異の当期認識額の各金額を示しなさい。

【資 料】

1 期首における未認識過去勤務費用の金額は34,000千円（借方差異）である。
2 過去勤務費用の費用処理は前々期より12年で定額法により実施している。
3 期首における退職給付債務は135,000千円である。なお、割引率は4％である。
4 期首における年金資産の公正な評価額は75,000千円である。なお、長期期待運用収益率は3％である。
5 当期における勤務費用は5,600千円である。
6 定年退職者に対し、当社からの直接支給として1,700千円の退職給付が支払われている。
7 当社が生命保険会社に年金掛金として当期末に支払った金額は、1,400千円である。
8 期末における退職給付債務は156,200千円、年金資産の公正な評価額は72,000千円である。
9 期末における退職給付債務と年金資産の見込額は、それぞれ144,300千円、78,650千円である。数理計算上の差異の費用処理は、当期より10年で定額法により行う。

➡答案用紙 P.6-2 ➡解答・解説 P.6-7

問題 8 差異の処理 3 簿B（5分） 応用

非拠出の退職一時金制度を採用しているA社の×1年3月31日における退職給付引当金の残高は、1,800百万円であった。×1年度末における数理計算の結果、当期（×1年4月1日～×2年3月31日）の勤務費用は300百万円、利息費用は100百万円と計算された。また、当期中における退職給付支払額は250百万円であった。

×1年3月31日の数理計算で用いた割引率は、×0年4月1日に用いた割引率に比し重要な変動が生じたため割引率の引下げを行い、これにより前期に数理計算上の差異200百万円（借方）が発生していた。さらに、×1年4月1日に退職給付の給付水準の引上げがあり、これにともなう過去勤務費用の発生額は500百万円と計算された。

なお、A社は退職給付会計に関して資料に示した会計処理を採用している。A社が当期末に計上すべき(1)退職給付引当金残高および(2)未認識過去勤務費用と(3)未認識数理計算上の差異をそれぞれ示しなさい。

【資 料】

1 過去勤務費用については、平均残存勤務期間にわたり定額法で費用処理する。
2 数理計算上の差異については、発生年度の翌期から平均残存勤務期間にわたり定額法で費用処理する。
3 平均残存勤務期間は、毎年大きな変動はなく各年度末で10年と見積もられた。

➡答案用紙 P.6-3　➡解答・解説 P.6-9

問題 9　退職給付引当金・退職給付費用 1  (15分) 

甲株式会社(以下「甲社」という。)では、退職一時金制度と企業年金制度を併用しており、「退職給付に関する会計基準」に従って会計処理を行っている。よって、各問に答えなさい。

なお、会計期間は暦年であり、支払いはすべて当座預金とする。

問1　前期末における貸借対照表の退職給付引当金、損益計算書の退職給付費用はいくらか。

問2　当期末における貸借対照表の退職給付引当金、損益計算書の退職給付費用はいくらか。

【資料1】　前期首

退職給付引当金200,000千円、退職給付債務400,000千円、年金資産200,000千円

【資料2】　前期取引等

1．勤務費用8,600千円、退職一時金支給600千円、年金支給2,500千円、掛け金支払18,000千円

2．割引率年３％、長期期待運用収益率年７％

3．過去勤務費用発生(給付水準の上昇) 400千円

【資料3】　前期末

数理計算による退職給付債務420,000千円、年金資産評価額230,000千円

【資料4】　当期取引等

1．勤務費用7,900千円、年金支給3,200千円、掛け金支払2,500千円

2．割引率年３％、長期期待運用収益率年７％

3．過去勤務費用発生(給付水準の低下) 500千円

【資料5】　当期末

数理計算による退職給付債務434,000千円、年金資産評価額242,000千円

【資料6】　費用処理年数

1．過去勤務費用は、従業員の平均残存勤務期間20年で毎期均等割。

2．数理計算上の差異は、発生の翌期より、従業員の平均残存勤務期間20年で均等定額法。

➡答案用紙 P.6-3　➡解答・解説 P.6-11

問題 10　ワークシート　簿B　（6分）　応用

甲Ａ社(年１回３月末決算)は企業年金制度を採用しており、「退職給付に関する会計基準」に従った処理を行っている。数理計算上の差異の費用処理については当期の発生額を翌期から費用処理期間１０年の定額法で費用処理する方法を採用している。

以下の留意事項に従い、答案用紙に示した退職給付引当金に関するワークシートを完成させなさい。

（留意事項）

「退職給付引当金に関する明細」に関する事項

⑴　貸方項目には(　　)を付している。

⑵　□の部分に金額を記入すること。

⑶　記号の意味は以下のとおりである。

S：勤務費用　　I：利息費用　　R：期待運用収益

AGL：数理計算上の差異の発生額　　A：数理計算上の差異の費用処理額

P：年金支払額　　C：掛金拠出額

⑷　割引率は５％、長期期待運用収益率は４％とする。

➡答案用紙 P.6-3　➡解答・解説 P.6-12

問題 11　退職給付会計における簡便法　簿A　（3分）　（本試験改題）　応用

次の資料にもとづいて、答案用紙の決算整理後残高試算表(一部)を完成させなさい。なお、資料に与えられたこと以外の事項については考慮しなくてよい。

【資　料】

1　期首退職給付引当金：49,390,000円

2　当社は従業員数が少ないため、退職金の自己都合要支給額(退職金制度および企業年金の合計)を退職給付債務としている。期末の自己都合要支給額は74,320,000円と計算され、企業年金資産の期末時価は31,540,000円と報告を受けている。

3　期中の退職給付にかかる支出額

退　　職　　金：3,860,000円　　企業年金拠出金：7,200,000円

➡答案用紙 P.6-4　➡解答・解説 P.6-12

問題 12　退職給付引当金・退職給付費用2（差異なし）　財計A　（3分）基本

ＮＳ社の当期(×7年４月１日～×８年３月31日)にかかる次の資料にもとづいて、個別貸借対照表・損益計算書に計上される(1)退職給付引当金および(2)退職給付費用の額を求めなさい。

【資料１】　決算整理前残高試算表(一部)

決算整理前残高試算表　(単位：千円)

勘定科目	金額	勘定科目	金額
:	:	:	:
:	:	退職給付引当金	5,200
:	:	:	:

【資料２】　参考事項(いずれも未処理である)

当期勤務費用　780千円　　当期利息費用　320千円　　当期期待運用収益　240千円

➡答案用紙 P.6-4　➡解答・解説 P.6-13

問題 13　退職給付引当金・退職給付費用3（差異なし）　財計A　（3分）基本

甲社の当期(×５年４月１日～×６年３月31日)にかかる次の資料にもとづいて、個別貸借対照表・損益計算書に計上すべき(1)退職給付引当金および(2)退職給付費用の額を求めなさい。

【資料１】　決算整理前残高試算表(一部)

決算整理前残高試算表　(単位：千円)

勘定科目	金額	勘定科目	金額
:	:	:	:
:	:	退職給付引当金	12,000
:	:	:	:

【資料２】　参考事項(退職給付にかかる処理は未処理である)

1　前期末退職給付債務　22,000千円
2　前期末年金資産の公正評価額　10,000千円
3　当期勤務費用　1,200千円
4　割引率は5.0％である。
5　長期期待運用収益率は4.0％である。
6　期中の年金基金への掛金拠出　600千円
7　期中の年金基金からの退職年金の支払い　800千円
8　退職給付債務、年金資産ともに予測額と実績額は一致していた。

➡答案用紙 P.6-4　➡解答・解説 P.6-15

問題 14　退職給付引当金・退職給付費用４（差異あり）　財計A　（４分）応用

甲社の当期（×５年４月１日～×６年３月31日）にかかる次の資料にもとづいて、個別貸借対照表・損益計算書に計上すべき(1)退職給付引当金および(2)退職給付費用の額を求めなさい。

【資料１】　決算整理前残高試算表（一部）

決算整理前残高試算表　（単位：千円）

勘定科目	金額	勘定科目	金額
：	：	：	：
：	：	退職給付引当金	280,000
：	：	：	：

【資料２】　参考事項（退職給付にかかる処理は未処理である）

1　前期末退職給付債務　480,000千円
2　前期末年金資産の公正評価額　195,000千円
3　前期末未認識数理計算上の差異（借方差異）　5,000千円
　この差異は、全額、前期末に生じたものである。数理計算上の差異は発生年度の翌年から平均残存勤務期間（10年間）で定額法により費用処理を行う。
4　当期勤務費用　23,000千円
5　割引率は4.0％である。
6　長期期待運用収益率は2.0％である。
7　期中の年金基金からの退職年金の支払い　18,000千円
8　当期末実際退職給付債務　530,000千円
9　当期末実際年金資産　200,000千円

➡答案用紙 P.6-4 ➡解答・解説 P.6-17

問題 15 税効果会計 財計A (12分) 応用

NS株式会社の当期(×13年4月1日～×14年3月31日)にかかる次の資料にもとづいて、貸借対照表の繰延税金資産、損益計算書の法人税等調整額の金額を答えなさい。また、当社は以前から税効果会計を適用しており、法定実効税率は30%である。なお、法人税等調整額が貸方残高の場合は、数値に「△」を付すこと。

【資料1】 決算整理前残高試算表(一部)

決算整理前残高試算表　(単位：千円)

勘定科目	金額	勘定科目	金額
投資有価証券	74,800	退職給付引当金	112,500
繰延税金資産	37,500		

【資料2】 参考事項

1　有価証券の内訳は次のとおりである。
その他有価証券の評価差額の処理は、全部純資産直入法を採用している。

銘柄	帳簿価額	時価	保有目的	備考
K社社債	54,800千円	54,840千円	その他	(注1)
Y社株式	20,000千円	23,000千円	その他	(注2)

(注1) K社社債は×13年4月1日に額面60,000千円(償還期限×18年3月31日)を54,800千円で取得したものである。なお、額面金額と取得価額の差額は金利の調整と認められるため、償却原価法(定額法)を適用する。

(注2) 当期において取得したものである。

2　繰延税金資産の内訳は次のとおりである。
(1)前期にかかる未払事業税によるもの：3,750千円
(2)前期にかかる退職給付引当金によるもの：33,750千円

3　その他有価証券評価差額を除く将来加算一時差異が10,000千円発生している。

4　翌期における建物の修繕に備えて、修繕引当金20,000千円を計上する。なお、当該引当金について、法人税法上、全額損金不算入となる。

5　退職給付費用30,000千円を計上する。なお、法人税法上、全額損金不算入となる。

6　減損損失5,000千円を計上する。なお、法人税法上、全額損金不算入となる。

7　当期の確定申告により納付すべき法人税、住民税及び事業税の額は97,516千円(うち事業税18,000千円)である。なお、事業税について法人税法上は、納付時において損金算入が認められる。

Chapter 7

引当金

No	内　容	標準時間	重要度	難易度
問題１	特別修繕引当金	３分	簿B	基本
問題２	特別修繕引当金	３分	財計B	基本
問題３	債務保証損失引当金	２分	財計B	基本
問題４	損害補償損失引当金	２分	財計B	基本
問題５	総合問題（引当金）	５分	財計B	基本

➡答案用紙 P.7-1　➡解答・解説 P.7-1

問題 1 特別修繕引当金 簿B（3分） 基本

次の一連の取引の仕訳を示しなさい。

(1) ×1年3月31日　決算において、×2年5月1日に予定されている船舶の大規模修繕に対する特別修繕引当金として、30,000千円を繰り入れた。
(2) ×2年3月31日　決算において、上記の大規模修繕に対する特別修繕引当金として30,000千円を繰り入れた。
(3) ×2年5月1日　以前から予定されていた、船舶の大規模な修繕を行い、代金57,000千円は月末に支払うことにした。なお、設定していた特別修繕引当金の全額を取り崩す。

➡答案用紙 P.7-1　➡解答・解説 P.7-1

問題 2 特別修繕引当金 財計B（3分） 基本

次の一連の取引の仕訳を示しなさい。

(1)　×5年3月31日　決算において、×7年1月に控えている船舶の大規模な修繕に備えて、特別修繕引当金を100,000千円計上する。
(2)　×6年3月31日　決算において、特別修繕引当金を100,000千円繰り入れる。
(3)　×7年1月31日　以前から予定されていた、船舶の大規模な修繕を行った。代金300,000千円のうち、100,000千円は小切手を振り出し、残額は×7年5月31日期日の支払手形を振り出した。これにより以前から計上していた特別修繕引当金の全額を取り崩した。

➡答案用紙 P.7-1　➡解答・解説 P.7-1

問題 3 債務保証損失引当金 財計B（2分） 基本

次の取引の仕訳を示しなさい。

当社は、以前から得意先の銀行借入に対して債務保証を行っていたが、翌期において損失を負担する危険性が高まったため、その損失見込額2,000千円を引当金として計上する。

➡答案用紙 P.7-2　➡解答・解説 P.7-2

問題 4　損害補償損失引当金　財計B（2分）　基本

次の取引の仕訳を示しなさい。

現在係争中の案件について、損害賠償義務の生じる可能性が高まったため、当該損害賠償により見込まれる損失1,500千円を引当金として計上する。

➡答案用紙 P.7-2　➡解答・解説 P.7-2

問題 5　総合問題（引当金）　財計B（5分）　基本

次の資料にもとづいて、答案用紙に示した貸借対照表および損益計算書（一部）の項目の金額を計算しなさい（会計期間×19年4月1日～×20年3月31日）。

【資料1】　決算整理前残高試算表（一部）

決算整理前残高試算表　（単位：千円）

勘定科目	金額	勘定科目	金額
修繕費	60,000	修繕引当金	8,000
		特別修繕引当金	50,000

【資料2】　決算整理事項

1　当期に行われた当社倉庫の定期修繕費用8,000千円と、本社建物の大規模修繕費用52,000千円について、全額修繕費として処理している。なお、決算整理前残高試算表に計上されている修繕引当金および特別修繕引当金は、上記修繕活動のために設定されたものであり、過去の見積りは適切に行われている。

2　決算にあたり翌期に予定されている車両の修繕のため、15,000千円の修繕引当金を設定した。

3　3年後に行う予定である船舶の大修繕に備えて、特別修繕引当金30,000千円の計上を行う。

4　得意先の銀行借入に対して行っていた債務保証による損失の可能性が高まったため、その債務保証損失見込額5,000千円を引当金として計上する。

Chapter 8
社　債

No	内　容	標準時間	重要度	難易度
問題1	社債の一連の処理1	3分	簿B	基本
問題2	社債の一連の処理2（本試験改題）	5分	簿A	基本
問題3	社債の一連の処理3	10分	簿A	応用
問題4	買入償還1	10分	簿A	基本
問題5	買入償還2（本試験改題）	5分	簿B	応用
問題6	社債の一連の処理4	3分	財計A	基本
問題7	買入償還3	10分	財計B	基本
問題8	買入償還4	10分	財計A	応用

➡答案用紙 P.8-1　➡解答・解説 P.8-1

問題 1　社債の一連の処理 1　簿B（3分）　基本

ＮＳ商事株式会社（決算日は毎年３月31日）は、×1年４月１日に次の条件で社債を発行した。

【資　料】 社債発行条件

額面総額：300,000千円　　利率：年５％　　利払日：９月末日、３月末日

発行価額：額面＠100円につき＠97円　　償還日：×４年３月31日

上記社債について、(1)～(3)の各日付における仕訳を示しなさい。なお、社債は償却原価法（利息法）により処理すること（実効利子率は年6.1％とする）とし、計算の過程で端数が生じた場合はそのつど千円未満を四捨五入すること。また、社債に関する収支はすべて現金預金勘定で処理すること。

(1) ×1年４月１日

(2) ×1年９月30日

(3) ×2年３月31日

➡答案用紙 P.8-1　➡解答・解説 P.8-1

問題 2　社債の一連の処理 2　簿A（5分）　（本試験改題）　基本

甲社は毎年３月31日を決算日としている。次の資料にもとづいて、甲社の×18年度決算整理後残高試算表（一部）を完成させなさい。なお、計算の途中で千円未満の端数が出た場合は、そのつど四捨五入すること。

【資　料】 社債に関する事項

下記の社債を発行し、発行にかかる諸費用を差し引かれた残額の入金があった。会社は入金額を社債として計上している。その他の処理は未処理である。なお、甲社は下記以外の社債を発行していない。

1　社債発行日：×18年11月１日

2　発行価額：１口が額面100,000円につき93,000円

3　発行口数：500口

4　償還期限：×23年10月31日（一括償還）

5　利息：年3.5％（毎年４月末日・10月末日の年２回払）

6　社債の発行にかかる諸費用は全額当期の費用として処理する。

7　発行価額と額面金額との差額は、償却原価法（定額法）により処理すること。

8　決算整理前残高試算表

決算整理前残高試算表（一部）　（単位：千円）

勘定科目	金額	勘定科目	金額
		社　　債	45,446

➡答案用紙 P.8-1　➡解答・解説 P.8-2

問題 3　社債の一連の処理 3　簿A（10分）　応用

ＮＳ商事株式会社(決算日は毎年３年31日)の社債に関する次の資料にもとづいて、次の［ア］・［イ］にあてはまる数字または金額を答えなさい。なお、当会計期間は×2年３月31日に終了する１年間である。

また、計算の過程で端数が生じた場合は、千円未満を四捨五入すること。

【資料１】 決算整理前残高試算表(一部)

決算整理前残高試算表　(単位：千円)

勘定科目	金額	勘定科目	金額
社債利息	2,269	社債	47,269

【資料２】 当社発行の社債について(当社は、以下の社債以外発行していない)

額面総額： 50,000千円　発行日：×１年４月１日　償還日：×６年３月31日
発行価額：額面@100円につき@94円　額面利率：年４％
利払日：９月末日、３月末日の年２回

社債は償却原価法(利息法)により処理することとし、実効利子率は年［ア］％である。

なお、当該社債について、発行時(×１年４月１日)および第１回の利払日(×１年９月30日)については適切に処理されているが、第２回の利払日(×２年３月31日)については、以下のように処理されていた(単位：千円)。

(借)社債利息　1,000　(貸)現金預金　1,000

【資料３】 決算整理後残高試算表(一部)

決算整理後残高試算表　(単位：千円)

勘定科目	金額	勘定科目	金額
社債利息	(　　)	社債	［イ］

➡答案用紙 P.8-2　➡解答・解説 P.8-3

問題 4　買入償還 1　簿A（10分）

基本

次の各資料の取引について、仕訳を示しなさい。なお、決算日は毎年3月31日とし、端数利息については月割計算を行うこと。また、収支に関しては現金預金勘定で処理すること。

【資料1】

甲社は、×5年5月31日に額面総額300,000千円の社債を、額面100円につき99円(裸相場)で買入償還し、端数利息とともに小切手を振り出して支払った。なお、当社が発行している社債は次の条件で発行したもののみである。

額面総額：1,000,000千円　発行日：×1年4月1日　償還期限：6年
発行価額：額面100円につき95.5円　利率：年2％　利払日：毎年3月31日の年1回
発行差額については、償却原価法(定額法)により処理している。

【資料2】

乙社は、×4年1月31日に社債500口を、1口98.5千円(利付相場)で買入償還し、代金は小切手を振り出して支払った。なお、当社が発行している社債は次の条件で発行したもののみである。

発行日：×1年7月1日　発行口数：5,000口　発行価額：1口100千円につき97千円
償還日：×6年6月30日　利率：年3％　利払日：毎年12月末、6月末の年2回
発行差額については、償却原価法(定額法)により処理している。

➡答案用紙 P.8-2　➡解答・解説 P.8-4

問題 5　買入償還 2　簿B（5分）

(本試験改題)　応用

A株式会社(以下「当社」という)の当期(自×20年4月1日　至×21年3月31日)における次の資料にもとづいて、答案用紙の決算整理後残高試算表(一部)を完成させなさい。
なお、資料の(　　)内に該当する金額は各自推定しなさい。

【資料1】　前期末の残高勘定(一部)は次のとおりである。

残　　高　　(単位：千円)

勘定科目	金　額	勘定科目	金　額
現金預金	15,280	社債	(　　　)

【資料2】　普通仕訳帳に記入された社債の取引は、以下のとおりである。

×18年4月1日に額面100円につき97円で発行した社債の額面総額20,000千円(償還期限6年、年利率3％、利払日は3月末と9月末)のうちで、額面総額8,000千円を、額面100円につき96円で×20年9月30日に買入償還し、代金は利息とともに小切手を振り出して支払った。当社では、社債の発行差額について償却原価法(定額法)により月割りで社債の償還期限に均等配分している。なお、社債利息は支払期日に適正に支払われている。

➡答案用紙 P.8-3　➡解答・解説 P.8-5

問題 6　社債の一連の処理４　財計A（３分）　基本

次の資料にもとづいて、×2年３月31日における貸借対照表および損益計算書(一部)を完成させなさい。なお、当社の会計期間は毎年３月31日を決算日とする１年間である。

【資料１】 決算整理前残高試算表(一部)

決算整理前残高試算表　(単位：千円)

勘定科目	金額	勘定科目	金額
社債発行費	2,400	社債	192,000
社債利息	1,500		

【資料２】 社債について

決算整理前残高試算表に計上されている科目については、すべて×1年７月１日に以下の条件で社債を発行したものである。

【条　件】 券面総額：200,000千円　利率：年1.5%　利払日：12月末日、６月末日
発行価額：券面@100円につき@96円　償還日：×6年６月30日

なお、社債は償却原価法(定額法)により処理することとし、社債発行費は繰延資産に計上し、定額法により社債の償還までの期間にわたって月割償却する。

➡答案用紙 P.8-3　➡解答・解説 P.8-6

問題 7　買入償還３　財計B（10分）　基本

ＮＳ商事株式会社(決算日は毎年３月31日)に関する次の資料にもとづいて、×5年３月31日における貸借対照表および損益計算書(一部)を完成させなさい。

【資料１】 決算整理前残高試算表(一部)

決算整理前残高試算表　(単位：千円)

勘定科目	金額	勘定科目	金額
仮払金	164,750	社債	487,500

【資料２】 社債について

1　【資料１】の社債は、すべて×1年４月１日に以下の条件で発行したものである。
券面総額：500,000千円　利率：年４%　利払日：９月末日、３月末日
発行価額：券面@100円につき@96円　償還日：×9年３月31日

2　上記社債のうち券面総額150,000千円分の社債について、×4年９月30日の利払後に券面@100円につき@98.5円で買入償還を行っているが、当期の利払いも含めてすべて仮払金として処理している。

➡答案用紙 P.8-4　➡解答・解説 P.8-7

問題 8　買入償還４　財計A　(10分)　応用

ＮＳ商事株式会社の当期(自×5年４月１日　至×6年３月31日)の次の資料にもとづいて、貸借対照表および損益計算書(一部)を完成させなさい。ただし、資料に記載した事項以外は考慮しなくてよい。

【資料１】 決算整理前残高試算表(一部)

決算整理前残高試算表　(単位：千円)

勘定科目	金額	勘定科目	金額
社債利息	2,820	社債	168,725
社債償還損	105		

【資料２】 当社が発行している社債は、次に示したもののみである。

社債発行日：×1年７月１日　　発行価額：１口100千円につき97千円

発行口数：2,000口　　利率：年２％　　利払日：年２回(12月末、６月末)

償還期限：×6年６月30日(一括償還)

社債の券面金額と発行価額との差額については、償却原価法(定額法)により処理すること。

【資料３】 社債に関する期中取引

当社は、発行している社債のうち300口について、×5年11月30日に１口につき100千円(利付相場)で買入償還を行い、買入価額分の小切手を振り出して支払った。そのさい、償還時の社債の償却原価と買入金額との差額を社債償還損として処理していたことが判明した。

なお、それ以外の利払いの処理及び再振替仕訳は、適正に処理されている。

Chapter 9

純資産会計 Ⅰ

No	内　　容	標準時間	重要度	難易度
問題1	株主資本項目の変動	5分	簿B	基本
問題2	自己株式の処理 1	3分	簿A	基本
問題3	純資産の分類	3分	財計A	基本
問題4	新株の発行と剰余金の配当	5分	財計A	基本
問題5	新株予約権 1	5分	簿A	基本
問題6	新株予約権2	3分	簿A	応用
問題7	新株予約権付社債（転換社債型・一括法） 1	4分	簿B	応用
問題8	新株予約権付社債（転換社債型・区分法）	5分	簿B	応用
問題9	新株予約権付社債（転換社債型以外）（本試験改題）	10分	簿B	応用
問題10	株主資本項目間の変動	3分	財計C	基本
問題11	自己株式の処理 2	3分	財計A	基本
問題12	自己株式の処理 3	5分	財計A	応用
問題13	新株予約権 3	5分	財計A	基本
問題14	新株予約権付社債（転換社債型・一括法） 2	3分	財計B	基本
問題15	純資産等に関する注記	10分	財計A	応用
問題16	株主資本等変動計算書	12分	簿A	基本
問題17	総合問題 1（公認会計士試験短答改題）	20分	簿B	応用
問題18	総合問題2（本試験改題）	25分	簿B	応用

➡答案用紙 P.9-1　➡解答・解説 P.9-1

問題 1　株主資本項目の変動  (5分)　基本

次の各取引の仕訳を示しなさい。

(1)　取締役会の決議により新株1,000株を1株あたりの払込金額50千円で募集したところ、全株式について申込みがあり、払込金を別段預金とした。

(2)　(1)の新株につき払込期日となったので、申込証拠金の全額を資本金とするとともに、別段預金を当座預金に振り替えた。なお、新株の発行に要した費用750千円は現金で支出している。

(3)　株主総会において、その他資本剰余金から6,000千円、繰越利益剰余金から9,000千円を株主に配当することが承認された。
　なお、当社の株主総会時における株主資本の各金額は、以下のとおりである。
　資本金：150,000千円　資本準備金：19,500千円　利益準備金：16,650千円

(4)　株主総会において、以下の事項が決議され、その効力が生じた。
　　資本準備金1,500千円を資本金に組み入れる。
　　資本準備金2,100千円を剰余金に振り替える。
　　利益準備金2,400千円を繰越利益剰余金に振り替える。

(5)　繰越利益剰余金△20,000千円を填補するために、資本金を減少させることが株主総会で決議され、その効力が生じた。なお、資本金減少額をいったんその他資本剰余金に振り替えた上で、充当する処理を行うこと。

➡答案用紙 P.9-1　➡解答・解説 P.9-1

問題 2　自己株式の処理 1  (3分)　基本

次の資料にもとづいて、自己株式に関する一連の取引(【資料2】の(1)および(2))について仕訳を示しなさい。なお、自己株式は移動平均法により評価しており、現金及び預金に関する取引は現金預金勘定で処理している。

【資料1】　期首試算表(一部)

試　算　表　(単位：千円)

勘定科目	金額	勘定科目	金額
自己株式	6,720		

※期首に当社が保有する自己株式数は1,200株である。

【資料2】　自己株式に関する期中取引

(1)　自社の発行済株式2,000株を1株あたり4,800円で取得し、手数料400千円とともに現金で支払った。

(2)　上記および期首の自己株式のうち1,000株を、募集株式発行の手続きにより1株あたり5,200円で処分し、処分費用200千円を差し引いた残額を普通預金とした。

➡答案用紙 P.9-2　➡解答・解説 P.9-2

問題 3　純資産の分類　財計A（3分）　基本

次の図は、貸借対照表における純資産の分類を示している。空欄①～⑧に入る適当な語句を示しなさい。

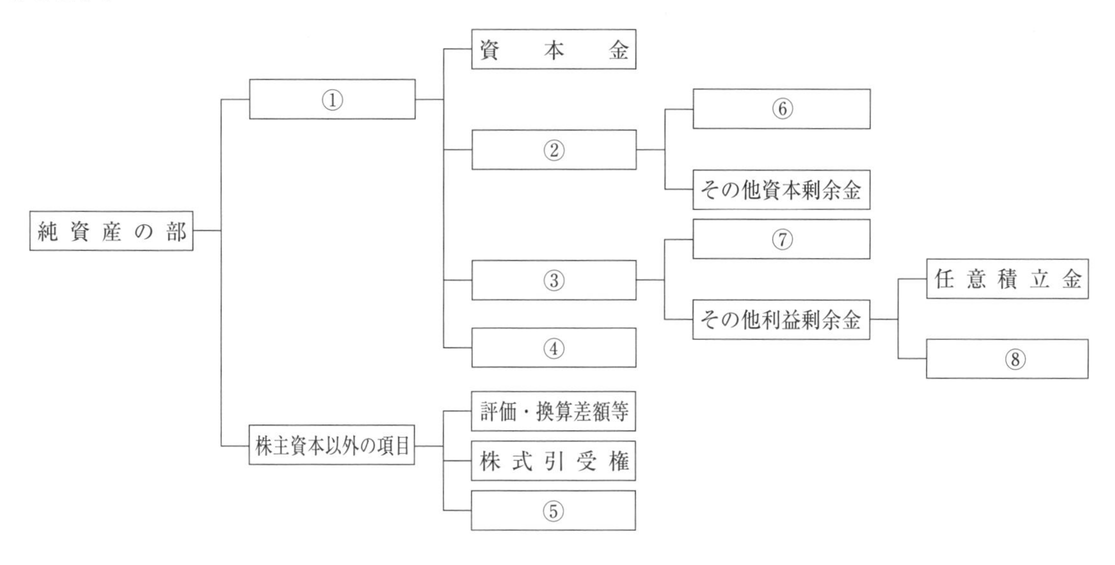

➡答案用紙 P.9-2　➡解答・解説 P.9-3

問題 4　新株の発行と剰余金の配当　（5分）　基本

次の資料にもとづいて、答案用紙に示した株主資本等変動計算書および貸借対照表（純資産の部）を完成させなさい。

【資料1】　前期末（×1年3月31日）の決算整理後残高試算表（一部）

残高試算表　（単位：千円）

勘定科目	金額	勘定科目	金額
現金預金	77,700	資本金	450,000
		資本準備金	75,000
		その他資本剰余金	20,000
		利益準備金	45,000
		別途積立金	17,000
		繰越利益剰余金	23,000

【資料2】　株主資本に関する期中取引等

1　×1年5月1日に取締役会の決議により新株1,000株を1株あたりの払込金額50千円で発行したところ、全株式について申込みおよび現金の払込みを受けた。

2　×1年6月28日の定時株主総会において、その他資本剰余金から4,000千円、繰越利益剰余金から6,000千円を株主に配当することが承認された。

3　決算の結果、当期純利益30,000千円が計上された。

➡答案用紙 P.9-3　➡解答・解説 P.9-4

問題 5　新株予約権 1　簿A（5分）　基本

次の資料にもとづいて、(1)～(4)の各時点における仕訳を示しなさい。なお、対価の受払いは現金によっている（現金預金勘定で処理している）。また、当社の会計期間は毎年3月31日を決算日とする1年間である。

【資　料】 新株予約権の発行条件等

×1年4月1日に、以下の条件で新株予約権を発行した。

1　払込金額：1個あたり75千円　　2　発行総数：1,000個
3　1個あたり株式交付数：10株　　4　権利行使価額：交付株式1株あたり135千円
5　権利行使期限：×5年3月31日　　6　資本金計上額：会社法規定の最低限度額

(1)　×1年4月1日、新株予約権を発行した。
(2)　×2年9月30日、新株予約権の20%が権利行使され、株式を発行した。
(3)　×3年11月30日、新株予約権の40%が権利行使され、自己株式（1株あたり帳簿価額137千円）を交付した。
(4)　×5年3月31日、新株予約権の40%について権利未行使のまま権利行使期間を満了した。

➡答案用紙 P.9-4　➡解答・解説 P.9-5

問題 6　新株予約権 2　簿A（3分）　応用

次の資料にもとづいて、×1年9月30日における仕訳を示しなさい。なお、対価の受払いは現金によっている（現金預金勘定で処理している）。また、当社の会計期間は毎年3月31日を決算日とする1年間である。

【資　料】 新株予約権の発行条件等

×1年4月1日に、次の条件で新株予約権を発行した。

1　払込金額：1個あたり70千円　　2　発行総数：500個
3　1個あたり株式交付数：20株　　4　権利行使価額：交付株式1株あたり120千円
5　権利行使期限：×5年3月31日　　6　資本金計上額：会社法規定の最低限度額

×1年9月30日、新株予約権の150個が権利行使され、自己株式を1,200株（1株あたり帳簿価額135千円）交付し、残りは新株を発行した。

➡答案用紙 P.9-4　➡解答・解説 P.9-5

問題 7　新株予約権付社債(転換社債型・一括法) 1　（4分）応用

次の資料にもとづいて、(1)～(4)の各時点における仕訳を示しなさい。なお、対価の受払いは現金によっている(現金預金勘定で処理している)。また、当社の会計期間は毎年3月31日を決算日とする1年間である。

【資　料】 新株予約権付社債の発行条件等

1　額面総額：3,000,000千円(うち社債の対価2,700,000千円、新株予約権の対価300,000千円)
2　新株予約権の発行総数：1,000個　　3　新株予約権1個あたり株式交付数：10株
4　償還期限・権利行使期限：×4年3月31日
5　資本金計上額：会社法規定の最低限度額
6　クーポン利率：年3％(利払日3月31日の後払い)
7　当該新株予約権付社債は転換社債型であり、一括法により処理する。

(1)　×1年4月1日、新株予約権付社債を額面発行した。
(2)　×1年9月30日、新株予約権の75％が行使され、株式を発行した。なお、配当との調整上、権利行使分につきクーポン利息の支払いはないものとする。
(3)　×2年3月31日、利払日につき、利息の支払いを行った。
(4)　×4年3月31日、利払日につき、利息の支払いを行った。また、新株予約権の25％について権利未行使のまま権利行使期間を満了した。社債の満期につき、現金により償還した。

➡答案用紙 P.9-5　➡解答・解説 P.9-6

問題 8　新株予約権付社債(転換社債型・区分法)　簿B（5分）応用

次の条件にもとづいて新株予約権付社債を額面発行した。(1)～(4)の各時点における仕訳を示しなさい。なお、対価の受払いは現金によっている(現金預金勘定で処理している)。また、当社の会計期間は3月31日を決算日とする1年間である。

【条　件】 新株予約権付社債の発行条件等

1　額面総額：2,500,000千円(うち社債の対価2,290,000千円、新株予約権の対価210,000千円)
2　新株予約権の発行総数：1,000個　　3　新株予約権1個あたり株式交付数：12株
4　償還期限・権利行使期限：×4年3月31日　　5　資本金計上額：会社法規定の最低限度額
6　クーポン利率：年2％(利払日3月31日の後払い)
7　当該新株予約権付社債は転換社債型であり、区分法により処理する。
8　社債については、償却原価法(定額法)を適用する。

(1)　×1年4月1日、新株予約権付社債を額面発行した。
(2)　×1年9月30日、新株予約権の65％が行使され、株式を発行した。なお、配当との調整上、利息の支払いはないものとする。
(3)　×2年3月31日、利払日につき、利息の支払いを行った。また、決算日につき、償却原価法を適用する。
(4)　×4年3月31日、利払日につき、利息の支払いを行った。また、新株予約権の35％について権利未行使のまま権利行使期間を満了した。社債の満期につき、現金により償還した。

➡答案用紙 P.9-5　➡解答・解説 P.9-6

問題 9　新株予約権付社債(転換社債型以外)　簿B　(10分)　(本試験改題)　応用

次の資料にもとづいて、(1)社債、(2)新株予約権、(3)社債利息の決算整理後残高を答えなさい。当期は×20年4月1日から×21年3月31日までである。

【資料1】 決算整理前残高試算表(一部)

決算整理前残高試算表　(単位：千円)

勘定科目	金額	勘定科目	金額
社債利息	60	社債	(　　)
		新株予約権	600

【資料2】 新株予約権付社債について

1　×19年4月1日に額面総額6,000千円の新株予約権付社債(転換社債型に該当しない)が以下の条件で発行された。ただし、社債の評価は償却原価法(定額法)による。

発行価額：額面100円に対して100円(うち社債の対価90円、新株予約権の対価10円)

年利率：2％(利払日は3月末および9月末)　償還期日：×24年3月31日

新株予約権は、社債の額面100千円につき1個を付与(1個につき100株)、行使価額は1,000円／株、行使期間は×20年1月1日から×23年12月31日である。

2　×20年10月1日に新株予約権24個が行使され、社債による代用払込を受けたが未処理であった。ただし、資本金組入額は会社法規定の最低限度額とする。

➡答案用紙 P.9-5　➡解答・解説 P.9-7

問題 10　株主資本項目間の変動　財計C　(3分)　基本

次の独立した取引の仕訳を示しなさい。

(1)　資本準備金1,500千円とその他資本剰余金560千円を資本金とすることを株主総会で決議し、その効力が生じた。

(2)　資本準備金800千円をその他資本剰余金とすることを株主総会で決議し、その効力が生じた。

(3)　利益準備金2,000千円を繰越利益剰余金とすることを株主総会で決議し、その効力が生じた。

(4)　繰越利益剰余金300千円を利益準備金240千円、別途積立金60千円とすることを株主総会で決議し、その効力が生じた。

➡答案用紙 P.9-6　➡解答・解説 P.9-7

問題 11　自己株式の処理２　財計A（３分）　基本

次の一連の取引の仕訳を示しなさい。なお、現金および預金に関する取引は現金預金勘定で処理している（期首保有自己株式はないものとする）。

(1)　自社の発行済株式5,000株を１株あたり3,500円で取得した。そのさい、買入手数料として200千円を現金で支払った。

(2)　上記の自己株式のうち2,500株を、募集株式発行の手続きにより１株あたり3,800円で処分した。処分費用475千円を差し引いた残額を普通預金とした。

(3)　取締役会において、自己株式1,200株をその他資本剰余金により消却することが決議され、消却手続を行った。そのさい、消却にかかる費用300千円を現金で支払った。

➡答案用紙 P.9-6　➡解答・解説 P.9-8

問題 12　自己株式の処理３　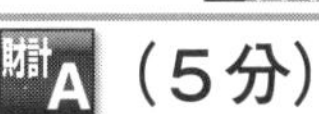財計A（５分）　応用

次の資料にもとづいて、答案用紙に示した貸借対照表および損益計算書（一部）を完成させなさい。なお、当期は×１年４月１日から×２年３月31日である。

【資料１】　決算整理前残高試算表（一部）

決算整理前残高試算表　（単位：千円）

勘定科目	金額	勘定科目	金額
有価証券	23,456	仮受金	1,275
		資本金	100,000
		その他資本剰余金	360

【資料２】　決算整理の未処理事項および参考事項

1　有価証券の内訳は次のとおりであるため、適切な処理を行う。

内訳		備考
自己株式	1,456千円	取得に要した費用56千円も含まれている。
子会社株式	2,000千円	時価は2,100千円である。
その他有価証券	20,000千円	時価は18,500千円である。なお、評価差額は全部純資産直入法により処理し、税効果は無視する。

2　仮受金は、×１年12月１日に帳簿価額1,125千円（適正額）の自己株式を1,320千円で処分したさいに、処分に要した費用45千円を控除した残額を受け取ったものであることが判明した。なお、処分に要した費用は繰延資産に計上し、３年間で定額法により月割償却する。

➡答案用紙 P.9-7　➡解答・解説 P.9-9

問題 13　新株予約権３　財計A　（５分）　基本

次の資料にもとづいて、答案用紙に示した貸借対照表(一部)を完成させなさい。なお、当期は×1年4月1日から×2年3月31日であり、新株予約権にかかる対価の受払いはすべて現金によるものとする。

【資料１】　前期末の決算整理後残高試算表(一部)

残　高　試　算　表　　(単位：千円)

勘定科目	金額	勘定科目	金額
現金預金	100,000	資本金	137,500
自己株式	25,000	資本準備金	52,500
		その他資本剰余金	8,000

【資料２】　期中取引(下記の事項以外は考慮しなくてよい)

1　×1年4月1日に取締役会の決議により、以下の条件で新株予約権を発行した。

(1)　新株予約権の発行総額：50,000千円(１個あたり50千円)

(2)　新株予約権の目的となる株式の種類および数：普通株式10,000株

(3)　発行する新株予約権の総数：1,000個(１個あたり株式交付数10株)

(4)　権利行使時の払込金額：株式１株につき20千円

(5)　権利行使期限：×3年3月31日

(6)　資本金組入額：会社法規定の最低限度額

2　×1年9月30日に新株予約権の10%が行使されたので、株式の発行に代えて、保有する自己株式(１株あたりの帳簿価額21千円)を1,000株交付した。

3　×2年1月31日に新株予約権の50%が行使されたので、新株を発行した。

➡答案用紙 P.9-7　➡解答・解説 P.9-9

問題 14　新株予約権付社債(転換社債型・一括法) 2　財計B　(3分)　基本

次の資料にもとづいて転換社債型新株予約権付社債に関する(1)、(2)の各取引について、一括法による仕訳を示しなさい。

【資　料】 発行条件

1　社債の額面金額：3,000,000千円(3,000口)

2　社債の払込金額は額面@100円につき@95円、新株予約権は1個につき50千円(3,000個発行)とする。

3　利率：年4%、利払日：3月31日

4　発行日：×1年4月1日

5　償還期限：×5年3月31日

6　新株予約権の内容

①　社債1口につき1個の新株予約権(新株予約権1個につき1,000株)を付す。

②　新株予約権の行使価額：1株につき1,000円

③　資本金組入額：会社法規定の最低限度額

④　新株予約権の行使期間は、×1年5月1日～×5年3月31日までである。

(1)　×1年4月1日に新株予約権付社債を発行し、払込金は当座預金口座に入金した。

(2)　×3年9月30日に新株予約権の60%が行使され、代用払込の請求を受け、これを承認した。また、権利行使に伴い代用払込として消滅した社債についての利息は考慮しなくてよい。

➡答案用紙 P.9-8　➡解答・解説 P.9-10

問題 15　純資産等に関する注記　財計A（10分）　応用

次の資料にもとづいて、株主資本等変動計算書に関する注記および一株あたり情報に関する注記を示しなさい。なお、当期は×1年4月1日から×2年3月31日の1年間であり、期中平均株式数の算定は月割計算により行うこと。

【資料1】　前期末（×1年3月31日）の状況

発行済株式数：500,000株　　なお、自己株式および新株予約権はなかった。

【資料2】　当期中の取引

1　×1年4月25日に繰越利益剰余金を財源とする配当150,000千円を行った。

2　×1年8月1日に取締役会の決議により、新株30,000株を発行した。

3　×1年10月1日に自己株式10,000株を取得した。なお、この自己株式は当期末においても保有している。

4　×1年10月25日に繰越利益剰余金を財源とする配当250,000千円を行った。

5　×1年11月1日に以下の条件で新株予約権5,000個を発行した。なお、この新株予約権は当期末において権利行使されたものはない。

(1)　発行価額：1個あたり3千円

(2)　権利行使期間：×1年11月1日～×3年10月31日

(3)　1個あたり株式交付数：3株

(4)　権利行使価額：交付株式1株あたり9千円

【資料3】　当期末における事項

1　決算の結果、当期純利益は635,800千円と計算された。

2　貸借対照表における純資産額は5,150,780千円（【資料2】5の新株予約権を含む）であった。

3　×2年3月25日を基準日として、翌期に180,000千円の配当をすることが決定している。

➡答案用紙 P.9-9　➡解答・解説 P.9-10

問題16　株主資本等変動計算書　簿A　(12分)　基本

当社の当期(自×10年4月1日　至×11年3月31日)における株主資本等変動計算書は以下のとおりである。よって、当期に行われた各仕訳を示しなさい(各取引はいずれも年1回のみ行われているものとして解答すること。)。入出金はすべて当座預金とする。

【資料】　株主資本等変動計算書

株主資本等変動計算書

自×10年4月1日　至×11年3月31日　　(単位：千円)

	株主資本										純資産合計
	資本金	資本剰余金			利益剰余金				自己株式	株主資本合計	
		資本準備金	その他資本剰余金	資本剰余金合計	利益準備金	その他利益剰余金		利益剰余金合計			
						別途積立金	繰越利益剰余金				
当期首残高	50,000	8,000	4,000	12,000	3,000	2,000	5,000	10,000	△200	71,800	71,800
当期変動額											
新株の発行	2,000	2,000		2,000						4,000	4,000
剰余金の配当					300		△3,300	△3,000		△3,000	△3,000
別途積立金積立						1,000	△1,000	−		−	−
資本準備金取崩		△500	500	−						−	−
当期純利益							6,000	6,000		6,000	6,000
自己株式の取得									△600	△600	△600
自己株式の処分			100	100					300	400	400
自己株式の消却			△200	△200					200	−	−
当期変動額合計	2,000	1,500	400	1,900	300	1,000	1,700	3,000	△100	6,800	6,800
当期末残高	52,000	9,500	4,400	13,900	3,300	3,000	6,700	13,000	△300	78,600	78,600

➡答案用紙 P.9-10 ➡解答・解説 P.9-11

問題 17 総合問題 1 簿B (20分) (公認会計士試験短答改題) 応用

次の資料にもとづいて、当社が次の様式で作成した当期(×1年4月1日～×2年3月31日)の株主資本等変動計算書の株主資本合計欄に記載されるX、Y、Zの金額を答えなさい。
なお、減少のときは金額の前に△を付けること。

(単位：千円)

	株主資本										評価・換算差額等	新株予約権	純資産合計
	資本金	資本剰余金			利益剰余金				自己株式	株主資本合計	その他有価証券評価差額金		
		資本準備金	その他資本剰余金	資本剰余金合計	利益準備金	その他利益剰余金		利益剰余金合計					
						任意積立金	繰越利益剰余金						
当期首残高													
当期変動額													
○○○○ ○○○○													
当期変動額合計			X							Y			Z
当期末残高													

【資料Ⅰ】 当期首の純資産の部(単位：千円)

Ⅰ 株主資本		
1 資本金		750
2 資本剰余金		
(1) 資本準備金	30	
(2) その他資本剰余金	35	
資本剰余金合計		65
3 利益剰余金		
(1) 利益準備金	10	
(2) その他利益剰余金		
任意積立金	35	
繰越利益剰余金	200	
利益剰余金合計		245
4 自己株式		△60
株主資本合計		1,000
Ⅱ 評価・換算差額等		
その他有価証券評価差額金		60
Ⅲ 新株予約権		200
純資産合計		1,260

【資料Ⅱ】 純資産に関する当期中の取引

1 ×1年4月に、新株予約権の行使により220千円の払込みを受け、権利行使された新株予約権80千円との合計額のうち、会社法に定める最低額を資本金とした。

2 ×1年6月の株主総会を経て、その他資本剰余金から20千円と繰越利益剰余金から50千円を配当として支払うとともに、会社法に従って法定準備金を積み立てた。

3 ×1年9月に自己株式80千円を取得し、手数料1千円とともに代金を支払った。そのうち50千円を65千円で転売した。また、自己株式10千円を消却することが決議され手続きが完了した。

4 決算にあたり、過去に設定した配当平均積立金を20千円だけ取り崩すとともに、圧縮積立金を90千円積み立てた。

5 ×2年3月期に損益計算書において、当期純損失60千円が計上された。

6 その他有価証券評価差額金が当期中に純額で18千円だけ増加した。

➡答案用紙 P.9-10 ➡解答・解説 P.9-13

問題 18 総合問題２ 簿B （25分） （本試験改題） 応用

当社（決算日：3月31日）の×２年度（×２年４月１日～×３年３月31日）の次の【資料１】より、【資料２】×２年度株主資本等変動計算書の空欄①～⑧の金額を求めなさい。

なお、減少のときは金額の前に△を付けること。また、株主資本以外の項目は増減の純額を示すこと。

【資料１】

1　×2年６月28日の株主総会において、繰越利益剰余金から株主に対する20,000千円の配当金および新築積立金5,000千円の積立てを承認した。なお、会社法に定める最低額の利益準備金を設定した。

2　×２年３月末に保有している自己株式は、500株（１株あたり10,800円）であり、期中の自己株式に関する取引は次のとおりである。なお、自己株式は移動平均法で処理している。

×２年４月10日：自己株式300株を１株あたり10,000円で取得した。

×２年５月20日：自己株式100株を１株あたり9,500円で売却した。

×２年６月28日：株主総会の決議により、新株発行および自己株式の処分による資金調達が決議された。募集株式の数は500株（新株発行200株、自己株式の処分300株）、募集株式に関わる払込金額は5,000千円である。

なお、新株発行に対応する払込金額はすべて資本金とする。

3　×１年度および×２年度において保有するその他有価証券は、Ａ社株式のみである。取得原価、期末時価および売却価格は１株あたりの金額を示している。

	×１年度				×２年度			
	取得原価	株　数	期末時価	株　数	売却価格	株　数	期末時価	株　数
Ａ社株式	9,000円	1,300株	10,000円	1,300株	10,000円	300株	10,250円	1,000株

その他有価証券の帳簿価額と税務上の資産計上額との差額は一時差異に該当し、税効果会計を適用する。実効税率は30％であり、繰延税金資産の回収可能性に問題はないものとする。なお、評価差額の処理方法として全部純資産直入法を採用している。

4　新株予約権に関する取引は、次のとおりである。

(1)　×２年５月１日：新株予約権4,000千円を発行した。

(2)　×２年９月20日：新株予約権2,000千円が行使され、10,000千円の払込みを受け、新株の発行を行った。なお、8,000千円を資本金とし、残額は資本準備金とした。

(3)　×２年12月31日：新株予約権3,000千円の権利が行使されず、行使期限が到来した。

5　×２年度決算における当期純利益は50,000千円である。

【資料2】

株主資本等変動計算書

自×2年4月1日　至×3年3月31日　　(単位：千円)

	株主資本										評価・換算差額等	新株予約権	純資産合計
	資本金	資本剰余金			利益剰余金				自己株式	株主資本合計			
		資本準備金	その他資本剰余金	資本剰余金合計	利益準備金	その他利益剰余金		利益剰余金合計			その他有価証券評価差額金		
						新築積立金	繰越利益剰余金						
当期首残高	3,800,000	700,000	820,000		200,000	100,000	100,000				①		②
当期変動額													
新株の発行													
剰余金の配当													
積立金の積立													
当期純利益							③						
自己株式の取得													
自己株式の処分			④										
自己株式の処分と新株の発行による増減	⑤												
株主資本以外の項目の当期変動額(純額)													
当期変動額合計									⑥			⑦	
当期末残高												5,000	⑧

•••••••• *Memorandum Sheet* ••••••••

Chapter 10

繰延資産

No	内　容	標準時間	重要度	難易度
問題１	繰延資産	３分	簿B	基本
問題２	繰延資産の償却（株式交付費・社債発行費・開発費）	３分	財計B	基本
問題３	繰延資産の償却（創立費・開業費）	３分	財計C	基本

➡答案用紙 P.10-1 ➡解答・解説 P.10-1

問題 1　繰延資産　簿B（3分）　基本

以下の資料にもとづき、決算整理後残高試算表（一部）を完成させなさい。当社は繰延資産として計上できるものはすべて繰延資産として計上しており、開発費は５年、社債発行費は償還期間、株式交付費は３年の定額法（月割）で償却を行っている。なお、当期は×４年３月31日を決算日とする１年間である。

【資　料】

決算整理前残高試算表(一部)　(単位：千円)

科目	金額	
開　　発　　費	117,000	
社 債 発 行 費	56,280	
株 式 交 付 費	13,500	

1　当社が支出した金額のうち、以下のものを開発費に計上していた。
　(1)　×３年４月１日に新規市場開拓のために特別に支出した金額 38,100 千円
　(2)　×３年９月１日に研究開発のために支出した金額 78,900 千円
2　社債発行費は×４年１月１日に発行した社債（償還期間２年）にかかるものである。
3　株式交付費は×１年７月１日に発行した新株式にかかるものである。

➡答案用紙 P.10-1 ➡解答・解説 P.10-1

問題 2　繰延資産の償却(株式交付費・社債発行費・開発費)　財計B　(3分)　基本

次の資料にもとづき、当期(×3年4月1日～×4年3月31日)の貸借対照表と損益計算書、注記に関する答案用紙の空欄を求めなさい。

【資料1】

決算整理前残高試算表

×4年3月31日　　(単位：千円)

勘定科目	金額	勘定科目	金額
仮払金	45,000	：	：
株式交付費	25,000	：	：
社債発行費	1,000	：	：

【資料2】　決算整理事項(前期までの処理は適正に行われている)

1　仮払金は、当期の4月1日に新市場開拓のために特別に支出した40,000千円が含まれており、繰延資産として計上する。当該繰延資産は5年間で定額法により償却する。なお、償却費は販売費及び一般管理費として処理する。

2　仮払金にはその他にも、当期の10月1日に新市場開拓のために経常費用として支出した5,000千円が含まれている。

3　株式交付費は、×1年8月1日に企業規模拡大のための資金調達で新株を発行したさいに支出したものであり、株式交付の日から3年間で定額法により償却している。

4　社債発行費は、前期の4月1日に発行した社債に関するものである。当該社債の償還期限は3年であり、償還期間にわたり定額法で償却している。

➡答案用紙 P.10-2 ➡解答・解説 P.10-3

問題 3　繰延資産の償却(創立費・開業費)　財計C　(3分)　基本

次の資料にもとづき、当期(×2年4月1日～×3年3月31日)の貸借対照表と損益計算書、注記に関する答案用紙の空欄を求めなさい。

【資料1】

決算整理前残高試算表

×3年3月31日　　(単位：千円)

勘定科目	金額	勘定科目	金額
創立費	1,000	：	：
開業費	5,000	：	：

【資料2】　決算整理事項(前期までの処理は適正に行われている)

1　当社は前期の4月1日に設立した。創立費はそのときに支出したもので、会社設立のときから5年間にわたり定額法により償却している。

2　当社は前期の6月1日から営業を開始した。開業費は開業準備のために支出したもので、開業のときから5年間にわたり定額法により償却している。

Chapter 11

外貨換算会計

No	内　容	標準時間	重要度	難易度
問題1	外貨建取引の一巡	3分	簿A	基本
問題2	外貨建資産・負債の換算	8分	簿A	基本
問題3	換算による差額の処理1	8分	簿A	基本
問題4	換算による差額の処理2	5分	簿A	応用
問題5	外貨建取引の一巡	5分	財計B	基本
問題6	外貨建資産・負債の決算時の換算	8分	財計B	基本
問題7	為替予約1（営業取引）	12分	簿A	基本
問題8	為替予約2（資金取引）	10分	簿A	基本
問題9	為替予約3（振当処理）（本試験改題）	12分	簿A	応用
問題10	為替予約4（独立処理）	15分	簿B	応用
問題11	為替予約5（振当処理と独立処理）	12分	簿A	基本
問題12	為替予約6（振当処理）	15分	財計B	基本
問題13	為替予約7（振当処理）	12分	財計B	応用
問題14	為替予約8（独立処理）	12分	財計C	基本
問題15	外貨建有価証券1	10分	簿B	基本
問題16	外貨建有価証券2	10分	簿A	基本
問題17	外貨建有価証券3	10分	簿A	応用
問題18	外貨建有価証券4	15分	簿B	応用
問題19	外貨建有価証券5（本試験改題）	15分	簿C	応用
問題20	外貨建有価証券6	10分	財計A	基本
問題21	外貨建有価証券7	15分	財計B	応用

➡答案用紙 P.11-1 ➡解答・解説 P.11-1

問題 1　外貨建取引の一巡 （3分） 

次の各取引について仕訳を示しなさい。なお、現金取引は現金預金勘定で、為替による換算差額は為替差損益勘定で処理している。

(1)　当社は商品を購入するにあたり、前渡金として50千ドルを現金で支払った(支払時の為替レート：１ドル＝122円)。

(2)　(1)の商品500千ドルを掛けで購入した(購入時の為替レート：１ドル＝120円)。

(3)　(2)の買掛金を現金で決済した(決済時の為替レート：１ドル＝115円)。

➡答案用紙 P.11-1 ➡解答・解説 P.11-1

問題 2　外貨建資産・負債の換算 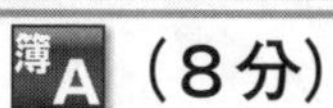（8分） 基本

次の資料にもとづいて、外貨建資産および負債のそれぞれの貸借対照表価額およびそれから生じる為替差損益の金額を計算しなさい。ただし、期末為替レートは122円／ドルとする。なお、為替差損益が生じない場合には「－」を記入し、為替差損が生じる場合には金額の前に「△」を記入すること。

【資　料】 決算期末における外貨建資産および負債は、次のとおりである。

資産・負債	外貨建金額	発生時の為替レート	帳簿価額
① 買　掛　金	2,500千ドル	113円／ドル	各自算定
② 売　掛　金	2,300千ドル	119円／ドル	
③ 前 払 費 用	250千ドル	114円／ドル	
④ 短 期 貸 付 金	3,120千ドル	123円／ドル	
⑤ 土　　地	6,540千ドル	112円／ドル	
⑥ 長 期 借 入 金※	2,890千ドル	120円／ドル	

※　長期借入金は前期に借り入れたものであり、前期末の為替レートは123円／ドルであった。
　その他の資産・負債については当期に取得したものとする。

➡答案用紙 P.11-1 ➡解答・解説 P.11-2

問題 3　換算による差額の処理1　簿A（8分）　基本

次の資料にもとづいて、答案用紙に示した当期末の決算整理後残高試算表を作成しなさい。なお、当期の決算日は×2年3月31日であり、当期の決算日の為替レートは1ドル102円である。

【資料1】　×2年3月31日の決算整理前残高試算表(一部)

決算整理前残高試算表　(単位：千円)

勘定科目	金額	勘定科目	金額
売掛金	50,000	貸倒引当金	712
支払利息	?	借入金	101,000
		為替差損益	800

【資料2】　決算整理事項

1　売掛金のうち30,000千円(300千ドル)は外貨建てのもので、取引発生時の為替レート(1ドル100円)で換算したものである。

2　売掛金期末残高に対して2％の貸倒引当金を差額補充法により設定する。

3　借入金はすべて×2年2月1日に1,000千ドルを借入期間1年、年利率3％の条件で借り入れたもので、利息は借入時に1年分を支払っている。なお、借入時の為替レートは1ドル101円であった。

➡答案用紙 P.11-2 ➡解答・解説 P.11-2

問題 4　換算による差額の処理2　　応用

次の資料にもとづいて、資料1の決算整理前残高試算表を作成しなさい。なお、当期の決算日は×3年3月31日である。

【資料1】×3年3月31日の決算整理前残高試算表

決算整理前残高試算表　(単位：千円)

勘定科目	金額	勘定科目	金額
支払利息	?	為替差損益	?

当社はA社より×1年12月1日に2,000千ドルを借入期間1年、年利率3％の条件で借り入れ、利息は元金とともに返済時に現金で支払っている。なお、支払利息および為替差損益はA社からの借入れにともない生じたものである。

【資料2】　為替レート

各時点における為替レートは次のとおりである。

×1年12月1日(借入時)：1ドル105円

×2年3月31日(前期末)：1ドル103円

×2年11月30日(返済時)：1ドル102円

➡答案用紙 P.11-2 ➡解答・解説 P.11-3

問題5　外貨建取引の一巡　財計B（5分）　基本

次の各取引について仕訳を示しなさい。

(1)　N社は商品100千ドルを掛けで輸入した(輸入時の為替レート：1ドル110円)。
(2)　N社は(1)で仕入れた商品のうち20千ドルを仕入先に返品し、買掛金と相殺した。
(3)　N社は(1)で仕入れた商品のうち50千ドルを75千ユーロで売り上げ、代金の全額を掛けにした(売上時の為替レート：1ユーロ130円)。
(4)　(1)の買掛金の全額を現金で決済した(決済時の為替レート：1ドル105円)。
(5)　(3)の売掛金75千ユーロが現金で決済された(決済時の為替レート：1ユーロ125円)。

➡答案用紙 P.11-3 ➡解答・解説 P.11-3

問題6　外貨建資産・負債の決算時の換算　財計B（8分）　基本

次の資料にもとづいて、貸借対照表(一部)に外貨建資産および負債のそれぞれの換算額を記載しなさい。また、損益計算書に表示される為替差損益について答案用紙に示した項目を答えなさい。

【資　料】　期末における外貨建資産および負債は次のとおりである。

資産および負債	決算整理前の帳簿価額	取得時または発生時の為替レート
①　買　掛　金	112,000千円	112円/ドル
②　売　掛　金	272,500千円	109円/ドル
③　前　払　金	10,500千円	105円/ドル
④　未　払　金	22,000千円	110円/ドル
⑤　短期貸付金	51,500千円	103円/ドル
⑥　土　　　地	224,400千円	102円/ドル
⑦　長期借入金 (前々期に借入れ)	16,650千円	108円/ドル

※決算日の為替レート：1ドル＝108円　　前期末の為替レート：1ドル＝111円

➡答案用紙 P.11-4 ➡解答・解説 P.11-4

問題 7 為替予約1（営業取引）  （12分） 基本

為替予約に関する次の各問いに答えなさい。

問1　次の(1)～(3)の一連の取引について仕訳を示しなさい。仕訳が不要な場合は、借方科目欄に「仕訳なし」と記入すること。なお、為替予約については振当処理を採用している。取引発生時までに為替予約を付した場合には、取引発生時に取引全体を予約レートで換算する方法によること。

(1)　×1年12月1日に商品2,500千ドルを輸入し、代金は約束手形によるものとした。輸入時に為替予約を付しており、輸入時の為替レートは1ドル101円、予約レートは1ドル105円である。なお、約束手形の決済日は×2年5月31日である。

(2)　×2年3月31日、決算。決算時における為替レートは1ドル103円である。

(3)　×2年5月31日において手形代金2,500千ドルを現金で支払った。決済時の為替レートは1ドル107円である。

問2　次の(1)～(4)の一連の取引について仕訳を示しなさい。仕訳が不要な場合は借方科目欄に「仕訳なし」と記入すること。また、×1年度に属する為替差損益の金額を求めなさい。なお、為替予約については振当処理を採用している。

(1)　×1年10月1日に商品700千ドルを輸出し、代金は掛けとした。なお、掛代金の決済日は×2年5月31日である。輸出時の為替レートは1ドル103円である。

(2)　×1年11月1日に売掛金700千ドルにつき為替予約を付した。予約日のレートは1ドル104円であり、予約レートは1ドル106円である。

(3)　×2年3月31日決算。決算時における為替レートは1ドル106円である。

(4)　×2年5月31日において掛代金700千ドルを現金で受け取った。決済時の為替レートは1ドル107円である。

➡答案用紙 P.11-5 ➡解答・解説 P.11-5

問題 8 為替予約2（資金取引）  基本

為替予約に関する次の各問いに答えなさい。

問1　次の(1)～(3)の一連の取引について仕訳を示しなさい。また、×1年度に属する為替差損益の金額を求めなさい。なお、為替予約については振当処理を採用しており、借入金の利息については考慮しなくてよい。

(1)　×1年4月1日に米国企業より1,200千ドルを現金で借り入れた。借入時に為替予約を付している。借入時の為替レートは1ドル103円、予約レートは1ドル105円である。なお、借入金の返済日は×2年6月30日である。

(2)　×2年3月31日、決算。決算時の為替レートは1ドル107円である。

(3)　×2年6月30日、借入金を現金で決済した。決済時の為替レートは1ドル110円である。

問2　次の(1)～(4)の一連の取引について仕訳を示しなさい。また、×1年度に属する為替差損益の金額を求めなさい。なお、為替予約については振当処理を採用しており、借入金の利息については考慮しなくてよい。

(1)　×1年6月1日に米国企業より1,400千ドルを現金で借り入れた。借入時の為替レートは1ドル105円である。借入金の返済日は×2年5月31日である。

(2)　×1年8月1日に借入金1,400千ドルにつき為替予約を付した。予約日のレートは1ドル106円であり、予約レートは1ドル108円である。

(3)　×2年3月31日、決算。決算時における為替レートは1ドル110円である。

(4)　×2年5月31日、借入金1,400千ドルを現金で返済した。決済時における為替レートは1ドル112円である。

問題 9　為替予約3（振当処理）  （12分）　（本試験改題）応用

X社の×22年3月期決算(自×21年4月1日　至×22年3月31日)に関する次の資料にもとづいて、答案用紙に示した当期末の決算整理後残高試算表を作成しなさい。

【資料1】　×22年3月31日の決算整理前残高試算表(一部)

決算整理前残高試算表　(単位：千円)

勘定科目	金額	勘定科目	金額
繰越商品	26,537	買掛金	10,351
仕入	112,364	為替差損益	290

【資料2】　決算整理事項等

1　×22年3月1日に海外より商品(9千ドル)を仕入れ、代金は掛けとしたが、未処理であった。

2　決算整理前残高試算表における買掛金には外貨建買掛金3,300千円が含まれている。当該買掛金は、×22年2月20日に計上され、×22年3月1日に為替予約が付されたが、為替予約の会計処理が未処理であった。これについて振当処理を行い、直先差額は月割りにより期間配分する。

なお、決済予定日は×22年5月31日であり、為替相場の推移は次のとおりである。

	直物為替相場	為替予約相場
×22年2月20日	110円／ドル	108円／ドル
3月1日	113円／ドル	110円／ドル
3月31日	116円／ドル	115円／ドル

3　期末商品実地棚卸高(上記1の未処理分を含む)は25,421千円、棚卸減耗損は320千円であった。

➡答案用紙 P.11-6 ➡解答・解説 P.11-8

問題10 為替予約4（独立処理） 簿B （15分） 応用

為替予約に関する次の各問いに答えなさい。

問1　次の(1)～(4)の一連の取引について仕訳を示しなさい。なお、為替予約については独立処理を採用しており、期首における振戻処理は行わない。仕訳が不要な場合には、借方科目欄に「仕訳なし」と記入すること。

(1)　×1年12月1日　商品500千ドルを輸入し、代金は掛けとした。
(2)　×2年2月1日　買掛金500千ドルにつき、為替予約(買予約)を付した。
(3)　×2年3月31日　決算日のため、必要な処理を行う。
(4)　×2年5月31日　掛代金500千ドルを現金で支払った。

為替レート

日　　付	直物為替相場	先物為替相場
×1年12月1日	94円	95円
×2年2月1日	96円	97円
×2年3月31日	98円	99円
×2年5月31日	100円	—

※先物為替相場は各日付における×2年5月31日に見込まれる為替相場である。

問2　次の(1)～(4)の一連の取引について仕訳を示しなさい。なお、為替予約については独立処理を採用しており、期首における振戻処理は行わない。仕訳が不要な場合には、借方科目欄に「仕訳なし」と記入すること。

(1)　×2年10月1日　商品700千ドルを輸出し、代金は掛けとした。
(2)　×2年11月1日　売掛金700千ドルにつき、為替予約(売予約)を付した。
(3)　×3年3月31日　決算日のため、必要な処理を行う。
(4)　×3年4月30日　掛代金700千ドルを現金で受け取った。

為替レート

日　　付	直物為替相場	先物為替相場
×2年10月1日	105円	104円
×2年11月1日	102円	100円
×3年3月31日	98円	95円
×3年4月30日	94円	—

※先物為替相場は各日付における×3年4月30日に見込まれる為替相場である。

➡答案用紙 P.11-7 ➡解答・解説 P.11-9

問題 11　為替予約5（振当処理と独立処理）  （12分） 

当社の会計期間は4月1日より始まる1年である。×15年12月1日に商品4,000千ドルを海外より掛で仕入れた(掛代金の決済期日は×16年5月末日である。)。当社では円安による決済金額の増加を懸念して、×16年1月1日において×16年5月末日を決済期日とする為替予約を4,000千ドル行った。

以上の一連の取引の仕訳を、⑴振当処理による場合、⑵独立処理による場合、のそれぞれに分けて示しなさい。なお、仕訳は為替差益と為替差損を分けて行うこととし、期首再振替は行わないものとする。

【資料2】　為替相場

	×15年12月1日	×16年1月1日	×16年3月31日	×16年5月31日
直物為替相場	88円	90円	92円	95円
先物為替相場	91円	93円	94円	—

➡答案用紙 P.11-9 ➡解答・解説 P.11-10

問題 12　為替予約6（振当処理） 財計B （15分） 

次の(1)～(6)の一連の取引について、各問いに答えなさい。なお、会計期間は毎年3月31日を決算日とする1年間であり、按分計算を行う場合は月割りによること。

問1　(1)～(6)の取引の仕訳を示しなさい。

問2　(1)～(4)の取引にもとづき、×22年3月31日における貸借対照表(一部)を完成させるとともに、損益計算書に表示される為替差損益について答案用紙に示した項目を答えなさい(貸借対照表の記載について、現金預金は考慮しなくてよい)。

(1)　×21年6月1日(直物為替レート：1ドル108円)
商品500千ドルを掛けで売り上げた。また、取引と同時に為替予約を行っており、当該取引は振当処理(為替差損益を認識しない簡便法)によっている。なお、掛代金の決済日は×22年4月30日である(予約レート：1ドル111円)。

(2)　×21年10月1日(直物為替レート：1ドル101円)
外国企業に200千ドルを現金で貸し付けた。なお、回収日は×22年9月30日であり、利率は年利5％で回収日に元利を一括して受け取る。

(3)　×22年2月1日(直物為替レート：1ドル102円)
(2)の貸付金の元本200千ドルおよび利息に対して、1ドル105円の予約レートで為替予約を行った。当該取引は、振当処理により会計処理を行う。

(4)　×22年3月31日(直物為替レート：1ドル107円)
決算をむかえた。

(5)　×22年4月30日(直物為替レート：1ドル109円)
(1)の売掛金500千ドルのすべてが現金で決済された。

(6)　×22年9月30日(直物為替レート：1ドル106円)
(2)の貸付金の元本および利息を現金で回収した。

➡答案用紙 P.11-10 ➡解答・解説 P.11-13

問題 13 為替予約7（振当処理） 財計B （12分） 応用

次の(1)～(5)の一連の取引について、各問いに答えなさい。なお、会計期間は毎年３月31日を決算日とする１年間であり、按分計算を行う場合は月割りによること。

問１　(1)～(5)の取引の仕訳をしなさい。

問２　(1)～(4)の取引にもとづき、×22年３月31日における貸借対照表(一部)を完成させなさい(貸借対照表の記載について、現金預金は考慮しなくてよい)。

(1)　×20年10月１日に、米国企業より1,000千ドルを現金で借り入れた。借入時の直物為替レートは、１ドル103円である。借入金の返済日は×22年９月30日であり、利率は年利６％で毎年９月末日に１年分の利息を支払う。

(2)　×21年２月１日に、(1)の借入金の元本1,000千ドルに対して、１ドル110円の予約レートで為替予約を付した。なお、予約日の直物為替レートは１ドル106円であり、為替予約の処理は振当処理による。

(3)　×21年３月31日に、決算をむかえた。なお、当該決算日の直物為替レートは、１ドル107円である。

(4)　×22年３月31日に、決算をむかえた。なお、当該決算日の直物為替レートは、１ドル108円である(直先差額の配分と利息の見越計上の仕訳のみ行うこと)。

(5)　×22年９月30日に、借入金1,000千ドルをすべて現金で返済した。なお、返済日の直物為替レートは、１ドル112円である。

➡答案用紙 P.11-11 ➡解答・解説 P.11-14

問題 14　為替予約8（独立処理）　財計C　（12分）　基本

次の(1)～(4)の一連の取引と資料にもとづいて、各問いに答えなさい。なお、会計期間は毎年３月31日を決算日とする１年間であり、按分計算を行う場合は月割りによること。

問１　(1)～(4)の取引の仕訳を示しなさい。なお、仕訳の必要がない場合には、借方科目欄に「仕訳なし」と記入すること。

問２　(1)～(3)の取引にもとづいて、×22年３月31日における貸借対照表（一部）を完成させるとともに、損益計算書に表示される為替差損益について答案用紙に示した項目を答えなさい（貸借対照表の記載について、現金預金は考慮しなくてよい）。

(1)　×21年10月１日、米国企業より300千ドルを現金で借り入れた（決済日は×22年９月30日で、利率は年利２％で返済時に元利を一括して支払う）。

(2)　×22年２月１日、(1)の借入金の元本300千ドルに対して為替予約を行った。なお、為替予約の処理は独立処理による。

(3)　×22年３月31日、決算をむかえた。

(4)　×22年９月30日、(1)の借入金300千ドルと利息のすべてを現金で支払った。なお、期首に為替予約の振戻処理を行わないものとして答えること。

【資　料】　直物為替レートおよび×22年９月30日を決済日とした先物為替レートの推移

	直物為替レート	先物為替レート
×21年10月１日	120円	116円
×22年２月１日	122円	118円
×22年３月31日	124円	119円
×22年９月30日	125円	—

➡答案用紙 P.11-12 ➡解答・解説 P.11-15

問題 15 外貨建有価証券 1  (10分) 基本

以下の資料にもとづき、答案用紙に示した当期末の決算整理後残高試算表を作成しなさい。なお、当期末(×2年3月31日)における為替レートは1ドル98円である。

【資料1】 ×2年3月31日の決算整理前残高試算表

決算整理前残高試算表　　(単位：千円)

勘定科目	金額	勘定科目	金額
有価証券	60,000	有価証券利息	980
投資有価証券	86,950		
関係会社株式	47,500		

【資料2】 決算整理事項

1　当社が期末に保有する有価証券は次のとおりである。

銘柄	取得原価	時価	保有目的
A社株式	600千ドル	610千ドル	売買目的
B社社債	925千ドル	930千ドル	満期保有目的
C社株式	500千ドル	200千ドル	支配目的

2　A社株式は当期に取得したもので、取得時の為替レートは1ドル100円である。

3　B社社債は×1年4月1日に額面金額1,000千ドルを925千ドルで取得したものであり、取得時の為替レートは1ドル94円である。償還期限は×6年3月31日であり、クーポン利子率は年1％、利払日は3月末日である。取得価額と額面金額との差額は金利の調整と認められるため、償却原価法を適用する(定額法)。当期の期中平均為替レートは1ドル96円である。

4　C社株式は当期に取得したものであり、取得時の為替レートは1ドル95円である。C社株式の当期末における時価は著しく下落しており、回復の見込みは不明である。

➡答案用紙 P.11-12 ➡解答・解説 P.11-16

問題 16 外貨建有価証券2 簿A (10分) 基本

次の資料にもとづいて、答案用紙に示した当期末の決算整理後残高試算表を作成しなさい。当期末(×2年3月31日)における為替レートは1ドル108円である。なお、税効果会計は適用しないものとする。

【資料1】 ×2年3月31日の決算整理前残高試算表(一部)

決算整理前残高試算表 (単位:千円)

勘定科目	金額	勘定科目	金額
投資有価証券	50,600		

【資料2】 決算整理事項

1 その他有価証券はいずれも当期に取得したものであり、全部純資産直入法を採用している。

2 投資有価証券勘定の内訳は以下のとおりである。なお、B社社債は額面金額で取得したものであり、時価の変動による差額のみを評価差額とし、それ以外の差額は為替差損益として処理する。利息については考慮する必要はない。

銘柄	市場価格	取得原価	期末時価	取得時レート	保有目的
A社株式	有り	200千ドル	190千ドル	1ドル100円	その他
B社社債	有り	300千ドル	305千ドル	1ドル102円	その他

➡答案用紙 P.11-12 ➡解答・解説 P.11-17

問題 17 外貨建有価証券3 簿A (10分) 応用

次の資料にもとづいて、決算整理後残高試算表を作成しなさい。当期末(×2年3月31日)における為替レートは1ドル105円である。なお、税効果会計を適用し、法定実効税率は30%とする(繰延税金資産と繰延税金負債の相殺は行わないものとする)。

【資料1】 ×2年3月31日の決算整理前残高試算表(一部)

決算整理前残高試算表 (単位:千円)

勘定科目	金額	勘定科目	金額
投資有価証券	30,400		

【資料2】 決算整理事項

その他有価証券はいずれも当期に取得したものであり、部分純資産直入法を採用している。B社社債は額面金額で取得したものである。利息については考慮する必要はない。

銘柄	市場価格	取得原価	期末時価	取得時レート	保有目的
A社株式	有り	100千ドル	90千ドル	1ドル100円	その他
B社社債	有り	200千ドル	210千ドル	1ドル102円	その他

➡答案用紙 P.11-13 ➡解答・解説 P.11-17

問題 18 外貨建有価証券4 簿B (15分) 応用

当社の決算整理前残高試算表上の有価証券勘定残高は2,507,590円、有価証券利息勘定の残高は9,180円であり、有価証券の内訳は以下に示すとおりである。よって下記資料に基づいて答案用紙に与えられた決算整理後残高試算表を作成しなさい。(当期07年1月1日より始まる1年)

【資　料】 有価証券の内訳

銘　柄	所有目的	保有数	簿　　価	時　　価	備　　考
W社株式	売買目的	500株	273,500円	4.6ドル／株	—
X社株式	売買目的	900株	432,000円	5ドル／株	—
Y社株式	支配目的	600株	396,000円 3,600ドル	市場価格なし	子会社株式 実質価額は1株当たり2ドルである。
甲社社債	—	50口	565,250円 5,000ドル	99ドル／口	その他有価証券 償還日　09年6月30日 利払日　6月末・12月末 約定利率　3.4%／年 評価損が生じていれば、当期の損益とする。
丙社社債	満期保有	80口	840,840円 7,644ドル	97ドル／口	取得日　07年1月1日 満期日　11年12月31日 利払日　12月末(年1回) 約定利率　3%／年 実効利率　4%／年 取得差額は全て金利調整差額である。(注)

(注)　償却原価法の適用にあたっては、利息法により償却額を算定する。なお、利息の計算にあたってドル未満の金額が生じた場合は、ドル未満を切捨てる。

その他
社債の額面は1口当たり100ドルである。
期中平均為替レート　1ドル＝107円
決算日レート　1ドル＝105円
社債に係る当期12月末分の利息の計上は一切行われていない。
科目の分類　W社株式・X社株式 ⇒ 有価証券勘定
Y社株式 ⇒ 関係会社株式勘定
甲社社債・丙社社債 ⇒ 投資有価証券勘定

➡答案用紙 P.11-13 ➡解答・解説 P.11-18

問題 19 外貨建有価証券5 簿C (15分) (本試験改題) 応用

E社の保有する投資有価証券は、2種類の外貨建満期保有目的の債券(G社社債、H社社債)から構成されている。次の資料にもとづいて、為替レート［イ］および決算整理後残高試算表の［ロ］の金額を求めなさい。ただし、決算整理後残高試算表の各金額は、上記2種類の外貨建満期保有目的の債券のみにもとづいて計上されているものとする。なお、E社の当期決算日は×21年3月31日である。

【資料1】 G社社債に関して

1 ×21年1月1日に取得原価19,600ドル(額面金額20,000ドル)で取得
2 償還期日は×22年8月31日
3 金利は年6%(利払日は6月末日と12月末日)
4 償却原価法(定額法)を適用

【資料2】 H社社債に関して

1 ×21年2月1日に取得原価10,500ドル(額面金額10,000ドル)で取得
2 償還期日は×22年9月30日
3 金利は年7%(利払日は7月末日と1月末日)
4 償却原価法(定額法)を適用

【資料3】 その他の条件

1 直物為替レートの推移は次のとおりである。なお、償却原価法において適用する期中平均為替レートは、債券の保有期間に対応したものである。

×21年 1月1日 1ドル=110円
2月1日 1ドル=108円
3月31日 1ドル=105円
2月1日から3月31日の平均為替レート:1ドル=106円

2 ×21年1月1日から3月31日の平均為替レートは、1ドル=［イ］円である。
3 下記の×21年3月31日の決算整理後残高試算表(一部)に計上された為替差損益は［ロ］円である。

決算整理後残高試算表 (単位:円)

勘定科目	金額	勘定科目	金額
投資有価証券	3,161,550	有価証券利息	44,960
為替差損益	［ロ］		
未収利息	?		

➡答案用紙 P.11-14 ➡解答・解説 P.11-20

問題20 外貨建有価証券6 財計A（10分）

基本

次の資料にもとづいて、答案用紙に示した貸借対照表および損益計算書(一部)を完成させなさい。なお、決算日は×22年3月31日(会計期間は1年間)である。

【資　料】

1　当社が期末に保有する有価証券の内訳は次のとおりである。なお、すべて当期中に取得したものであり、帳簿価額はいずれも取得時の為替レートにもとづいて計上している。

銘　柄	米ドル建価格		帳簿価額	時　価	備　考
A社株式	取得原価	2,000千ドル	200,000千円	2,100千ドル	売買目的
B社社債	額面金額	1,000千ドル	94,500千円	980千ドル	満期保有目的
C社株式	取得原価	500千ドル	57,500千円	520千ドル	支配目的
D社株式	取得原価	250千ドル	27,000千円	123千ドル	影響力行使目的
E社株式	取得原価	600千ドル	73,500千円	650千ドル	その他有価証券

2　B社社債の償還期限は×26年3月31日であり、当社は×21年4月1日(為替レートは1ドル105円)に額面1,000千ドルを900千ドルで取得している。なお、取得価額と額面金額との差額は金利の調整と認められるため、償却原価法(定額法)を適用する。なお、社債のクーポン利息については、考慮しなくてよい。

3　D社株式は、時価が取得原価に比べ著しく下落しており、回復の見込みがないため減損処理を行う。なお、この減損処理による損失は、税務上もその全額が損金として認められるものとする。

4　E社株式の評価差額は全部純資産直入法により処理し、税効果会計を適用する。なお、法定実効税率は30%として計算すること。

5　その他の条件

当期の期中平均レートは1ドル112円である。

当期の決算時レートは1ドル110円である。

➡答案用紙 P.11-15 ➡解答・解説 P.11-21

問題 21 外貨建有価証券７ 財計B （15分） 応用

次の資料にもとづいて、答案用紙に示した貸借対照表および損益計算書(一部)を完成させなさい。なお、決算日は×22年3月31日(会計期間は１年間)である。

【資　料】

1　当社が期末に保有する有価証券の内訳は次のとおりである。その他有価証券については全部純資産直入法を適用し、債券については評価差額のうち為替相場の変動による部分については為替差損益として処理している。また、税効果会計を適用し、法定実効税率は30％として計算すること。なお、保有する有価証券について時価あるいは実質価額が取得価額より50％以上下落しているときは、減損処理を行うものとし、この減損処理は税務上もその金額が全額損金として認められるものとする。

銘　柄	帳簿価額	期末時価	市場価格
A社社債	5,358千円	48千ドル	あり
B社株式	55,000千円	—	なし
C社社債	9,000千円	95千ドル	あり

2　A社社債は、下記の内容のドル建ての社債であり、×21年７月１日に１口100ドルを94ドルで500口、満期まで保有する目的で取得したものである。額面金額と取得価額との差額は金利の調整と認められるため、償却原価法(定額法)を適用する。

発行額面総額	50千ドル
満　　期	×24年６月30日
利　　率	年利４％
利　払　日	毎年６月末日および12月末日

期末における未収利息の計算が未了であり、利息の期間配分は月割計算によること。なお、×21年12月末日の有価証券利息113千円の処理は適正になされている。

当期の期中平均為替相場は１ドル112円であり、当期末の直物為替相場は１ドル104円である。

3　B社は、米国に設立された会社であり、取引上の関係で議決権の10％(一括で取得しており、取得時の為替相場は１ドル110円である。なお、子会社株式または関連会社株式には該当しない)を保有している。また、決算日におけるB社の財務内容は次のとおりであるため、適切な処理を行う。

貸　借　対　照　表　　(単位：千ドル)

借方	金額	貸方	金額
諸　資　産	5,500	諸　負　債	3,500
		資　本　金	4,000
		繰越利益剰余金	△　2,000
	5,500		5,500

4　C社社債は、当期に90千ドルで取得した外貨建社債(券面利息は生じないものとする)であり、その他有価証券に該当する(満期日は×24年３月31日)。

Chapter 12

棚卸資産 II

No	内　　容	標準時間	重要度	難易度
問題１	売価還元法１	３分	簿B	基本
問題２	売価還元法２	５分	簿B	基本
問題３	売価還元法３（本試験改題）	５分	簿B	応用
問題４	売価還元法４	５分	簿B	応用
問題５	売価還元法５	７分	簿B	基本
問題６	売価還元法６	５分	財計C	基本

➡答案用紙 P.12-1 ➡解答・解説 P.12-1

問題 1　売価還元法 1 （3分）　基本

以下の資料にもとづき、売価還元法（原価法）による原価率を求めなさい。

【資料1】

決算整理前残高試算表　（単位：千円）

繰越商品	64,800	売　上	680,000
仕　入	505,200		

【資料2】

1　商品売価に関する資料

期首商品売価	86,400 千円
原始値入額	148,000 千円
期中値上額	34,600 千円
値上取消額	3,000 千円
期中値下額	16,000 千円
値下取消額	4,800 千円

2　期末棚卸高に関する資料

期末帳簿棚卸売価	80,000 千円
期末実地棚卸売価	70,000 千円

➡答案用紙 P.12-1 ➡解答・解説 P.12-1

問題 2　売価還元法 2 簿B（5分）　基本

次の資料にもとづいて、売価還元原価法によった場合の損益計算書（営業利益まで）を作成しなさい。なお、原価率の算定上生じた端数は、%表示で小数点以下第2位を四捨五入して計算すること（例：98.76543%→ 98.8%）。

【資　料】

	原　価	売　価
期首商品	24,290 円	35,000 円
当期仕入原価総額	224,110 円	――
原始値入額	――	82,000 円
期中値上額	――	20,000 円
値上取消額	――	1,100 円
期中値下額	――	3,000 円
値下取消額	――	990 円
期末商品実地棚卸高	――	50,000 円
期末商品正味売却価額	32,000 円	―― 円
当期売上高	――	303,000 円

➡答案用紙 P.12-1 ➡解答・解説 P.12-3

問題 3　売価還元法 3　簿B（5分）　（本試験改題）応用

A社の×21年度（×22年3月末決算）に関する以下の資料にもとづいて、決算整理後残高試算表の仕入勘定および繰越商品勘定に記入される金額を算定しなさい。

【資料1】

×21年度の決算整理前における期中取引に関する仕入帳および売上帳は以下のとおりであった。ただし、「日付」、「摘要」、「元丁」は記載を省略した。

仕　入　帳　　(単位：千円)

日付		勘定科目	摘　　要	元丁	買 掛 金	諸　　口
		現　　金				700
		買 掛 金			3,400	
		支払手形				1,800

売　上　帳　　(単位：千円)

日付		勘定科目	摘　　要	元丁	売 掛 金	諸　　口
		前 受 金				250
		現　　金				100
		売 掛 金			4,500	
		受取手形				2,250

【資料2】

×21年度の決算整理事項は以下のとおりである。

① 期末商品：売価還元法・低価法原価率により算定する。

② 原始値入率は10%である（前期も当期も同じ）。

③ 当期の値上額940千円、値上取消額200千円、値下額600千円、値下取消額100千円であった。なお、前期については値上げも値下げもなかった。

④ 期首実地棚卸高は売価で770千円、期末実地棚卸高は売価で400千円であった。なお、当期末において、商品評価損および棚卸減耗損は計上されなかった。

⑤ 売上原価は仕入勘定で計算している。

➡答案用紙 P.12-2 ➡解答・解説 P.12-4

問題 4　売価還元法 4　簿B（5分）　応用

次の資料にもとづいて、売価還元法によった場合の損益計算書を作成しなさい。なお、商品評価損は独立した費用として計上しない方法により行い、原価率の算定上生じた端数は、%表示で小数点以下第2位を四捨五入して計算すること（例：98.76543%→ 98.8%）。

【資料1】

決算整理前残高試算表　（単位：千円）

借方科目	金額	貸方科目	金額
繰越商品	108,200	売上	664,000
仕入	378,150		

【資料2】

1　期末商品は低価法原価率によって評価している。

2　商品売価に関する資料

期首商品売価　135,250 千円
原始値入額　167,850 千円
期中値上額　30,000 千円
値上取消額　1,250 千円
期中値下額　26,200 千円
値下取消額　1,200 千円

3　期末棚卸高に関する資料

期末帳簿棚卸売価　21,000 千円
期末実地棚卸売価　20,000 千円

➡答案用紙 P.12-2 ➡解答・解説 P.12-5

問題 5 売価還元法５ 簿B（７分） 基本

下記の資料に基づいて決算整理仕訳を示しなさい。会計処理は三分法による。

(1) 売価還元平均原価法による場合(正味売却価額は考慮不要)
(2) 売価還元低価法による場合(評価損を計上しない方法)
(3) 売価還元低価法による場合(評価損を計上する方法)

【資　料】

	原　価	売　価	
期首商品棚卸高	300,000円	420,000円	
当期商品仕入高	870,000円	1,100,000円	(原始値入額が加算されている。)
値　上　額		65,000円	
値上取消額		25,000円	
値　下　額		78,000円	
値下取消額		18,000円	
期末商品棚卸高	?　円	200,000円	
売　上　高		1,249,000円	

※　売上高は、売上戻り1,000円と売上値引1,000円が控除されている。

➡答案用紙 P.12-3 ➡解答・解説 P.12-6

問題 6 売価還元法６  （５分） 基本

以下の資料にもとづき、答案用紙の貸借対照表および損益計算書を作成しなさい。なお、当期は×１年４月１日より×２年３月31日を会計期間とする１年である。

【資料１】 決算整理前残高試算表

残 高 試 算 表 （単位：千円）

勘 定 科 目	金 額	勘 定 科 目	金 額
繰 越 商 品	15,000	売 上	269,000
仕 入	220,200		

【資料２】 決算整理の未了事項および参考事項

棚卸資産の期末残高の内訳は、次のとおりである。当社は売価還元低価法を採用している。

	原 価	売 価
期首商品棚卸高	15,000千円	18,600千円
当期商品仕入高	220,200千円	272,400千円
値 上 額	—	13,500千円
値 上 取 消 額	—	4,500千円
値 下 額	—	7,500千円
値 下 取 消 額	—	1,500千円
期末商品帳簿棚卸高	—	25,000千円
期末商品実地棚卸高	—	24,000千円

棚卸減耗損は販売費及び一般管理費の区分に計上する。

Chapter 13

金融商品 II

No	内　容	標準時間	重要度	難易度
問題１	有価証券の保有目的区分の変更１	５分	簿B	応用
問題２	有価証券の保有目的区分の変更２	５分	簿C	応用
問題３	資本剰余金からの配当	３分	簿B	基本
問題４	ゴルフ会員権１	５分	簿C	基本
問題５	有価証券の保有目的区分の変更３	５分	財計C	応用
問題６	ゴルフ会員権２	３分	財計B	応用
問題７	コマーシャルペーパー・証券投資信託	３分	財計C	応用

➡答案用紙 P.13-1 ➡解答・解説 P.13-1

問題 1 有価証券の保有目的区分の変更1 簿B（5分） 応用

以下の資料にもとづき、決算整理後残高試算表（一部）を完成させなさい。

【資料1】

当社が保有する有価証券とその状況は、以下のとおりである。

（単位：千円）

銘　柄	変更前帳簿価額	変更時時価	当期末時価	変更前の保有目的区分	変更後の保有目的区分
A社株式	95,000	100,000	110,000	売買目的有価証券	その他有価証券
B社株式	(注) 768,000	270,000	265,000	子会社株式	その他有価証券
C社株式	210,000	195,000	193,000	その他有価証券	売買目的有価証券

（注）期中においてB社株式の3分の2を時価（540,000千円）で売却した。

【資料2】

1　その他有価証券の評価差額は、全部純資産直入法により処理する。

2　税効果会計は無視するものとする。

3　保有目的の変更にかかる事由は、すべて正当なものと認められる。

➡答案用紙 P.13-1 ➡解答・解説 P.13-2

問題 2 有価証券の保有目的区分の変更2 簿C（5分） 応用

以下の資料にもとづき、各有価証券の①保有目的区分の変更時の仕訳および②決算時の仕訳を示しなさい。なお、仕訳が必要ない場合は、借方科目欄に「仕訳なし」と記入すること。

【資　料】

当社が前期以前から保有する有価証券の状況は、以下のとおりである。なお、その他有価証券の評価差額は、部分純資産直入法により処理しており、期首に前期評価差額の振戻仕訳を行っている。税効果会計は無視するものとする。

（単位：千円）

銘　柄	取得原価	前期末時価	変更時時価	当期末時価	変更前の保有目的区分	変更後の保有目的区分
(1) N社株式	210,000	200,000	195,000	190,000	その他有価証券	売買目的有価証券
(2) E社株式	125,000	130,000	127,000	122,000	その他有価証券	子会社株式
(3) T社株式	60,000	55,000	54,000	50,000	その他有価証券	関連会社株式

➡答案用紙 P.13-2 ➡解答・解説 P.13-3

問題 3　資本剰余金からの配当 （3分）　基本

以下の取引の仕訳を(1)、(2)の場合に分けて示しなさい。なお、取引は現金を通じて行うものとする。

保有するA社株式にかかる株式配当金50,000千円（そのうち、30%はその他資本剰余金を原資としている）を受け取った。なお、株式配当金は受取時に計上する方法による。

(1) A社株式を売買目的有価証券として保有している場合
(2) A社株式をその他有価証券として保有している場合

➡答案用紙 P.13-2 ➡解答・解説 P.13-3

問題 4　ゴルフ会員権 1 簿C（5分）　基本

以下の資料にもとづき、決算整理後残高試算表（一部）を完成させなさい。

【資　料】

	帳簿価額	期末時価	備　　考
Aゴルフ会員権	7,000千円	7,200千円	株式方式
Bゴルフ会員権	7,500千円	3,200千円	株式方式　(注)
Cゴルフ会員権	8,900千円	8,500千円	預託金方式（預託金額4,500千円）
Dゴルフ会員権	5,000千円	1,700千円	預託金方式（預託金額1,500千円）(注)
Eゴルフ会員権	6,700千円	2,000千円	預託金方式（預託金額2,500千円）(注)

(注) 著しい時価の下落が生じており、回復可能性が合理的に立証できない。

➡答案用紙 P.13-3 ➡解答・解説 P.13-4

問題 5 有価証券の保有目的区分の変更３  （５分） 応用

次の資料にもとづいて、会社法および会社計算規則に準拠した貸借対照表および損益計算書（一部）の記入をしなさい。なお、前期決算のその他有価証券（全部純資産直入法）にかかる評価差額は期首に戻入れを行っている（税効果会計は無視すること）。

【資　料】

銘　柄	帳簿価額	期末時価	備　考
A社株式	3,500千円	4,000千円	（注１）
B社株式	1,500千円	800千円	（注２）
C社株式	?	2,500千円	（注３）

（注１）売買目的有価証券からその他有価証券に保有目的を変更した。変更時の時価は3,600千円であった。

（注２）その他有価証券から売買目的有価証券に保有目的を変更した。前期末時価は1,100千円、変更時時価は1,300千円である。

（注３）期首にC社株式400株（@800円）を保有していたが、当期に2,000株を@900円で買い増し、C社株式の保有割合が10%から60%となったため、売買目的有価証券から関係会社株式に保有目的区分を変更した。

➡答案用紙 P.13-4 ➡解答・解説 P.13-5

問題 6 ゴルフ会員権２ 財計B （３分） 応用

次の資料にもとづいて、会社法および会社計算規則に準拠した貸借対照表および損益計算書（一部）の記入をしなさい。

【資　料】

銘　柄	預 託 金	取得原価	時　　価
Xカントリークラブ	300千円	1,800千円	500千円
Yゴルフクラブ	200千円	500千円	150千円
Zカントリークラブ	—	100千円	30千円

1　Xカントリークラブ、Yゴルフクラブは預託金方式のものであり時価が著しく下落しており、回復可能性は合理的に立証できない。

2　Zカントリークラブは、株式方式のものであり時価が著しく下落しており、回復可能性は合理的に立証できない。

➡答案用紙 P.13-5 ➡解答・解説 P.13-6

問題 7 コマーシャルペーパー・証券投資信託  (3分) 応用

次の資料にもとづいて、会社法および会社計算規則に準拠した貸借対照表および損益計算書(一部)の記入をしなさい。会計期間は×2年3月31日を期末とする1年である。

【資　料】

項　　　目	保有目的	帳簿価額	期末時価	備　　考
証券投資信託A	売　買　目　的	3,300千円	3,700千円	—
証券投資信託B	そ　の　他	6,100千円	7,000千円	下記1参照
証券投資信託C	そ　の　他	2,000千円	—	下記2参照
コマーシャルペーパー	満期保有目的	9,880千円	—	下記3参照

1　満期日は×5年3月31日であり、全部純資産直入法によって処理している(税効果会計は無視すること)。

2　中期国債ファンドであり、預金と同様の性質を有するものである。

3　×2年3月1日に取得した(6カ月満期)ものであり、額面金額10,000千円と取得原価9,880千円との差額は金利の調整と認められるため、償却原価法(定額法)を適用する。

Memorandum Sheet

解答解説編

Chapter 1

法人税等・租税公課

問題1　解答

(単位：千円)

	借方科目	金　額	貸方科目	金　額
(1)	仮払法人税等	7,700	現金預金	7,700
(2)	現金預金	240	受取配当金	300
	仮払法人税等	60		
(3)	法人税等	17,000	仮払法人税等	7,760
			未払法人税等	9,240

解説

(1)　問題文の指示により、中間納付額は**『仮払法人税等』**で処理します。

(2)

受取配当金の総額

240千円	60千円

以上より、受取配当金の総額は300千円（＝240千円＋60千円）となります。

(3)　(1)、(2) より仮払法人税等の合計は7,760千円（＝7,700千円＋60千円）となります。

よって**『未払法人税等』**を確定年税額と仮払法人税等との差額で求めます。

未払法人税等：17,000千円－7,760千円
＝9,240千円

問題2　解答

(単位：千円)

	借方科目	金　額	貸方科目	金　額
(1)	仮払法人税等	4,880	現　金	5,000
	租税公課	120		
(2)	法人税等	12,910	仮払法人税等	4,880
	租税公課	310	未払法人税等	8,340
(3)	車　両	3,570	未払金	3,500
			当座預金	70
(4)	租税公課	51	現　金	51

Point

勘定科目が指定されています。仕訳を行うさいには、指定された勘定科目を正確に使用するように注意してください。

解説

(1)　事業税のうち外形標準分（資本割・付加価値割）は、**『租税公課』**で処理します。

(2)　本問では、確定納付額が与えられている点に注意します。

(1)中間納付	外形標準分	120千円	租税公課で処理済
	法人税等	4,880千円	仮払法人税等に計上済
(2)確定納付	外形標準分	310千円	租税公課で処理
	法人税等 01)	8,030千円	法人税等に計上

未払法人税等に計上

期末において、期中に計上した**『仮払法人税等』**を**『法人税等』**に振り替えるので、「当期の法人税等（12,910千円）＝中間納付の法人税等分（4,880千円）＋確定納付の法人税等分（8,030千円）」となります。

(3)　固定資産の取得に必要な税金は、取得原価に含めて処理します[02)]。

(4)　固定資産の取得時以外にかかる税金については、**『租税公課』**で処理します。

01) 法人税＋住民税＋事業税（外形標準分を除く）

02) 本試験では、特に指示のない限り費用処理せず、取得原価に含めてください。

問題3　解答

決算整理後残高試算表（単位：千円）

勘定科目	金　額	勘定科目	金　額
現金預金	(222,220)	未払法人税等	(40,400)
土　　地	(97,850)		
租税公課	(1,700)		
法人税等	(74,700)		

前T／Bに『現金預金』とあるので、現金取引および小切手取引のいずれも、この『現金預金』で処理します。

解説

（以下、仕訳の単位：千円）

1　土地の購入

土地（固定資産）の購入に必要な税金（不動産取得税）は、特段の指示がない限り取得原価に算入します。

(借) 土　　地	97,850[01]	(貸) 現金預金	97,850

01）95,000千円＋2,850千円＝97,850千円

2　租税公課の支払い

(借) 租税公課	930	(貸) 現金預金	930

3　未払法人税等の計上

中間納付額34,300千円が前T／Bに計上されているので、それを確定年税額（1年間の税金）74,700千円から控除した40,400千円が『**未払法人税等**』となります。

(借) 法人税等	74,700	(貸) 仮払法人税等	34,300
		未払法人税等	40,400

未払法人税等：

確定年税額－前T／B『**仮払法人税等**』

74,700千円－34,300千円＝40,400千円

なお、『**仮払法人税等**』は決算整理で残高がゼロになるため、後T／Bには計上されません。

問題4　解答

決算整理後残高試算表（単位：千円）

勘定科目	金　額	勘定科目	金　額
現　　金	(24,680)	未払法人税等	(5,310)
貯蔵品	(50)	その他諸収益	(105,775)
土　　地	(30,900)		
租税公課	(720)		
その他諸費用	(79,280)		
法人税等	(10,310)		
法人税等追徴税額	(370)		

解説

（以下、仕訳の単位：千円）

修正および決算整理事項の仕訳

1　租税公課の修正

租税公課の内訳には、『**租税公課**』で処理してはいけないものも含まれているので、それらを適切な勘定科目に振り替えます。

(1)　固定資産税

固定資産税は『**租税公課**』で正しく処理されています。したがって、修正仕訳はありません。

(2)　不動産取得税は、固定資産の取得原価に算入します。

(借) 土　　地	900	(貸) 租税公課	900

(3)　収入印紙の期末未使用分は、『**貯蔵品**』に振り替えます。

(借) 貯蔵品	50	(貸) 租税公課	50

(4)　法人税等の中間納付額は『**仮払法人税等**』で処理するため、修正します。

(借) 仮払法人税等	5,000	(貸) 租税公課	5,000

(5)　法人税等の追徴税額は『**法人税等追徴税額**』で処理するため、修正します。

(借) 法人税等追徴税額	370	(貸) 租税公課	370

2　前期分の未払法人税等の支払い

前期末に計上した『**未払法人税等**』を減額するのが正しい処理です。

(借) 未払法人税等	6,540	(貸) 租税公課	6,540

問題5 解答

未払法人税等の金額 | 23,000 | 千円

損益計算書（一部） （単位：千円）

科目	金額
Ⅳ 営業外収益	
受取利息	（ 500 ）
：	：
税引前当期純利益	126,000
〔法人税、住民税及び事業税〕	（ 38,100 ）
当期純利益	（ 87,900 ）

解説

(1) **源泉税の処理**

受取利息などに対して源泉徴収された税金は、**『受取利息』**などと相殺せずに、**『仮払法人税等』**として計上します。

① 期中に行った仕訳

(借)	現金預金	400	(貸)	受取利息	400

② 正しい仕訳

(借)	現金預金	400	(貸)	受取利息	500
	仮払法人税等	100			

③ 修正仕訳（＝①の逆仕訳＋②）

(借)	仮払法人税等	100	(貸)	受取利息	100

(2) **未払法人税等の計上**

確定年税額を**『法人税、住民税及び事業税』**として処理するとともに、確定年税額と中間納付額および源泉税との差額を**『未払法人税等』**として処理します。

(借)	法人税、住民税及び事業税	38,100	(貸)	仮払法人税等	15,100 01)
				未払法人税等	23,000 02)

01) 15,000千円（前T/B）＋100千円（源泉税）＝15,100千円
02) 貸借差額

仕訳で用いる科目は「法人税等」で差し支えありませんが、損益計算書では「法人税、住民税及び事業税」として表示します。

問題6 解答

未払法人税等の金額 | 32,000 | 千円

損益計算書（一部） （単位：千円）

科目	金額
Ⅲ 販売費及び一般管理費	（ 500,000 ）
：	：
税引前当期純利益	186,000
法人税、住民税及び事業税	（ 56,200 ）
当期純利益	（ 129,800 ）

解説

一定の会社に対しては、事業税の外形標準課税（資本割および付加価値割）が課されます。この外形標準課税による事業税は、**『租税公課』（販売費及び一般管理費）**として処理します。

1 **仮払法人税等の修正等**

仮払法人税等として計上されている金額のうち、事業税の外形標準課税によるもの（資本割および付加価値割）については**『租税公課』**で処理するため、修正します。また、**『仮払法人税等』**の残高を**『法人税等』**に振り替えます。

(借)	販売費及び一般管理費	400	(貸)	仮払法人税等	25,200
	法人税等	24,800 01)			

01) 貸借差額

2 **未払法人税等の計上**

本問では、確定申告による納付税額（中間納付税額控除後の金額）が資料として与えられています。よって、この納付税額の合計額が**『未払法人税等』**となります。なお、外形標準課税によるものは**『租税公課』**とします。

(借)	販売費及び一般管理費	600	(貸)	未払法人税等	32,000 02)
	法人税等	31,400			

02) 未払法人税等：27,500千円＋4,500千円＝32,000千円

3 **法人税、住民税及び事業税の計算**

上記より、P／Lに計上する金額を求めます。

法人税、住民税及び事業税：

24,800千円＋31,400千円＝56,200千円

問題7　解答

未払法人税等の金額 | 76,450 | 千円

損益計算書（一部）（単位：千円）

科　　目	金　　額	
：	：	
税引前当期純利益		453,000
〔法人税、住民税及び事業税〕	（ 123,450）	
〔法人税等追徴税額〕	（ 12,650）	（ 136,100）
当期純利益		（ 316,900）

解説

本問の前T／Bに計上されている『法人税等』は、『仮払法人税等』を示していると考えて解いてください。

1　前T/Bの法人税等に関する修正

① 前期分の法人税等の支払時には、法人税等に計上するのではなく『未払法人税等』を減算する処理を行うべきです。したがって、次の修正仕訳を行います。

(借) 未払法人税等 52,800　(貸) 法人税等 52,800

② 法人税等の**追徴税額**や**還付税額**は、法人税等に含めずに**独立科目**を用いて処理します。なお、『法人税等追徴税額』は『法人税、住民税及び事業税』の下に表示します。

(借) 法人税等追徴税額 12,650　(貸) 法人税等 12,650

2　法人税等の確定年税額を、P／Lの『法人税、住民税及び事業税』に表示します。また、確定年税額と中間納付額との差額を、『未払法人税等』として計上します。

未払法人税等：

123,450千円－47,000千円＝76,450千円

問題8　解答

貸借対照表（単位：千円）

科目	金額	科目	金額
車両	（ 3,060）	未払法人税等	（ 31,700）
土地	（ 51,500）		

損益計算書（一部）（単位：千円）

科　　目	金　　額
Ⅲ　販売費及び一般管理費	（ 320,000 ）
Ⅳ　営業外収益	
受取利息配当金	（ 1,800 ）
：	：
税引前当期純利益	198,800
法人税、住民税及び事業税	（ 60,000 ）
当期純利益	（ 138,800 ）

〈貸借対照表等に関する注記〉

有形固定資産から減価償却累計額が控除されている。

車両：1,020千円

解説

1　租税公課の修正

各税金につき、正しい処理に修正します。

(1) 法人税、住民税及び事業税の中間納付額
→『仮払法人税等』に計上

(借) 仮払法人税等 28,000　(貸) 販売費及び一般管理費 28,000

(2) 車両の購入にともなう環境性能割
→車両の取得原価に算入

(借) 車両 80　(貸) 販売費及び一般管理費 80

(3) 当期分の自動車税 →『租税公課』（適正な処理）

(4) 土地の購入にともなう不動産取得税
→土地の取得原価に算入

(借) 土地 1,500　(貸) 販売費及び一般管理費 1,500

(5) 当期分の固定資産税
→『租税公課』に計上（適正な処理）

(6) 配当金の受取りにともなう源泉取得税
→『仮払法人税等』に計上

(借) 仮払法人税等 300　(貸) 販売費及び一般管理費 300

2　車両の減価償却

1(2)により、車両の取得原価が80千円加算されている点に注意します。また、問題文の指示により『**減価償却累計額**』は注記事項となります。

(借) 販売費及び一般管理費	1,020[01]	(貸) 車　　両	1,020

01) 減価償却費：(4,000千円＋80千円) × 0.25
＝1,020千円

3　未払法人税等の計上

本問では、中間納付額等の控除前の金額が与えられているため、P/Lの『**法人税、住民税及び事業税**』は60,000千円となります。

この確定年税額と1で計上した『**仮払法人税等**』との差額が『**未払法人税等**』となります。

(借) 法人税、住民税及び事業税	60,000	(貸) 仮払法人税等	28,300[02]
		未払法人税等	31,700[03]

02) 28,000千円（1(1)）＋300千円（1(6)）
＝28,300千円

03) 貸借差額

4　販売費及び一般管理費の計算

2で計算した『**減価償却費**』も、販売費及び一般管理費に含まれる点に注意します。

販売費及び一般管理費　(単位：千円)

前T/B	348,860	1(1)	28,000
2	1,020	1(2)	80
		1(4)	1,500
		1(6)	300
		残高	320,000

Chapter 2 税効果会計

問題1 解答

(単位：千円)

	借方科目	金額	貸方科目	金額
(1)	賞与引当金繰入	4,200	賞与引当金	4,200
	繰延税金資産	1,260 01)	法人税等調整額	1,260
(2)	賞与引当金	4,200	現金預金	4,200
	法人税等調整額	1,260	繰延税金資産	1,260

01）4,200千円×0.3＝1,260千円

解説

賞与は、税務上は引当金計上時(当期)には損金とはならず、支給時(翌期)に損金に算入されるため、将来減算一時差異に該当します。

「税務上は損金として認められない」とは、当期の損金(税務上の費用)が会計上の費用に比べ少なく計上されることを意味し、その分支払うべき税金も増えます。つまり、当期の税金は会計上で計算するよりも多くなりますが、将来(一時差異解消時)は税金の支払いが軽減されるので『繰延税金資産』(法人税等の前払い)を計上します。

問題2 解答

(単位：千円)

	借方科目	金額	貸方科目	金額
(1)	減価償却費	10,000	建物減価償却累計額	10,000
	繰延税金資産	1,800	法人税等調整額	1,800
(2)	貸倒引当金繰入	400	貸倒引当金	400
	繰延税金資産	90	法人税等調整額	90
(3)	交際費	300	現金預金	300

解説

(1)、(2)ともに将来減算一時差異に該当します。繰延税金資産は、会計上と税務上の金額を比較して、その差異に法定実効税率30%を乗じて計算します。

(1)減価償却の償却限度超過額の損金不算入額

会計上：$\frac{200,000千円}{20年}$＝10,000千円
税務上：4,000千円
差異：6,000千円

∴ 6,000千円×0.3＝1,800千円

(2)貸倒引当金の繰入限度超過額の損金不算入額

会計上：10,000千円×0.04＝400千円
税務上：10,000千円×0.01＝100千円
差異：300千円

∴ 300千円×0.3＝90千円

(3)交際費の損金不算入額

交際費は「永久差異」に該当するため、税効果会計の適用対象外です。

問題3 解答

法人税等 [7,875] 千円

解説

簿記論の本試験第三問で多く出題される「法人税等の金額」の問われ方です。簡単にP／Lの該当箇所を書くと、解きやすいです。なお、**『法人税等調整額』**が貸方に計上されている場合は、**『法人税等』**を減額することになります。

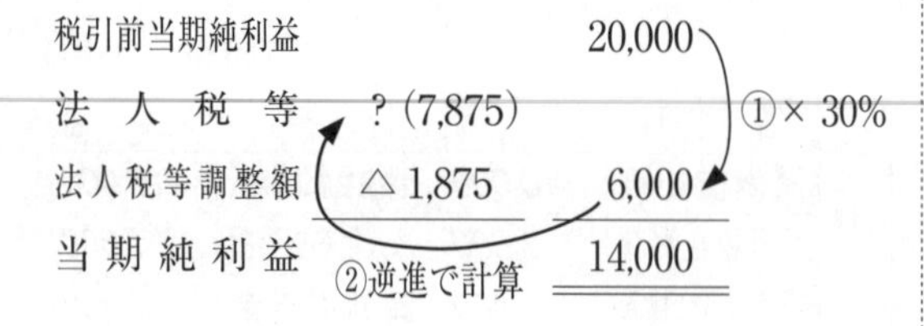

問題4 解答

損益計算書 （単位：千円）

Ⅰ売上高		784,500
Ⅱ売上原価		
期首商品棚卸高	(30,000)	
当期商品仕入高	(450,000)	
合計	(480,000)	
期末商品棚卸高	(10,000)	
差引	(470,000)	
棚卸減耗損	(500)	
商品評価損	(200)	(470,700)
売上総利益		(313,800)
Ⅲ販売費及び一般管理費		
減価償却費	(10,000)	
		：
税引前当期純利益		168,200
法人税等	(52,500)	
法人税等調整額	(△2,040)	(50,460)
当期純利益		(117,740)

貸借対照表 （単位：千円）

流動資産		流動負債	
商品	(9,300)	未払法人税等	(52,500)
固定資産			
建物	200,000		
減価償却累計額	(△20,000)		
繰延税金資産	(7,140)		

解説

（以下、仕訳の単位：千円）

1 商品評価損

(借) 仕入 30,000 (貸) 繰越商品 30,000
(借) 繰越商品 10,000 (貸) 仕入 10,000
(借) 棚卸減耗損 500 (貸) 繰越商品 700
　　 商品評価損 200

(借) 繰延税金資産 60 (貸) 法人税等調整額 60

棚卸減耗損：10,000千円－9,500千円＝500千円
商品評価損：9,500千円－9,300千円＝200千円
繰延税金資産：200千円×0.3＝60千円

2 減価償却

(借) 減価償却費 10,000 (貸) 建物減価償却累計額 10,000

(借) 繰延税金資産 1,800 (貸) 法人税等調整額 1,800

減価償却費：$\frac{200{,}000千円}{20年}$＝10,000千円

税務上の限度額：$\frac{200{,}000千円}{50年}$＝4,000千円

繰延税金資産：(10,000千円－4,000千円)×0.3＝1,800千円

3 法人税等

①前期分

前期末に計上した事業税は当期に税務上損金に算入されるため、将来減算一時差異が解消します。

(借) 法人税等調整額 3,300 (貸) 繰延税金資産 3,300

繰延税金資産：11,000千円×0.3＝3,300千円

②当期分

(借) 法人税等 52,500 (貸) 未払法人税等 52,500

(借) 繰延税金資産 3,480 (貸) 法人税等調整額 3,480

繰延税金資産：11,600千円×0.3＝3,480千円

解答数値

法人税等調整額：
60千円＋1,800千円－3,300千円＋3,480千円＝2,040千円

繰延税金資産：
5,100千円＋60千円＋1,800千円－3,300千円＋3,480千円＝7,140千円

問題5 解答

1．期　首（単位：円）

残高試算表

勘定科目	金　額	勘定科目	金　額
固定資産	10,000	減価償却累計額	*6,750*
繰延税金資産	*405*		

2．期　末（単位：円）

(1) 法人税等および税効果に係る仕訳

借方科目	金　額	貸方科目	金　額
法人税等	*1,395*	未払法人税等	*1,395*
法人税等調整額	*405*	**繰延税金資産**	*405*

(2) 損益 a/c

損　益

摘　要	金　額	摘　要	金　額
諸費用	6,550	諸収益	15,000
減価償却費	*2,250*		
固定資産売却損	*200*		
法人税等	*1,395*		
法人税等調整額	*405*		
繰越利益剰余金	*4,200*		
	15,000		*15,000*

解説

1．減価償却費の差異（単位：円）

	第24期	第25期	第26期
会計上	2,250	2,250	2,250
税務上	1,800	1,800	1,800
差異	450	450	450
税効果	135	135	135

（差異450 × 30% → 税効果135）

(1) 会計上：10,000円× 0.9 ÷ 4年＝ 2,250円

(2) 税務上：10,000円× 0.9 ÷ 5年＝ 1,800円

2．期首残高

減価償却累計額：2,250円× 3年＝ 6,750円

繰延税金資産：135円× 3年＝ 405円

3．売却の処理

借方		貸方	
現金預金	800	固定資産	10,000
減価償却累計額	6,750		
減価償却費	2,250		
固定資産売却損	200[01]		

01) 貸借差額

4．税効果

固定資産を売却したことにより減価償却超過額（将来減算一時差異）はすべて解消しますので、繰延税金資産の残高405円はすべて消去されます。

5．法人税等

(1) 税引前当期純利益：

15,000円－(6,550円＋ 2,250円＋ 200円)

＝ 6,000円

(2) 法人税等：

6,000円× 30%－ 405円＝ 1,395円

問題6 解答

(1) 01年度

（単位：円）

借方科目	金　額	貸方科目	金　額
法人税等	*150,600*	未払法人税等	*150,600*
繰延税金資産	*600*	法人税等調整額	*600*

(2) 02年度

（単位：円）

借方科目	金　額	貸方科目	金　額
法人税等	*179,400*	未払法人税等	*179,400*
法人税等調整額	*600*	繰延税金資産	*600*

解説

(1) 01年度

税務調整	(単位：円)	
税引前当期純利益	500,000	× 30% = 150,000円（調整後法人税等）
損金不算入：商品評価損否認	+ 2,000	× 30% = 600円（繰延税金資産の計上）
課税所得	502,000	× 30% = 150,600円（法人税等）

(2) 02年度

税務調整	(単位：円)	
税引前当期純利益	600,000	× 30% = 180,000円（調整後法人税等）
損金算入：商品評価損認容	− 2,000	× 30% = 600円（繰延税金資産の消去）
課税所得	598,000	× 30% = 179,400円（法人税等）

問題7 解答

決算整理後残高試算表 (単位：千円)

勘定科目	金額	勘定科目	金額
現金預金	(57,680)	買掛金	(177,130)
売掛金	(220,000)	未払法人税等	(46,991)
建物	(1,200,000)	貸倒引当金	(5,500)
繰延税金資産	(24,501)	賞与引当金	(16,000)
減価償却費	(51,570)	建物減価償却累計額	(105,570)
貸倒引当金繰入	(2,100)	資本金	(1,000,000)
賞与引当金繰入	(16,000)	諸収益	(791,470)
諸費用	(506,100)	法人税等調整額	(14,781)
法人税等	(79,491)		
合計	(2,157,442)	合計	(2,157,442)

解説

(以下、仕訳の単位：千円)

1 為替手形の振出し（期中未処理事項）

(借) 買掛金 1,000 (貸) 売掛金 1,000

2 貸倒引当金の設定

(1)繰入額の算定

(借) 貸倒引当金繰入 2,100 (貸) 貸倒引当金 2,100

設定額：(221,000千円 − 1,000千円[01]) × 0.025
= 5,500千円

繰入額：5,500千円 − 3,400千円[02] = 2,100千円

01) 【資料2】1より
02) 前T/B貸倒引当金

(2)税効果会計

(借) 繰延税金資産 990 (貸) 法人税等調整額 990

会計上： = 5,500千円[03]
税務上：
(221,000千円 − 1,000千円) × 0.01 = 2,200千円
一時差異： 3,300千円[04]
∴ 3,300千円 × 0.3 = 990千円

03) 2(1)の当期設定額より
04) 貸倒引当金繰入額で比較するのではなく、貸倒引当金の設定額で比較します。

問題文の「税務上の繰入限度額」とは、貸倒引当金の設定限度額を意味します。

税効果会計は、厳密にはB／S項目の金額の相違から差異を把握します。

・貸倒引当金 → 会計上の設定額と税務上の設定限度額の差から一時差異を把握
・減価償却費 → 会計上と税務上の減価償却累計額の差から一時差異を把握
（問題文の「前期末において、…建物の減価償却にかかる一時差異」とは、前期末時点における会計上と税務上の減価償却累計額の差を意味しています。本問では、その一時差異にかかる繰延税金資産が前T／Bに計上されています。）

3 減価償却

(1)減価償却費の計上

(借) 減価償却費 51,570	(貸) 建物減価償却累計額 51,570

減価償却費：(1,200,000千円 − 54,000千円[05]) × 0.045 = 51,570千円

05) 前T／B建物減価償却累計額

(2)税効果会計

(借) 繰延税金資産 8,991	(貸) 法人税等調整額 8,991

会計上： = 51,570千円[06]

税務上：

1,200,000千円 × 0.9 × $\frac{1年}{50年}$ = 21,600千円

差額： 29,970千円

∴ 29,970千円 × 0.3 = 8,991千円

06) 3(1)の当期計上額より

4 賞与引当金の設定

(1)繰入額の算定

(借) 賞与引当金繰入 16,000	(貸) 賞与引当金 16,000

支給対象期間が当期と翌期にまたがっているので、支給総額を期間按分して当期に属する部分を引当金として費用計上します。

24,000千円 × $\frac{4カ月(12月〜3月)}{6カ月(12月〜5月)}$ = 16,000千円

(2)税効果会計

(借) 繰延税金資産 4,800	(貸) 法人税等調整額 4,800

16,000千円 × 0.3 = 4,800千円

5 法人税等の計上

以上の仕訳を考慮して、税引前当期純利益と法人税等調整額を求めます。なお、『**未払法人税等**』の計上には、『**仮払金**』（内容は法人税等の中間納付額）を控除します。

(借) 法人税等 79,491	(貸) 仮払金 32,500
	未払法人税等 46,991

当期総収益：791,470千円（諸収益）

当期総費用：

2,100千円（貸倒引当金繰入）＋ 51,570千円（減価償却費）＋ 16,000千円（賞与引当金繰入）
＋ 506,100千円（諸費用）＝ 575,770千円

∴税引前当期純利益＝当期総収益（791,470千円）
−当期総費用（575,770千円）＝215,700千円

また、『**法人税等調整額**』は仕訳を集計して14,781千円[07]（貸方）となります。これをもとに、簡単にP／Lの該当箇所を書いて、法人税等の金額を計算します。

損益計算書（一部）（単位：千円）

税引前当期純利益		215,700
法人税等	?（79,491）	
法人税等調整額	△14,781	64,710
当期純利益		150,990

①× 30%
②逆進で計算

07) 990千円＋8,991千円＋4,800千円
＝14,781千円

解答数値（一部）

繰延税金資産：

9,720千円＋990千円＋8,991千円＋4,800千円
＝24,501千円

法人税等調整額：

990千円＋8,991千円＋4,800千円＝14,781千円

問題8 解答

(単位：千円)

	借方科目	金　額	貸方科目	金　額
(1)	**現金預金**	*200,000*	**国庫補助金収入**	*200,000*
	建　　物	*1,200,000*	**現金預金**	*1,200,000*
(2)	**減価償却費**	*60,000*	**建物減価償却累計額**	*60,000*
(3)	**法人税等調整額**	*60,000*	**繰延税金負債**	*60,000*
	繰越利益剰余金	*140,000*	**建物圧縮積立金**	*140,000*
	繰延税金負債	*3,000*	**法人税等調整額**	*3,000*
	建物圧縮積立金	*7,000*	**繰越利益剰余金**	*7,000*

解説

(2)建物の減価償却費

$$\frac{1{,}200{,}000\text{千円}}{20\text{年}} = 60{,}000\text{千円}$$

(3)圧縮積立金の積立て

国庫補助金200,000千円から税効果相当額60,000千円を引いた140,000千円を『**圧縮積立金**』として積み立てます。

圧縮積立金の取崩し

税務上の圧縮額200,000千円のうちの当期分10,000千円から税効果相当額3,000千円を引いた7,000千円の『**圧縮積立金**』を取崩します。

問題9 

決算整理後残高試算表 (単位：千円)

勘定科目	金　額	勘定科目	金　額
有価証券	(*51,000*)	繰延税金負債	(*30*)
投資有価証券	(*113,900*)	その他有価証券評価差額金	(*70*)
関係会社株式	(*40,000*)	有価証券評価損益	(*3,000*)
繰延税金資産	(*1,500*)	有価証券利息	(*950*)
投資有価証券評価損	(*5,000*)	法人税等調整額	(*1,500*)
関係会社株式評価損	(*60,000*)		

解説

1　売買目的有価証券（A社株式）

洗替法を採用しているため、決算整理前残高試算表に有価証券評価損益2,000千円が計上されているのを忘れないようにしましょう。なお、売買目的有価証券については税務上も時価評価が認められるため、会計上と税務上で差異は生じません。

(借) 有価証券	1,000	(貸) 有価証券評価損益	1,000

51,000千円－50,000千円＝1,000千円

2　満期保有目的の債券（B社社債）

期中取得のため、月割計算することに注意してください。

(借) 投資有価証券	100	(貸) 有価証券利息	100

$$(30{,}000\text{千円} - 29{,}000\text{千円}) \times \frac{6\text{カ月}}{60\text{カ月}} = 100\text{千円}$$

3　関係会社株式（C社株式）

時価が著しく下落し、回復する見込みが不明のため強制評価減を行います。なお、関係会社株式については税務上評価減が認められる場合と認められない場合があるので、問題文の指示がある場合のみ税効果の仕訳を行います。

(借) 関係会社株式評価損	60,000	(貸) 関係会社株式	60,000

40,000千円－100,000千円＝△60,000千円

4　その他有価証券（D社株式）

(借) 投資有価証券評価損	5,000	(貸) 投資有価証券	5,000
(借) 繰延税金資産	1,500	(貸) 法人税等調整額	1,500

75,000千円－80,000千円＝△5,000千円

5,000千円×0.3＝1,500千円

5　その他有価証券（E社社債）

その他有価証券に分類された債券で、取得差額が金利の調整と認められる場合には、まず償却原価法を適用し、その後時価への評価替えを行います。

①償却原価法

(借) 投資有価証券	100	(貸) 有価証券利息	100

$$(10{,}000\text{千円} - 9{,}500\text{千円}) \times \frac{12\text{カ月}}{60\text{カ月}} = 100\text{千円}$$

②時価評価

(借) 投資有価証券	100	(貸) 繰延税金負債	30
		(貸) その他有価証券評価差額金	70

9,800千円－(9,500千円＋100千円（前期償却分）＋100千円（当期償却分）)

＝100千円

100千円×0.3＝30千円

100千円－30千円＝70千円

問題10 解答

（単位：千円）

借方科目	金　　額	貸方科目	金　　額
繰延税金資産	*921*	**法人税等調整額**	*921*

繰延税金資産　*10,176*　千円

解説

前期末繰延税金資産：

　30,850千円×0.3＝　9,255千円

当期末繰延税金資産：

　33,920千円×0.3＝　10,176千円

法人税等調整額：　△　921千円（貸方残高）

　なお、税効果会計に関する処理は期中に行わないため[01)]、前期末残高＝前T／Bの残高です。

　本問では前期末に比べて当期末のほうが繰延税金資産の金額が大きくなっているので、『**繰延税金資産**』を借方に計上して、『**法人税等調整額**』は貸方に計上します（繰延税金資産を増額）。

01）その他有価証券の振戻し等を除きます。

Point

　厳密には、将来減算一時差異（本問では４項目）にかかる繰延税金資産について前期末と当期末の残高を比較して、各将来減算一時差異ごとに繰延税金資産の増減を認識して、法人税等調整額を計上します（本問では４つの仕訳を行うことになります）。

　ただし、各期末における将来減算一時差異の合計から繰延税金資産を計算して、その差額から法人税等調整額を計上しても結果は同じとなり計算が簡単なため、試験対策上、こちらの方法で解説しています。

問題11 解答

繰延税金資産　*6,960*　千円

繰延税金負債　*986*　千円

損益計算書（一部）　（単位：千円）

科　　目	金　　額	
税引前当期純利益		（　*70,000*）
法　人　税　等	（　*22,533*）	
法人税等調整額	（△　*2,233*）	（　*20,300*）
当　期　純　利　益		（　*49,700*）

解説

　本問では、法人税等の実効税率が29%になっています。本試験においても、法定実効税率は必ずしも30%とは限らないので、問題文をよく読むように心がけてください。

　なお、「法定実効税率」・「法人税等の実効税率」・「実効税率」は、いずれも同じ意味です。

1　一時差異に関する事項

(1)　当期解消額および当期発生額は無視して、各期末残高に注目します。

	将来減算一時差異	将来加算一時差異
前期末残高	18,000千円	5,100千円
当期解消額	~~△8,700千円~~	~~△1,700千円~~
当期発生額	~~14,700千円~~	~~0~~
当期末残高	24,000千円	3,400千円

×29%

(2)　次に、法定実効税率（29%）をかけて、各期末の繰延税金資産および繰延税金負債を求めます。

	繰延税金資産	繰延税金負債
前期末残高	5,220千円	1,479千円
当期末残高	6,960千円	986千円

×29%

(3)　当期末と前期末の繰延税金資産および繰延

税金負債の差額を求め、『**法人税等調整額**』を計上します。

(借) 繰延税金資産 1,740 (貸) 法人税等調整額 1,740

6,960千円－5,220千円＝1,740千円

(借) 繰延税金負債 493 (貸) 法人税等調整額 493

986千円－1,479千円＝△493千円

2 その他の事項

問題文より、税引前当期純利益70,000千円(＝350,000千円－280,000千円)と求められます。

これをもとに、P／Lの該当箇所を作成します。

なお、1(3)より、『**法人税等調整額**』が貸方に2,233千円（＝1,740千円＋493千円）計上されている点も考慮します。

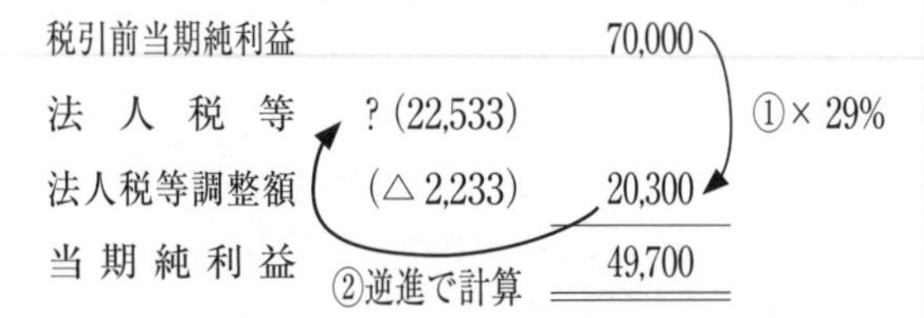

問題12 解答

損益計算書 (単位:千円)

科目	金額	
Ⅲ 販売費及び一般管理費		
減価償却費	(15,000)	
賞与引当金繰入額	(13,000)	
⋮		⋮
税引前当期純利益		443,000
法人税、住民税及び事業税	(139,200)	
法人税等調整額	(△ 6,300)	(132,900)
当期純利益		(310,100)

貸借対照表 (単位:千円)

資産の部		
科目	金額	
Ⅱ 固定資産		
1 有形固定資産		
建物	(300,000)	
減価償却累計額	(△ 30,000)	(270,000)
2 投資その他の資産		
繰延税金資産		(18,600)

解説

1 賞与引当金

①当期分の賞与引当金の計上

(借) 賞与引当金繰入額 13,000 (貸) 賞与引当金 13,000

②税効果会計

賞与引当金は実際に支払った期に損金として認められるため、前期末の『**繰延税金資産**』を取崩します。

イ．前期分の取崩し

(借) 法人税等調整額 3,000 01) (貸) 繰延税金資産 3,000

01) 10,000千円×0.3＝3,000千円

ロ．当期分の計上

(借) 繰延税金資産 3,900 01) (貸) 法人税等調整額 3,900 02)

02) 13,000千円×0.3＝3,900千円

2 減価償却

①減価償却費の計上

(借) 減価償却費 15,000 03) (貸) 減価償却累計額 15,000

03) 300,000千円÷20年＝15,000千円

②税効果会計

(借) 繰延税金資産 2,700 01) (貸) 法人税等調整額 2,700

差異：300,000千円÷20年（会計上）－300,000千円÷50年（税務上）＝9,000千円

繰延税金資産：9,000千円×0.3＝2,700千円

3 事業税（税効果会計）

①前期分の取崩し

(借) 法人税等調整額 6,600 04) (貸) 繰延税金資産 6,600

04) 22,000千円×0.3＝6,600千円

②当期分の計上

(借) 繰延税金資産　9,300[01] (貸) 法人税等調整額　9,300[05]

05) 31,000千円×0.3＝9,300千円

問題13　解答

(単位：千円)

	借方科目	金　額	貸方科目	金　額
(1)	繰延税金資産	450[01]	法人税等調整額	450
(2)	法人税等調整額	450	繰延税金資産	450

01) 1,500千円×0.3＝450千円

解説

会計上商品評価損1,500千円を計上しても、税務上は損金算入されなかったため、会計上と税務上で1,500千円の差異が生じています。この差異に法定実効税率を掛けた金額を『**繰延税金資産**』として計上します。

問題14　解答

(1)第1期	繰延税金資産	3,600	千円
	法人税等調整額	△　3,600	千円
(2)第2期	繰延税金資産	7,200	千円
	法人税等調整額	△　3,600	千円
(3)第3期	繰延税金資産	0	千円
	法人税等調整額	7,200	千円

解説

(1)第1期

備品について会計上の耐用年数は3年であり、税務上の耐用年数は5年であるため、会計上の減価償却費と税務上の減価償却費に差異が生じます。

また、会計上の利益＜課税所得となるため、将来減算一時差異となります。

①会計上の減価償却費：

$$\frac{90{,}000\text{千円}}{3\text{年}} = 30{,}000\text{千円}$$

②税務上の減価償却費：

$$\frac{90{,}000\text{千円}}{5\text{年}} = 18{,}000\text{千円}$$

③差異：30,000千円－18,000千円＝12,000千円

④繰延税金資産：12,000千円×0.3＝3,600千円

(借) 繰延税金資産　3,600　(貸) 法人税等調整額　3,600

(2)第2期

減価償却の実施により新たに差異12,000千円が発生します。

(借) 繰延税金資産　3,600　(貸) 法人税等調整額　3,600

繰延税金資産：3,600千円＋3,600千円
＝7,200千円

法人税等調整額：△3,600千円（貸方）

(3)第3期

備品の売却により第1期・第2期に発生した差異24,000千円が解消します。

(借) 法人税等調整額　7,200　(貸) 繰延税金資産　7,200

繰延税金資産：7,200千円－7,200千円＝0

法人税等調整額：7,200千円（借方）

問題15　解答

(単位：千円)

	借方科目	金　額	貸方科目	金　額
(1)	繰延税金資産	450[01]	法人税等調整額	450
(2)	法人税等調整額	450	繰延税金資産	450

01) 1,500千円×0.3＝450千円

解説

会計上貸倒引当金繰入3,000千円を計上しても、税務上は50%分の1,500千円が損金算入され、残額の1,500千円は損金に算入されなかったため、会計上と税務上で1,500千円の差異が生じています。この差異に法定実効税率を掛けた金額を繰延税金資産として計上します。

問題16 解答

貸借対照表 (単位:千円)

資産の部		
科目	金額	
流動資産		
受取手形	(215,000)	
売掛金	(390,000)	
貸倒引当金	(△ 8,400)	(596,600)
固定資産		
投資その他の資産		
破産更生債権等	(10,000)	
貸倒引当金	(△ 10,000)	(0)
繰延税金資産		(2,700)

損益計算書 (単位:千円)

科目	金額	
⋮		⋮
販売費及び一般管理費		(200,592)
⋮		⋮
税引前当期純利益		41,750
法人税、住民税及び事業税	14,250	
法人税等調整額	(△ 1,725)	(12,525)
当期純利益		(29,225)

解説

(1)破産更生債権等

①科目の振替え

(借) 破産更生債権等 10,000	(貸) 受取手形 3,750
	売掛金 6,250

②貸倒引当金の設定

(借) 貸倒引当金繰入(特別損失) 9,400[01] (貸) 貸倒引当金 9,400

01) 10,000千円－600千円＝9,400千円

③税効果会計

会計上の貸倒引当金：10,000千円

税務上の貸倒引当金：10,000千円×0.5
＝5,000千円

差異：10,000千円－5,000千円＝5,000千円

繰延税金資産：5,000千円×0.3 ＝1,500千円

(借) 繰延税金資産 1,500 (貸) 法人税等調整額 1,500

(2)一般債権・貸倒懸念債権

①貸倒懸念債権に対する貸倒引当金の設定

(借) 貸倒引当金繰入(販売費及び一般管理費) 2,400[02] (貸) 貸倒引当金 2,400

02) (5,000千円－200千円) × 0.5 = 2,400千円

②一般債権に対する貸倒引当金の設定

受取手形：218,750千円－5,000千円－3,750千円
＝210,000千円

売掛金：396,250千円－6,250千円＝390,000千円

貸倒引当金設定額：(210,000千円＋390,000千円)
×0.01 ＝6,000千円

貸倒引当金繰入額：6,000千円－ (2,100千円
－600千円) ＝4,500千円

(借) 貸倒引当金繰入(販売費及び一般管理費) 4,500 (貸) 貸倒引当金 4,500

③税効果会計

会計上の貸倒引当金 (B社以外)：

2,400千円(懸念)＋6,000千円(一般)＝8,400千円

税務上の貸倒引当金 (B社以外)：4,400千円

差異：8,400千円－4,400千円＝4,000千円

繰延税金資産：

4,000千円×0.3 ＝1,200千円

法人税等調整額：1,200千円－975千円
＝225千円

(借) 繰延税金資産 225 (貸) 法人税等調整額 225

④貸借対照表価額

受取手形：

218,750千円－3,750千円＝215,000千円

売掛金：

396,250千円－6,250千円＝390,000千円

問題17 解答

(単位：千円)

	借方科目	金 額	貸方科目	金 額
(1)	繰延税金資産	150 01)	法人税等調整額	150
(2)	法人税等調整額	150	繰延税金資産	150

01) 500千円× 0.3 = 150千円

解説

⑴第1期

税務上、事業税は納付した期の損金となります。そのため、未払事業税は損金不算入となります。そして、翌期の事業税の納付により損金に算入されます。

⑵第2期

差異が解消されたため、税効果会計の仕訳を振り戻します。

損益計算書　(単位：千円)

科目	金額	
⋮		⋮
Ⅲ 販売費及び一般管理費		
減価償却費	(75,000)	
⋮		⋮
税引前当期純利益		1,648,000
法人税、住民税及び事業税	(506,250)	
法人税等調整額	(△ 11,850)	(494,400)
当期純利益		(1,153,600)

貸借対照表　(単位：千円)

資産の部			負債の部	
科目	金額		科目	金額
固定資産			流動負債	
有形固定資産			未払法人税等	(506,250)
建物	(1,500,000)		固定負債	
減価償却累計額	(△ 75,000)	(1,425,000)	繰延税金負債	(71,250)
投資その他の資産			純資産の部	
繰延税金資産		(27,900)	⋮	
⋮			利益剰余金	
			その他利益剰余金	
			建物圧縮積立金	(166,250)
			別途積立金	(126,000)
			繰越利益剰余金	(1,462,350)

※　繰延税金資産と繰延税金負債を相殺して表示する場合、繰延税金負債 43,350 千円となります。

株主資本等変動計算書　(単位：千円)

	利益剰余金		
	その他利益剰余金		
	建物圧縮積立金	別途積立金	繰越利益剰余金
当期首残高	(175,000)	126,000	300,000
当期変動額			
圧縮積立金の取崩し	(△ 8,750)		(8,750)
当期純利益			(1,153,600)
当期変動額合計	(△ 8,750)	–	(1,162,350)
当期末残高	(166,250)	(126,000)	(1,462,350)

1　圧縮積立金

(1)前期の仕訳

①税効果会計

(借) 法人税等調整額	75,000[01]	(貸) 繰延税金負債	75,000

01）250,000千円×0.3＝75,000千円

②積立金の積立て

国庫補助金相当額から税効果額を控除した額を積み立てます。

(借) 繰越利益剰余金	175,000	(貸) 建物圧縮積立金	175,000[02]

02）250,000千円－250,000千円×0.3＝175,000千円

(2)当期の仕訳

①減価償却

(借) 減価償却費	75,000[03]	(貸) 建物減価償却累計額	75,000

03）$\frac{1,500,000千円}{20年}$＝75,000千円

②税効果会計

(借) 繰延税金負債	3,750	(貸) 法人税等調整額	3,750[04]

04）12,500千円×0.3＝3,750千円

③積立金の取崩し

(借) 建物圧縮積立金	8,750	(貸) 繰越利益剰余金	8,750

2　法人税等

(1)前期の仕訳

(借) 繰延税金資産	19,800	(貸) 法人税等調整額	19,800[05]

05）66,000千円×0.3＝19,800千円

(2)当期の仕訳

①前期分の解消

(借) 法人税等調整額	19,800	(貸) 繰延税金資産	19,800

②当期分の発生

(借) 繰延税金資産	27,900	(貸) 法人税等調整額	27,900

06）93,000千円×0.3＝27,900千円

《損益計算書》法人税等調整額：

3,750千円－19,800千円＋27,900千円

＝11,850千円（貸方）

問題19

問1　全部純資産直入法

損　益　計　算　書　　（単位：千円）

科　　目	金　　額	
税引前当期純利益		10,000
法人税、住民税及び事業税	（　3,000）	
法人税等調整額	（　0）	（　3,000）
当期純利益		（　7,000）

貸　借　対　照　表　　（単位：千円）

資産の部		負債の部	
科　　目	金　　額	科　　目	金　　額
投資その他の資産		固定負債	
投資有価証券	（　39,000）	繰延税金負債	（　1,200）
		純資産の部	
		繰越利益剰余金	（　107,000）
		その他有価証券評価差額金	（　2,800）

2　部分純資産直入法

損益計算書　(単位：千円)

科目	金額	
税引前当期純利益		8,000
法人税、住民税及び事業税	(3,000)	
法人税等調整額	(△ 600)	(2,400)
当期純利益		(5,600)

貸借対照表　(単位：千円)

資産の部		負債の部	
科目	金額	科目	金額
投資その他の資産		固定負債	
投資有価証券	(39,000)	繰延税金負債	(1,200)
		純資産の部	
		繰越利益剰余金	(105,600)
		その他有価証券評価差額金	(4,200)

解説

問1　全部純資産直入法

全部純資産直入法を採用している場合、**『法人税等調整額』**の代わりに、**『その他有価証券評価差額金』**、**『繰延税金負債』**で調整します。

T社株式

(借) 投資有価証券	6,000 [01]	(貸) 繰延税金負債	1,800 [02]
		その他有価証券評価差額金	4,200 [03]

01) 26,000千円－20,000千円＝6,000千円
02) 6,000千円×0.3＝1,800千円
03) 6,000千円－1,800千円＝4,200千円

K社株式

(借) 繰延税金資産	600 [05]	(貸) 投資有価証券	2,000 [04]
その他有価証券評価差額金	1,400 [06]		

04) 13,000千円－15,000千円＝△2,000千円
05) 2,000千円×0.3＝600千円
06) 2,000千円－600千円＝1,400千円

問2　部分純資産直入法

部分純資産直入法を採用している場合、時価が取得原価より値下がりしている銘柄については**『法人税等調整額』**を用いて調整します。

T社株式

(借) 投資有価証券	6,000	(貸) 繰延税金負債	1,800
		その他有価証券評価差額金	4,200

K社株式

(借) 投資有価証券評価損	2,000	(貸) 投資有価証券	2,000
(借) 繰延税金資産	600	(貸) 法人税等調整額	600

貸借対照表　(単位：千円)

資産の部		負債の部	
科目	金額	科目	金額
Ⅰ 流動資産		⋮	⋮
⋮	⋮	純資産の部	
Ⅱ 固定資産		⋮	⋮
3 投資その他の資産		Ⅱ 評価・換算差額等	
繰延税金資産	(70,400)	1 その他有価証券評価差額金	(13,600)

法人税等調整額 △ 46,400 千円

解説

法定実効税率が32%となっていることに注意しましょう。

(1)その他有価証券

繰延税金負債：20,000千円×0.32＝6,400千円

その他有価証券評価差額金：

20,000千円－6,400千円＝13,600千円

(借) 投資有価証券	20,000	(貸) 繰延税金負債	6,400
		その他有価証券評価差額金	13,600

(2)税効果会計の仕訳（その他有価証券以外）

(借) 繰延税金資産	46,400	(貸) 法人税等調整額	46,400

差異の増加額：240,000千円－95,000千円

＝145,000千円

繰延税金資産の増加額：

145,000千円×0.32＝46,400千円

繰延税金資産：

30,400千円＋46,400千円＝76,800千円

(3)繰延税金資産と繰延税金負債の相殺

繰延税金資産：76,800千円

繰延税金負債：　6,400千円

繰延税金資産：70,400千円

貸借対照表　(単位：円)

資産の部		負債の部	
科目	金額	科目	金額
固定資産		固定負債	
繰延税金資産	(41,250)	繰延税金負債	(—)

損益計算書　(単位：円)

科目	金額	
税引前当期純利益		(500,000)
法人税、住民税及び事業税	(159,750)	
法人税等調整額	(△ 2,250)	(157,500)
当期純利益		(342,500)

〈注記〉

繰延税金資産および繰延税金負債の発生の主な原因別の内訳

	前期末	当期末
繰延税金資産		
未払事業税	(3,000)	(1,500)
貸倒引当金	(3,750)	(2,250)
退職給付引当金	(47,250)	(51,750)
繰延税金資産合計	(54,000)	(55,500)
繰延税金負債		
固定資産圧縮積立金	(△15,000)	(△14,250)
繰延税金資産(負債)の純額	(39,000)	(41,250)

解説

貸借対照表および損益計算書

繰延税金資産：185,000円× 0.3 ＝ 55,500円

繰延税金負債：47,500円× 0.3 ＝ 14,250円

繰延税金資産と繰延税金負債の相殺：55,500円－ 14,250円＝ 41,250円（資産）

法人税等調整額：{(185,000円－ 47,500円) －（180,000円－ 50,000円)} × 0.3 ＝ 2,250円

Chapter 3 消費税

問題1 解答

(単位：千円)

	借方科目	金　額	貸方科目	金　額
(1)	仕　　入	3,000	買 掛 金	3,300
	仮払消費税等	300		
(2)	売 掛 金	7,920	売　　上	7,200
			仮受消費税等	720
(3)	備　　品	2,000	未 払 金	2,200
	仮払消費税等	200		
(4)	売　　上	600	売 掛 金	660
	仮受消費税等	60		
(5)	仮受消費税等	660	仮払消費税等	500
			未払消費税等	160

※消費税については、特に指示がなければ『仮払消費税』、『仮受消費税』、『未払消費税』でも可。

解説

消費税等の税抜方式の会計処理をマスターします。

消費税の金額は次のように求めます。

(1)　3,300千円 $\times \frac{0.10}{1.10}$ = 300千円

(2)　7,920千円 $\times \frac{0.10}{1.10}$ = 720千円

(3)　2,200千円 $\times \frac{0.10}{1.10}$ = 200千円

(4)　660千円 $\times \frac{0.10}{1.10}$ = 60千円

(5)　未払消費税等は、仮受消費税等と仮払消費税等との差額で求めます。

問題2 解答

(単位：千円)

	借方科目	金　額	貸方科目	金　額
(1)	備　　品	12,000	当 座 預 金	13,200
	仮払消費税等	1,200		
(2)	現　　金	5,280	備　　品	5,000
	固定資産売却損	200	仮受消費税等	480
(3)	仕　　入	3,800	買 掛 金	4,180
	仮払消費税等	380		
(4)	売 掛 金	6,930	売　　上	6,300
			仮受消費税等	630
(5)	貸 倒 損 失	1,000	売 掛 金	1,100
	仮受消費税等	100		
(6)	仮受消費税等	1,010	仮払消費税等	1,580
	未収消費税等	570		

解説

使用できる勘定科目が指定されており、特に仮払消費税等や仮受消費税等には「等」が付いているので、注意が必要です。また、（税込み）という指示と（税抜き）という指示の両方があるので、金額の先入観にとらわれずに問題文をよく読みましょう！

消費税等の金額の計算式

(1)　13,200千円 $\times \frac{0.10}{1.10}$ = 1,200千円

(2)　5,280千円 $\times \frac{0.10}{1.10}$ = 480千円

代金の税抜金額4,800千円が売却価額となるので、帳簿価額5,000千円との差額200千円が売却損として計上されます。

(3)　3,800千円 × 0.10 = 380千円(3,800千円が「税抜き」である点に注意)

(4)　6,300千円 × 0.10 = 630千円(6,300千円が「税抜き」である点に注意)

(5)　1,100千円 $\times \frac{0.10}{1.10}$ = 100千円

(6)　未収消費税等は、仮受消費税等と仮払消費税等との差額で求めます。

仮払消費税等

(1) 1,200	
(3) 380	

仮受消費税等

(5) 100	(2) 480
	(4) 630

∴仮受消費税等 1,010 千円－仮払消費税等 1,580 千円＝△ 570 千円（還付＝未収消費税等）

問題3 解答

（単位：千円）

借方科目	金　額	貸方科目	金　額
車両減価償却累計額	*875,000*	**車　両**	*2,000,000*
固定資産売却損	*185,000*	**仮受消費税等**	*94,000*
車　両	*1,800,000*	**現金預金**	*946,000*
仮払消費税等	*180,000*		

※『現金預金』は『現金』でも可。『仮払消費税等』および『仮受消費税等』は『仮払消費税』および『仮受消費税』でも可。

解説

「旧車両の売却仕訳」と「新車両の購入仕訳」を行い、両者を合算します。

なお、消費税の金額は簿価ではなく、実際に売却した金額（1,034,000 千円）、実際に購入した金額（1,980,000 千円）をもとに計算する点に注意しましょう。

(1)旧車両の売却

(借) 車両減価償却累計額	875,000	(貸) 車　両	2,000,000
現金預金	1,034,000	(貸) 仮受消費税等	94,000 01)
固定資産売却損	185,000 02)		

01) 1,034,000 千円×$\frac{0.10}{1.10}$＝94,000 千円
02) 貸借差額

(2)新車両の購入

(借) 車　両	1,800,000	(貸) 現金預金	1,980,000
仮払消費税等	180,000 03)		

03) 1,980,000 千円×$\frac{0.10}{1.10}$＝180,000 千円

(1)＋(2)が解答の仕訳となります。

問題4 解答

決算整理後残高試算表（単位：千円）

勘定科目	金　額	勘定科目	金　額
売掛金	(*123,000*)	買掛金	(*97,568*)
未収入金	(*28,600*)	未払消費税等	(*11,100*)
仕入	(*302,400*)	貸倒引当金	(*3,690*)
租税公課	(*5,970*)	売上	(*480,000*)
貸倒引当金繰入	(*3,590*)	固定資産売却益	(*2,690*)
減価償却費	(*5,670*)		

解説

（以下、仕訳の単位：千円）

修正および決算整理事項

1　仕入処理

(借) 仕　入	2,800	(貸) 買掛金	3,080
仮払消費税等	280 01)		

01) 3,080 千円×$\frac{0.10}{1.10}$＝280 千円

2　仕入返品

(借) 買掛金	440	(貸) 仕　入	400
		仮払消費税等	40 02)

02) 440 千円×$\frac{0.10}{1.10}$＝40 千円

3　貸倒処理（前期発生売掛金）

税込み債権が貸し倒れた場合、その債権が発生したのが前期以前であっても当期であっても、**『仮受消費税等』**を減額する処理をします。

(借) 貸倒引当金	2,600	(貸) 売掛金	2,860
仮受消費税等	260 03)		

03) 2,860 千円×$\frac{0.10}{1.10}$＝260 千円

4　貸倒引当金の設定

貸倒引当金は、債権（売掛金）に消費税が含まれていても、消費税込みの期末残高に対して設定します。

(借) 貸倒引当金繰入	3,590	(貸) 貸倒引当金	3,590

売掛金

前T／B 125,860	資２．３ 2,860

∴売掛金期末残高：123,000千円

貸倒引当金：123,000千円×0.03＝3,690千円

∴貸倒引当金繰入額：

3,690千円－（2,700千円－2,600千円）

＝3,590千円

5　売上原価の算定

期首および期末に在庫がないため、処理はありません。

6　備品の期中売却

固定資産を売却した場合は、簿価ではなく売却価額に対して消費税がかかります。

(借)		(貸)	
備品減価償却累計額	34,020	備　品	63,000
減価償却費	5,670	仮受消費税等	2,600 [04]
未収入金	28,600	固定資産売却益	2,690 [05]

04）$28,600\text{千円}\times\frac{0.10}{1.10}=2,600\text{千円}$

05）貸借差額

7　消費税の中間納付

期中に行った仕訳が誤っているので、正しい仕訳に訂正します。

①　期中に行った誤った仕訳

(借)		(貸)	
租税公課	9,000	現金預金	9,000

②　正しい仕訳

(借)		(貸)	
仮払消費税等	9,000	現金預金	9,000

③　修正仕訳（①の逆仕訳＋②）

(借)		(貸)	
仮払消費税等	9,000	租税公課	9,000

8　未払消費税等の算定

(借)		(貸)	
仮受消費税等	50,340	仮払消費税等	39,240
		未払消費税等	11,100 [06]

06）貸借差額

仮払消費税等

前T/B	30,000	資2．2	40
資2．1	280		
資2．7	9,000		

仮受消費税等

資2．3	260	前T/B	48,000
		資2．6	2,600

以上より、期末残高は、『**仮払消費税等**』＝39,240千円、『**仮受消費税等**』＝50,340千円となり、その差額11,100千円が未払消費税等となります。

解説では「仮払消費税等」、「仮受消費税等」と厳密に分けて仕訳をしています。しかし、本問のように、最終的に「未払消費税等（または未収消費税等）」の金額のみを答えればよい問題の場合は、「消費税等」と仮払も仮受も区別せずに処理したほうが混乱が生じにくく、速く解けます（ただし、仕訳問題等では使えない方法です）。

消費税等（本問の数値）

前T/B	30,000	前T/B	48,000
資2.1	280	資2.2	40
資2.3	260	資2.6	2,600
資2.7	9,000		

上記より、消費税等は11,100千円（貸方残＝納付）となります。

問題5　解答

決算整理後残高試算表（単位：千円）

勘定科目	金　額	勘定科目	金　額
現　　金	(33,530)	買掛金	(87,112)
当座預金	(154,859)	未払消費税等	(8,657)
売掛金	(57,400)	貸倒引当金	(574)
繰越商品	(3,825)	売　　上	(185,135)
商品仕入	(92,206)		
営業費	(12,036)		
貸倒引当金繰入	(224)		

解説

本問は2月末の残高試算表に、3月中の取引および決算整理事項等の内容を加減して、決算整理後残高試算表を作成する問題で、本試験総合問題のパターンの1つです。

3月中取引、決算整理事項等の順に処理してください。文章が長くても内容は簡単なこともあるので、焦らずに問題文を読んで、丁寧に解くように心がけましょう。

×２年３月中の取引

1 ①売上処理

(借) 売掛金	52,690	(貸) 売上	47,900
		仮受消費税等	4,790[01]

01) 52,690千円×$\frac{0.10}{1.10}$＝4,790千円

②売掛金の回収

(借) 当座預金	27,817	(貸) 売掛金	52,146
現金	12,701		
買掛金	11,628		

2 売上返品

(借) 売上	900[02]	(貸) 売掛金	990
仮受消費税等	90		

02) 990千円×$\frac{0.10}{1.10}$＝90千円

3 営業費の支払い

(借) 営業費	7,300	(貸) 当座預金	8,030
仮払消費税等	730[03]		

03) 8,030千円×$\frac{0.10}{1.10}$＝730千円

修正および決算整理事項

1(1) 売上値引

(借) 売上	400	(貸) 売掛金	440
仮受消費税等	40[04]		

04) 440千円×$\frac{0.10}{1.10}$＝40千円

(2) 仮払金の営業費への振替え

(借) 営業費	100	(貸) 仮払金	120
仮払消費税等	10[05]		
現金	10[06]		

05) 110千円×$\frac{0.10}{1.10}$＝10千円

06) 貸借差額

2(1) 売上原価の算定

(借) 商品仕入	4,728	(貸) 繰越商品	4,728
(借) 繰越商品	3,825	(貸) 商品仕入	3,825

(2) 貸倒引当金の設定

(借) 貸倒引当金繰入	224	(貸) 貸倒引当金	224

売掛金

前T／B	58,286	資2．1	52,146
資2．1	52,690	資2．2	990
		資3．1(1)	440

∴売掛金期末残高：57,400千円

貸倒引当金：574千円[07]

∴貸倒引当金繰入額：574千円－350千円(前T/B)

＝224千円

07) 57,400千円×0.01＝574千円

(3) 未払消費税等の算定

(借) 仮受消費税等	18,531	(貸) 仮払消費税等	9,874
		未払消費税等	8,657[08]

08) 貸借差額

仮払消費税等

前T／B	9,134		
資2．3	730		
資3．1(2)	10		

仮受消費税等

資2．2	90	前T／B	13,871
資3．1(1)	40	資2．1	4,790

以上より、期末残高は、『**仮払消費税等**』＝9,874千円、『**仮受消費税等**』＝18,531千円となり、その差額8,657千円が未払消費税等となります。

問題6 解答

未払消費税等の金額 *13,000* 千円

解説

仮払金としている消費税等の中間納付額を『**仮払消費税等**』に振り替え、仮受消費税等と仮払消費税等の差額を『**未払消費税等**』として計上します。

(1)中間納付額の処理（適正な処理に修正）

(借) 仮払消費税等	35,000	(貸) 仮払金	35,000

(2)未払消費税等の計上

(借) 仮受消費税等	523,000	(貸) 仮払消費税等	510,000[01]
		未払消費税等	13,000[02]

01) 475,000千円＋35,000千円＝510,000千円

02) 貸借差額

問題7 解答

未払消費税等	48,400	千円
販売費及び一般管理費	2,753,570	千円
雑収入	1,430	千円

解説

消費税等の確定年税額が与えられた場合、『**未払消費税等**』は確定納付額（＝確定年税額－中間納付額）が計上されます。また、『**仮払消費税等**』と『**仮受消費税等**』を相殺した金額と確定納付額に差額が生じたときは、『**租税公課**』（販売費及び一般管理費）または『**雑収入**』（営業外収益）で処理します。

(1)中間納付額の処理（適正な処理に修正）

借方	金額	貸方	金額
(借) 仮払消費税等	54,600	(貸) 販売費及び一般管理費	54,600

(2)未払消費税等の計上

借方	金額	貸方	金額
(借) 仮受消費税等	540,000	(貸) 未払消費税等	48,400 [01]
		仮払消費税等	491,400 [02]
		雑収入	200 [03]

01）103,000千円（確定年税額）－54,600千円（中間納付額）＝48,400千円
02）436,800千円＋54,600千円＝491,400千円
03）貸借差額

問題8 解答

貸借対照表　（単位：千円）

資産の部		負債の部	
科目	金額	科目	金額
Ⅰ 流動資産		Ⅰ 流動負債	
受取手形	(35,700)	未払消費税等	(14,140)
売掛金	(60,900)		
貸倒引当金	(△ 966)		
Ⅱ 固定資産			
車両運搬具	(4,800)		
減価償却累計額	(△ 800)		

損益計算書（単位：千円）

科目	金額
売上高	(354,000)
:	
販売費及び一般管理費	(77,420)

〈重要な会計方針にかかる事項に関する注記〉
1．過去の貸倒実績率にもとづき、受取手形および売掛金の期末残高に対して１％の貸倒引当金を設定している。
2．車両運搬具は定率法により減価償却を行っている。
3．(**消費税等の処理は税抜方式によっている。**)

解説

消費税等の処理は税抜方式を採用している点に注意してください。なお、消費税等の処理については、重要な会計方針にかかる事項として注記が必要となります。

また、損益計算書の科目に「**販売費及び一般管理費**」としか表示されていないため、貸倒引当金繰入額、租税公課、保険料、減価償却費は「**販売費及び一般管理費**」として処理します。

1　売上の計上

『**受取手形**』については税込み、『**売上**』については税抜きで計上し、差額は『**仮受消費税等**』とします。

(借)			(貸)		
	受取手形	4,400		売上	4,000
				仮受消費税等	400

2　売掛金の貸倒れ

前期に発生した売掛金が貸し倒れたため、税抜金額については『**貸倒引当金**』を取り崩します。

(借)			(貸)		
	貸倒引当金	2,000		売掛金	2,200
	仮受消費税等	200			

3　貸倒引当金の設定

受取手形：31,300千円＋4,400千円＝35,700千円

売 掛 金：63,100千円－2,200千円＝60,900千円

96,600千円

貸倒引当金設定額：96,600千円×0.01＝966千円

貸倒引当金繰入額：

966千円－（2,466千円－2,000千円）＝500千円

(借)			(貸)		
	販売費及び一般管理費	500		貸倒引当金	500

4　車両の購入

車両本体の購入価格のみ、消費税等を考慮します。他の支出については、問題文の指示に従って処理を行います。

(借)			(貸)		
	車両運搬具	4,800 01)		仮払金	5,780
	仮払消費税等	460			
	販売費及び一般管理費	520 02)			

01）5,060千円－460千円＋200千円（環境性能割および重量税）＝4,800千円

02）50千円（自動車税）＋470千円（保険料）＝520千円

5　減価償却

取得日（12月）から期末までの4カ月分について減価償却を行います。

(借)			(貸)		
	販売費及び一般管理費	800 03)		減価償却累計額	800

03）$4,800千円 \times 0.500 \times \frac{4カ月}{12カ月} = 800千円$

6　未払消費税等の計上

仮払消費税等

前T／B	21,600		
(4)	460		

仮受消費税等

(2)	200	前T／B	36,000
		(1)	400

以上より、期末残高は、『**仮払消費税等**』＝22,060千円、『**仮受消費税等**』＝36,200千円となり、その差額14,140千円が『**未払消費税等**』となります。

(借)			(貸)		
	仮受消費税等	36,200 01)		仮払消費税等	22,060
				未払消費税等	14,140

解説では『仮払消費税等』、『仮受消費税等』と厳密に分けて仕訳をしています。しかし、本問のように、最終的に『未払消費税等（または未収消費税等）』の金額のみを答えればよい問題の場合は、『消費税等』と仮払も仮受も区別せずに処理したほうが、混乱が生じにくく速く解けます。

消　費　税　等（本問の数値）

前T/B	21,600	前T/B	36,000
(2)	200	(1)	400
(4)	460		

上記より、消費税等は14,140千円（貸方残＝納付）となります。

決算整理後残高試算表 (単位：千円)

借方科目	金額	貸方科目	金額
現金預金	(*121,036*)	支払手形	(*12,804*)
受取手形	(*22,000*)	買掛金	(*23,870*)
売掛金	(*39,600*)	未払利息	500
繰越商品	24,600	未払法人税等	26,000
建物	(*120,000*)	未払消費税等	(*2,792*)
車両	18,000	貸倒引当金	(*1,540*)
備品	(*22,000*)	借入金	80,000
仕入	(*253,580*)	減価償却累計額	(*45,036*)
営業費	(*75,200*)	資本金	100,000
建物減価償却費	(*1,900*)	利益準備金	20,000
車両減価償却費	(*3,600*)	繰越利益剰余金	16,500
備品減価償却費	(*3,840*)	売上	(*374,100*)
貸倒損失	(*320*)	雑収入	30,000
貸倒引当金繰入	(*370*)	備品売却益	(*904*)
支払利息	(*2,000*)		
法人税等	26,000		
	734,046		734,046

解説

I ×15年12月中の取引（単位：千円）

1. 仕入取引

(借) 仕入	26,380[01]	(貸) 現金預金	4,928
仮払消費税等	2,638[02]	支払手形	5,940
		買掛金	18,150
(借) 買掛金	1,320	(貸) 仕入	1,200[03]
		仮払消費税等	120[04]

01) (4,928千円＋5,940千円＋18,150千円) ÷1.10＝26,380千円
02) 26,380千円×10%＝2,638千円
03) 1,320千円÷1.10＝1,200千円
04) 1,200千円×10%＝120千円

2. 売上取引

(借) 現金預金	5,610	(貸) 売上	44,700[01]
受取手形	9,020	仮受消費税等	4,470[02]
売掛金	34,540		
(借) 売上	2,600[03]	(貸) 売掛金	2,860
仮受消費税等	260[04]		

01) (5,610千円＋9,020千円＋34,540千円) ÷1.10＝44,700千円
02) 44,700千円×10%＝4,470千円
03) 2,860千円÷1.10＝2,600千円
04) 2,600千円×10%＝260千円

3. 買掛金の支払取引

(借) 買掛金	15,400	(貸) 現金預金	12,100
		支払手形	3,300

4．売掛金の回収取引

(借)現金預金	30,800	(貸)売掛金	39,600
受取手形	8,800		

5．売掛金の貸し倒れ

(借)貸倒引当金	480[01]	(貸)売掛金	880
貸倒損失	320[02]		
仮受消費税等	80[03]		

01）528千円÷1.10＝480千円
02）352千円÷1.10＝320千円
03）(480千円＋320千円)×10％＝80千円

6．固定資産に関する取引

(1) 新建物の完成

(借)建物	48,000[01]	(貸)建設仮勘定	44,000
仮払消費税等	4,800[02]	現金預金	8,800

01）(44,000千円＋8,800千円)÷1.10＝48,000千円
02）48,000千円×10％＝4,800千円

(2) 備品の売却

(借)減価償却累計額	2,880[01]	(貸)備品	8,000
備品減価償却費	1,024[02]	備品売却益	904[03]
現金預金	5,500	仮受消費税等	500[04]

01）8,000千円－5,120千円＝2,880千円
02）5,120千円×20％＝1,024千円
03）5,000千円※－(5,120千円－1,024千円)＝904千円
※ 5,500千円÷1.10＝5,000千円
04）5,000千円×10％＝500千円

7．その他の入出金取引

(借)現金預金	13,420	(貸)受取手形	13,420
(借)支払手形	7,700	(貸)現金預金	7,700
(借)営業費	6,400[01]	(貸)現金預金	7,040
仮払消費税等	640[02]		

01）7,040千円÷1.10＝6,400千円
02）6,400千円×10％＝640千円

Ⅱ 集計(単位：千円)

現金預金

借方	貸方
106,274	4,928
5,610	12,100
30,800	8,800
5,500	7,700
13,420	7,040
	残 121,036

受取手形

借方	貸方
17,600	13,420
9,020	
8,800	**残 22,000**

支払手形

借方	貸方
7,700	11,264
	5,940
残 12,804	3,300

売掛金

借方	貸方
48,400	2,860
34,540	39,600
	880
	残 39,600

買掛金

借方	貸方
1,320	22,440
15,400	18,150
残 23,870	

仮払消費税等

借方	貸方
30,080	120
2,638	
4,800	
640	**残 38,038**

仮受消費税等

借方	貸方
260	36,200
80	4,470
残 40,830	500

Ⅲ　決算整理事項等（単位：千円）

1．売上原価

(借)	仕　　入	21,000	(貸)	繰越商品	21,000
(借)	繰越商品	24,600	(貸)	仕　　入	24,600

2．減価償却

(借)	建物減価償却費	1,900 01)	(貸)	減価償却累計額	8,316
	車両減価償却費	3,600 02)			
	備品減価償却費	2,816 03)			

01）既存：72,000 千円÷ 40 年＝ 1,800 千円

新規：48,000 千円÷ 40 年× $\frac{1カ月}{12カ月}$ ＝ 100 千円

∴　合計 1,900 千円

02）18,000 千円÷ 5 年＝ 3,600 千円

03）期首簿価：(30,000 千円－ 8,000 千円) ×（1 － 20%）^{2} ＝ 14,080 千円

∴　14,080 千円× 20%＝ 2,816 千円

3．支払利息の見越

(借)	支払利息	500	(貸)	未払利息	500

4．貸倒引当金

(借)	貸倒引当金繰入	370 01)	(貸)	貸倒引当金	370

01）（22,000 千円＋ 39,600 千円）× 2.5%－（1,650 千円－ 480 千円）＝ 370 千円

5．消費税等

(借)	仮受消費税等	40,830	(貸)	仮払消費税等	38,038
				未払消費税等	2,792

6．法人税等

(借)	法人税等	26,000	(貸)	未払法人税等	26,000

Chapter 4
リース会計Ⅰ

問題 1　解答

決算整理後残高試算表　（単位：円）

リース資産	（165,625）	リース債務	（103,717）
減価償却費	（28,125）		
支払利息	（3,842）		

解説

1　リース資産の取得原価

所有権移転ファイナンス・リース取引において貸手の購入価額が不明な場合は、見積現金購入価額とリース料総額の割引現在価値のいずれか低い金額が、リース資産の取得原価となります。

リース料総額の割引現在価値：53,812円×4.6458≒250,000円＜見積現金購入価額：262,000円

∴リース資産の取得原価：250,000円

2　タイムテーブル

（単位：円）

返済日	期首元本	リース料	利息 02)	返済元本 03)	期末元本 04)
×2年3月31日	250,000 01)	53,812	6,250	47,562	202,438
×3年3月31日	202,438	53,812	5,061	48,751	153,687
×4年3月31日	153,687	53,812	3,842	49,970	103,717
×5年3月31日	103,717	53,812	2,593	51,219	52,498
×6年3月31日	52,498	53,812	1,314 06)	52,498 05)	0

01）取得原価250,000円
02）期首元本×0.025
03）リース料－利息
04）期首元本－返済元本
05）期首元本と一致
06）53,812円－52,498円＝1,314円

3　×4年3月31日（リース料支払日）

期中仕訳として行われているため、決算整理前残高試算表に反映されています。

（借）支払利息	3,842	（貸）現金預金	53,812
リース債務	49,970		

4　決算整理前残高試算表の数値

支払利息：3,842円

リース債務：103,717円

5　×4年3月31日（決算整理仕訳）

（借）減価償却費　28,125[07]　（貸）リース資産　28,125

07）250,000円×0.9÷8年＝28,125円

6　決算整理後残高試算表の数値

減価償却費：28,125円

リース資産：193,750円－28,125円＝165,625円

問題2　解答

決算整理後残高試算表　（単位：円）

リース資産	300,000	未払利息	（7,491）
減価償却費	（75,000）	リース債務	（149,821）
支払利息	（7,491）	リース資産減価償却累計額	（150,000）

解説

1　タイムテーブル　（単位：円）

返済日	期首元本	リース料	利息[01]	返済元本[02]	期末元本[03]
×1年4月1日	300,000	80,575	―	80,575	219,425
×2年4月1日	219,425	80,575	10,971	69,604	149,821
×3年4月1日	149,821	80,575	7,491	73,084	76,737
×4年4月1日	76,737	80,575	3,838[05]	76,737[04]	0

01）期首元本×0.05　02）リース料－利息　03）期首元本－返済元本
04）期首元本と一致　05）80,575円－76,737円＝3,838円

2　×2年3月31日（前期末決算整理仕訳）

（借）減価償却費　75,000　（貸）リース資産減価償却累計額　75,000[06]
（借）支払利息　10,971　（貸）未払利息　10,971

06）所有権移転外のため減価償却は、耐用年数をリース期間とし、残存価額をゼロとして行います。
減価償却費：300,000円÷4年＝75,000円

3　×2年4月1日（期首再振替仕訳）

（借）未払利息　10,971　（貸）支払利息　10,971

4　×2年4月1日（リース料支払日）

（借）支払利息　10,971　（貸）現金預金　80,575
　　　リース債務　69,604

5　×3年3月31日（当期末決算整理仕訳）

（借）減価償却費　75,000　（貸）リース資産減価償却累計額　75,000
（借）支払利息　7,491　（貸）未払利息　7,491

6　決算整理後残高試算表

減価償却費：75,000円

リース資産減価償却累計額：

75,000円（前期）＋75,000円（当期）＝150,000円

支払利息：－10,971円＋10,971円＋7,491円
＝7,491円

未払利息：7,491円

リース債務：149,821円

1 法人税等・租税公課　2 税効果会計　3 消費税　4 リース会計Ⅰ　5 減損会計　6 退職給付会計Ⅰ　7 引当金　8 社債　9 純資産会計Ⅰ　10 繰延資産

解答

決算整理後残高試算表　(単位：円)

リース資産	(855,000)	リース債務	(656,630)
減価償却費	(213,750)	リース資産減価償却累計額	(213,750)
支払利息	(42,750)		

解説

1　リース資産の取得原価

所有権移転外ファイナンス・リース取引で貸手の購入価額が明らかなため、貸手の購入価額とリース料総額の割引現在価値を比較して、いずれか低い額をリース資産の取得原価とします。

リース料総額の割引現在価値：$\frac{241{,}120\text{円}}{1.05}+\frac{241{,}120\text{円}}{(1.05)^2}+\frac{241{,}120\text{円}}{(1.05)^3}+\frac{241{,}120\text{円}}{(1.05)^4}\fallingdotseq 855{,}000\text{円}$

貸手の購入価額：875,000円

855,000円＜875,000円　∴リース資産の取得原価：855,000円

2　タイムテーブル

(単位：円)

返済日	期首元本	リース料	利息[02]	返済元本[03]	期末元本[04]
×2年3月31日	855,000[01]	241,120	42,750	198,370	656,630
×3年3月31日	656,630	241,120	32,832	208,288	448,342
×4年3月31日	448,342	241,120	22,417	218,703	229,639
×5年3月31日	229,639	241,120	11,481[06]	229,639[05]	0

01）取得原価 855,000円　02）期首元本×0.05　03）リース料－利息
04）期首元本－返済元本　05）期首元本と一致　06）241,120円－229,639円＝11,481円

3　×2年3月31日（リース料支払日）

期中仕訳として行われているため、決算整理前残高試算表に反映されています。

(借)支払利息 42,750　(貸)現金預金 241,120
　　リース債務 198,370

4　決算整理前残高試算表の数値

リース資産：855,000円
支払利息：42,750円
リース債務：656,630円

5　×2年3月31日（決算整理仕訳）

(借)減価償却費 213,750[07]　(貸)リース資産減価償却累計額 213,750

07）855,000円÷4年＝213,750円

6　決算整理後残高試算表の数値

減価償却費：213,750円
リース資産減価償却累計額：213,750円

問題4 解答

（単位：千円）

①	35,460	②	9,525	③	17,730
④	27,233	⑤	8,638	⑥	475

リース料支払時の仕訳 （単位：千円）

借方科目	金額	貸方科目	金額
リース債務	9,070	当座預金	10,000
支払利息	930		

減価償却の仕訳 （単位：千円）

借方科目	金額	貸方科目	金額
減価償却費	8,865	リース資産減価償却累計額	8,865

解説

1．リース資産計上額

(1) リース料総額の割引現在価値：35,460千円

(2) 借手の見積現金購入価額：36,000千円

(1)<(2) ∴ 低い方の金額 ① 35,460 千円

2．利息の計算（単位：千円）

元本残高	27,233	18,595	② 9,525	
利息 4,540	1,773	1,362	930	475
元本 35,460	8,227	8,638	9,070	9,525
	10,000	10,000	10,000	10,000

総額 40,000

※ リース債務の返済スケジュール

返済日	期首元本	返済合計	元本分	利息分	期末元本
04年3月31日	① 35,460	10,000	8,227	1,773	④ 27,233
05年3月31日	④ 27,233	10,000	⑤ 8,638	1,362	18,595
06年3月31日	18,595	10,000	9,070	930	9,525 ←当期
07年3月31日	9,525	10,000	9,525	⑥ 475	
合計	−	40,000	① 35,460	4,540	−

利息分 ＝ 期首元本×5％（千円未満四捨五入。ただし最終年度は差額。）

元本分 ＝ 返済合計10,000千円－利息分

期末元本 ＝ 期首元本－返済合計のうち元本分

3．減価償却費

所有権移転外ですので、リース期間４年、残存価額ゼロで計算します。

当期償却費：35,460 千円÷４年

＝ 8,865 千円

前Ｔ／Ｂ累計額（前期末まで２年）

：8,865 千円×２年＝ ③ 17,730 千円

問題5 解答

決算整理後残高試算表　（単位：千円）

借方	金額	貸方	金額
備品	(*6,600*)	未払利息	(*90*)
リース資産	(*5,400*)	リース債務	(*5,400*)
減価償却費	(*1,120*)	備品減価償却累計額	(*1,980*)
支払利息	(*90*)	リース資産減価償却累計額	(*450*)
固定資産売却損	(*225*)		

解説

（以下、仕訳の単位：千円）

1　備品Aについて

決算整理仕訳

（借）減価償却費	495 01)	（貸）備品減価償却累計額	495

01) $\frac{6{,}600\text{千円}\times 0.9}{12\text{年}}$ ＝ 495 千円

2　備品Bについて

売却時の仕訳

（借）備品減価償却累計額	2,100	（貸）備品	4,000
減価償却費	175 02)		
現金預金	1,500		
固定資産売却損	225 03)		

02) 減価償却費：$\frac{4{,}000\text{千円}\times 0.9}{12\text{年}}\times\frac{7\text{カ月}}{12\text{カ月}}$ ＝ 175 千円

03) 貸借差額

3　備品Cについて

(1)　リース資産取得時の仕訳

本問は所有権移転外ファイナンス・リース取引で、貸手の購入価額が判明しているため、貸手の購入価額とリース料総額の割引現在価値を比較して、いずれか低い額をリース資産の取得原価とします。

リース料総額の割引現在価値：$\frac{1{,}213\text{千円}}{1.04}+\frac{1{,}213\text{千円}}{(1.04)^2}+\frac{1{,}213\text{千円}}{(1.04)^3}+\frac{1{,}213\text{千円}}{(1.04)^4}+\frac{1{,}213\text{千円}}{(1.04)^5}\fallingdotseq 5{,}400\text{千円}$

貸手の購入価額：5,500 千円

5,400 千円＜ 5,500 千円　　∴リース資産の取得原価：5,400 千円

(借) リース資産	5,400	(貸) リース債務	5,400

(2)　タイムテーブル

(単位：千円)

返済日	期首元本	リース料	利息[04)	返済元本[05)	期末元本[06)
× 21 年 10 月 31 日	5,400	1,213	216	997	4,403
× 22 年 10 月 31 日	4,403	1,213	176	1,037	3,366
× 23 年 10 月 31 日	3,366	1,213	135	1,078	2,288
× 24 年 10 月 31 日	2,288	1,213	92	1,121	1,167
× 25 年 10 月 31 日	1,167	1,213	46[08)	1,167[07)	0

04）期首元本× 0.04　　05）リース料－利息　　06）期首元本－返済元本

07）期首元本と一致　　08）1,213 千円－ 1,167 千円＝ 46 千円

(3)　決算整理仕訳

(借) 減価償却費	450[09)	(貸) リース資産減価償却累計額	450
(借) 支払利息	90[10)	(貸) 未払利息	90

09）減価償却費：

$5{,}400\text{千円}\div 5\text{年}\times\frac{5\text{カ月}}{12\text{カ月}}=450\text{千円}$

10）$5{,}400\text{千円}\times 0.04\times\frac{5\text{カ月}}{12\text{カ月}}=90\text{千円}$

4　当期末決算整理後残高試算表の数値の集計

備品：10,600 千円（前期末後T/B）－ 4,000 千円（備品B）＝ 6,600 千円

リース資産：5,400 千円（備品C）

減価償却費：495 千円（備品A）＋ 175 千円（備品B）＋ 450 千円（備品C）
＝ 1,120 千円

支払利息・未払利息：90 千円

固定資産売却損：225 千円

リース債務：5,400 千円

備品減価償却累計額：

3,585 千円（前期末後T/B）－売却 2,100 千円（備品B）＋減価償却 495 千円（備品A）
＝ 1,980 千円

リース資産減価償却累計額：減価償却 450 千円（備品C）

決算整理後残高試算表　（単位：円）

リース資産	(106,875)	未払利息	(3,563)
減価償却費	(12,825)	リース債務	(106,875)
支払利息	(3,563)	リース資産減価償却累計額	(12,825)
支払リース料	(15,000)		

解説

1　備品リース契約について

(1)　備品リースの取得原価

所有権移転ファイナンス・リース取引で貸手の購入価額が明らかなため、貸手の購入価額がリース資産（備品）の取得原価になります。

∴リース資産（備品）の取得原価：106,875円

(2)　備品リース契約のタイムテーブル

（単位：円）

返済日	期首元本	リース料	利息[01]	返済元本[02]	期末元本[03]
×2年7月31日	106,875	30,140	5,344	24,796	82,079
×3年7月31日	82,079	30,140	4,104	26,036	56,043
×4年7月31日	56,043	30,140	2,802	27,338	28,705
×5年7月31日	28,705	30,140	1,435[05]	28,705[04]	0

01）期首元本×0.05　02）リース料－利息　03）期首元本－返済元本

04）期首元本と一致　05）30,140円－28,705円＝1,435円

(3)　決算整理仕訳

当期中にリース料の支払いはありませんが、次回のリース料支払時に計上する利息分のうち、当期にかかるものを見越計上します。

(借) 減価償却費	12,825[06]	(貸) リース資産減価償却累計額	12,825
(借) 支払利息	3,563	(貸) 未払利息	3,563[07]

06）減価償却費：

$$\frac{106,875\text{円}\times 0.9}{5\text{年}}\times\frac{8\text{カ月}}{12\text{カ月}}=12,825\text{円}$$

07）未払利息：

$$106,875\text{円}\times 0.05\times\frac{8\text{カ月}}{12\text{カ月}}\fallingdotseq 3,563\text{円}$$

2　機械リース契約について

(1)　期中仕訳

(借) 支払リース料	15,000	(貸) 現金預金	15,000

(2)　決算整理仕訳

機械のリース契約はオペレーティング・リース取引であり、本問では支払リース料に対応する期間と会計期間のズレもないため、決算時に仕訳は不要です。

(1)

(単位：千円)

借方科目	金額	貸方科目	金額
リース資産	3,000	リース債務	3,000

(2)

貸借対照表
×2年3月31日

(単位：千円)

資産の部			負債の部	
科目	金額		科目	金額
：	：	：	Ⅰ 流動負債	
Ⅰ 有形固定資産			リース債務	(997)
(リース資産)	(3,000)		：	：
減価償却累計額	(540)	(2,460)	Ⅱ 固定負債	
：	：	：	長期リース債務	(1,094)
			：	：

解説

(1) リース資産の表示科目に注意してください。「リース取引に関する会計基準」では、特に指示がない限り、原則として一括して『**リース資産**』とします。

(2) タイムテーブル

(単位：千円)

返済日	期首元本	リース料	利息 02)	返済元本 03)	期末元本 04)
×2年3月31日	3,000 01)	1,200	291	909	2,091
×3年3月31日	2,091	1,200	203	997	1,094
×4年3月31日	1,094	1,200	106 06)	1,094 05)	0

01) 取得原価3,000千円
02) 期首元本×9.7%
03) リース料－利息
04) 期首元本－返済元本
05) 期首元本と一致
06) 1,200千円－1,094千円＝106千円
最終年度はリース債務残高をゼロにするため、調整しています。

(3) リース料支払日（×2年3月31日）の仕訳

(借) 支払利息	291	(貸) 現金預金	1,200
リース債務	909		

(4) 決算整理仕訳

(借) 減価償却費	540 07)	(貸) リース資産減価償却累計額	540

07) $\frac{3{,}000\text{千円}\times 0.9}{5\text{年}}$＝540千円

(5) リース債務の分類

(2)のようなタイムテーブルを作成すると、一年基準によるリース債務の分類がしやすくなります。

×2年度の元本返済分997千円が『**リース債務**』（**流動負債**）

×2年度末時点で未返済の1,094千円が『**長期リース債務**』（**固定負債**）となります。

貸借対照表

×2年3月31日　(単位：千円)

資産の部			負債の部	
科目	金額		科目	金額
:	:	:	Ⅰ 流動負債	
Ⅰ 有形固定資産			リース債務	(8,765)
(リース資産)	(48,000)		:	:
減価償却累計額	(9,600)	(38,400)	Ⅱ 固定負債	
:	:	:	長期リース債務	(31,175)
			:	:

支払利息：	3,940 千円

解説

本問の場合、資料の与え方に特徴があります。

①リース料の支払いが月額ベースとなっていること。

②支払いが半年ごとに後払いとなっていること。

この2点が問題1と異なっています。この場合、特に注意しなければならないのが、利息の利率です。問題文では、「年8.56%」となっているので、半年ごとの支払いでは、半分の4.28%で計算します(8.56%で計算して月割りにしても同じ結果になります)。以上をもとにして、タイムテーブルを作成します。

(1)タイムテーブル

(単位：千円)

返済日	返済前元本	リース料	利息[01)	返済元本[02)	返済後元本[03)
×1年9月30日	48,000	6,000[04)	2,054	3,946	44,054
×2年3月31日	44,054	6,000	1,886	4,114	39,940
×2年9月30日	39,940	6,000	1,709	4,291	35,649
×3年3月31日	35,649	6,000	1,526	4,474	31,175
×3年9月30日	31,175	6,000	1,334	4,666	26,509
×4年3月31日	26,509	6,000	1,135	4,865	21,644
×4年9月30日	21,644	6,000	926	5,074	16,570
×5年3月31日	16,570	6,000	709	5,291	11,279
×5年9月30日	11,279	6,000	483	5,517	5,762
×6年3月31日	5,762	6,000	238[06)	5,762[05)	0

01) 返済前元本×4.28%　02) リース料－利息

03) 返済前元本－返済元本　04) 1,000千円×6カ月＝6,000千円

05）返済前元本と一致

06）6,000千円－5,762千円＝238千円
最終年度はリース債務残高をゼロにするため、調整しています。

⑵　**第1回リース料支払日（×1年9月30日）の仕訳**

(借) 支払利息	2,054	(貸) 現金預金	6,000
リース債務	3,946		

⑶　**第2回リース料支払日（×2年3月31日）の仕訳**

(借) 支払利息	1,886	(貸) 現金預金	6,000
リース債務	4,114		

よって、当期の支払利息：
2,054千円＋1,886千円＝3,940千円

⑷　**決算整理仕訳**

(借) 減価償却費	9,600 07)	(貸) リース資産減価償却累計額	9,600

07）48,000千円÷5年＝9,600千円

⑸　**リース債務の分類**

⑴のようなタイムテーブルをもとに、1年以内に返済するリース債務（流動負債）とそれ以外の長期リース債務（固定負債）に分類します。

『リース債務』（流動負債）：
4,291千円＋4,474千円＝8,765千円

『長期リース債務』（固定負債）：31,175千円

問題9　解答

（単位：千円）

借方科目	金額	貸方科目	金額
支払リース料	*150,000*	**現金預金**	*150,000*

解説

オペレーティング・リース取引の会計処理は、通常の賃貸借取引に準ずる会計処理によります。

Chapter 5 減損会計

問題1 解答

決算整理後残高試算表 (単位：円)

借方		貸方	
機械	(*498,000*)	機械減価償却累計額	(*350,000*)
減損損失	(*102,000*)		

解説

1　減損の兆候（ STEP1 ）
【資料】１より、減損の兆候が認められます。

2　減損損失の認識の判定（ STEP2 ）
割引前将来 CF：
30,000 円×５年＋ 20,000 円＝ 170,000 円
帳簿価額：600,000 円－ 350,000 円＝ 250,000 円
170,000 円（割引前将来CF）＜ 250,000 円（帳簿価額）　∴減損損失を認識

3　減損損失の測定（ STEP3 ）

(1)　回収可能価額の算定

使用価値：

$$\frac{30,000\text{円}}{(1+0.05)}+\frac{30,000\text{円}}{(1+0.05)^2}+\frac{30,000\text{円}}{(1+0.05)^3}+\frac{30,000\text{円}}{(1+0.05)^4}+\frac{(30,000\text{円}+20,000\text{円})}{(1+0.05)^5}$$

≒ 145,555 円

正味売却価額：160,000 円－ 12,000 円＝ 148,000 円
145,555 円（使用価値）＜ 148,000 円（正味売却価額）　∴回収可能価額 148,000 円

(2)　減損損失の算定

減損損失：250,000 円（帳簿価額）－ 148,000 円（回収可能価額）＝ 102,000 円

(借) 減 損 損 失 102,000　(貸) 機　　械 102,000

問題2 解答

問１

機械Ａ	機械Ｂ	機械Ｃ
×	○	○

問２

(単位：千円)

機械Ａ	機械Ｂ	機械Ｃ
―	*5,700*	*25,000*

問３

(単位：千円)

借方科目	金　額	貸方科目	金　額
減 損 損 失	*30,700*	機　　械	*30,700*

解説

減損の兆候
問題文に「減損の兆候がある機械Ａ、Ｂおよび C」とあることから、すべての機械について減損の兆候があると判断します。

問１　減損損失の認識の判定

機械Ａ
帳簿価額：110,000 千円
割引前将来 CF：
20,800 千円＋ 21,632 千円＋ 27,040 千円＋ 28,122 千円＋（21,640 千円＋ 9,732 千円）
＝ 128,966 千円
110,000 千円（帳簿価額）＜ 128,966 千円（割引前将来CF）
∴減損損失を認識しない

機械Ｂ
帳簿価額：42,000 千円
割引前将来 CF：
8,736 千円＋ 8,220 千円＋ 8,436 千円＋（11,698 千円＋ 3,277 千円）＝ 40,367 千円
42,000 千円（帳簿価額）＞ 40,367 千円（割引前将来CF）
∴減損損失を認識する

機械C

帳簿価額：88,000千円

割引前将来CF：

18,720千円＋16,224千円＋（15,748千円＋14,623千円）＝65,315千円

88,000千円（帳簿価額）＞65,315千円（割引前将来CF）

∴減損損失を認識する

問2　減損損失の測定

機械B

使用価値：

$$\frac{8{,}736\text{千円}}{(1+0.04)}+\frac{8{,}220\text{千円}}{(1+0.04)^2}+\frac{8{,}436\text{千円}}{(1+0.04)^3}+\frac{(11{,}698\text{千円}+3{,}277\text{千円})}{(1+0.04)^4}$$

≒36,300千円

正味売却価額：30,000千円

回収可能価額：36,300千円（使用価値）＞30,000千円（正味売却価額）

∴36,300千円

減損損失：42,000千円－36,300千円＝5,700千円

機械C

使用価値：

$$\frac{18{,}720\text{千円}}{(1+0.04)}+\frac{16{,}224\text{千円}}{(1+0.04)^2}+\frac{(15{,}748\text{千円}+14{,}623\text{千円})}{(1+0.04)^3}\fallingdotseq 60{,}000\text{千円}$$

正味売却価額：63,000千円

回収可能価額：60,000千円（使用価値）＜63,000千円（正味売却価額）

∴63,000千円

減損損失：88,000千円－63,000千円＝25,000千円

問3　仕訳

減損損失計上時の仕訳は、原則として減損処理前の取得原価から減損損失を直接控除する形式で行います。

減損損失（合計）：

5,700千円（機械B）＋25,000千円（機械C）＝30,700千円

問題3　解答

土　地：	31,780	千円
建　物：	17,025	千円
機　械：	7,945	千円

解説

1．減損損失の認識の判定

資産グループ単位で判定を行います。

帳簿価額合計額500,000千円 ＞ 割引前将来C／F総額475,000千円

∴　減損損失を認識します。

2．減損損失の測定

(1)　資産グループ単位で測定します。

①　回収可能価額

正味売却価額合計436,000千円 ＜ 使用価値総額443,250千円

∴　443,250千円（高い方の金額）

②　A資産グループの減損損失

帳簿価額合計500,000千円－回収可能価額443,250千円＝56,750千円

(2)　各構成資産に配分します（帳簿価額の比率による配分）。

$$\text{土地}：56{,}750\text{千円}\times\frac{280{,}000\text{千円}}{500{,}000\text{千円}}=31{,}780\text{千円}$$

$$\text{建物}：56{,}750\text{千円}\times\frac{150{,}000\text{千円}}{500{,}000\text{千円}}=17{,}025\text{千円}$$

$$\text{機械}：56{,}750\text{千円}\times\frac{70{,}000\text{千円}}{500{,}000\text{千円}}=7{,}945\text{千円}$$

問題4　解答

（単位：円）

借方科目	金額	貸方科目	金額
減損損失	*1,400*	**共用資産**	*600*
		土地	*700*
		建物	*100*

解説

（単位：円）

		土地	建物	共用資産	「より大きな単位」での合計
	帳簿価額	2,000	1,000	1,500	4,500
STEP1	減損の兆候	あり	なし	あり	あり
	割引前将来キャッシュ・フロー	1,500	不明	不明	3,500
STEP2	減損損失の認識	する	－	－	する
	回収可能価額	1,300	不明	900	3,100
STEP3	減損損失の測定	700 →			1,400
	増加した減損損失				700
	増加した減損損失配分額		100	600	

42,000 千円

解説

（単位：千円）

1　共用資産を含まない場合　　2「より大きな単位」

		A資産グループ	B資産グループ	C資産グループ	D資産グループ	共用資産	「より大きな単位」での合計
	帳簿価額	150,000	250,000	180,000	110,000	200,000	890,000
STEP1	減損の兆候	なし	あり	あり	なし	あり	あり
	割引前将来キャッシュ・フロー	–	270,000	130,000	–	–	870,000
STEP2	減損損失の認識	–	しない	する	–	–	する
	回収可能価額	–	180,000	90,000	–	–	630,000
STEP3	減損損失の測定	–	–	90,000	–	–	260,000
	増加した減損損失						170,000
	増加した減損損失配分額		42,000		18,000	110,000	

まず共用資産に優先的に配分します。

1　共用資産を含まない場合

STEP1　減損の兆候

問題文より、減損の兆候が認められるのはB資産グループとC資産グループだけなので、STEP2 へ進むのはこの２つの資産グループということになります。

STEP2　減損損失の認識

B資産グループ：

250,000千円（帳簿価額）＜ 270,000千円（割引前将来CF）

∴減損は認識しない

C資産グループ：

180,000千円（帳簿価額）＞ 130,000千円（割引前将来CF）

∴減損を認識する ⇨ STEP3 へ

STEP3　減損損失の測定

C資産グループ減損損失：

180,000千円（帳簿価額）－ 90,000千円（回収可能価額）＝ 90,000千円

2　共用資産を含む「より大きな単位」でみた場合

STEP1　減損の兆候

共用資産を含む、より大きな単位で減損会計を適用し、共用資産に減損の兆候が認められていることが問題文から読み取れます。

STEP2　減損損失の認識

890,000千円（帳簿価額）＞ 870,000千円（割引前将来CF）

∴減損を認識する ⇨ STEP3 へ

STEP3　減損損失の測定

減損損失：890,000千円（帳簿価額）－ 630,000千円（回収可能価額）
＝ 260,000千円

減損損失増加額：260,000千円－ 90,000千円
＝ 170,000千円

共用資産を加えることによる減損損失の増加分は、まず共用資産に優先的に配分されます。ここで、共用資産の簿価が正味売却価額を下回らないように注意します。

(200,000千円(共用資産帳簿価額) − 90,000千円(正味売却価額)) ＜ 170,000千円

→共用資産に配分される減損損失：110,000千円

減損損失の増加分が、共用資産の帳簿価額と正味売却価額の差額を超過した分はA、B、D資産グループに配分します。本問では問題文にあるように「帳簿価額と回収可能価額の差額の比率」を基準に按分するため、まずはその配分基準を算定します。

A資産グループ配分基準：

150,000千円(帳簿価額) − 190,000千円(回収可能価額) = △40,000千円
(配分せず)

B資産グループ配分基準：

250,000千円(帳簿価額) − 180,000千円(回収可能価額) = 70,000千円

D資産グループ配分基準：

110,000千円(帳簿価額) − 80,000千円(回収可能価額) = 30,000千円

B資産グループへの配分：

$$(170{,}000\text{千円} - 110{,}000\text{千円}) \times \frac{70{,}000\text{千円}}{70{,}000\text{千円} + 30{,}000\text{千円}}$$

= 42,000千円

D資産グループへの配分：

$$(170{,}000\text{千円} - 110{,}000\text{千円}) \times \frac{30{,}000\text{千円}}{70{,}000\text{千円} + 30{,}000\text{千円}}$$

= 18,000千円

問題6　解答

建物の貸借対照表価額	*425,432* 千円	備品の貸借対照表価額	*176,883* 千円

解説

(単位：千円)

		1 共用資産を含まない場合			2 共用資産を含む「より大きな単位」でみた場合
		資産グループB1	資産グループB2	共用資産(建物)	「より大きな単位」での合計
	帳簿価額	126,000	218,400	78,750	423,150
STEP1	減損の兆候	あり	なし	あり	あり
	割引前将来キャッシュ・フロー	112,000	−	不明	421,200
STEP2	減損損失の認識	する	−	する	する
	回収可能価額	100,800	−	−	364,715
STEP3	減損損失の測定	25,200	−	−	58,435
	増加した減損損失				33,235
	増加した減損損失配分額		14,485	18,750	

1　共用資産を含まない場合

(1)　資産グループＢ１

帳簿価額：47,250千円＋78,750千円
　　　　＝126,000千円

STEP1 減損の兆候あり　⇨ STEP2 へ

割引前将来キャッシュ・フロー：
　22,400千円×５年＝112,000千円

STEP2 減損損失の認識：
126,000千円（帳簿価額）＞112,000千円（割引前将来CF）　∴認識する
⇨ STEP3 へ

使用価値：

$$\frac{22{,}400\text{千円}}{(1+0.05)}+\frac{22{,}400\text{千円}}{(1+0.05)^2}+\cdots+\frac{22{,}400\text{千円}}{(1+0.05)^5}$$

≒96,980千円

正味売却価額：100,800千円

回収可能価額：96,980千円（使用価値）＜100,800千円（正味売却価額）
∴100,800千円

STEP3 減損損失の測定：
126,000千円－100,800千円＝25,200千円

(2)　資産グループＢ２

帳簿価額：174,720千円＋43,680千円
　　　　＝218,400千円

STEP1 減損の兆候なし

2　共用資産を含む「より大きな単位」でみた場合

帳簿価額：126,000千円＋218,400千円
　　　　＋78,750千円＝423,150千円

STEP1 減損の兆候あり　⇨ STEP2 へ

割引前将来CF：
　84,240千円×５年＝421,200千円

STEP2 減損損失の認識：
423,150千円（帳簿価額）＞421,200千円（割引前将来CF）　∴認識する
⇨ STEP3 へ

使用価値：

$$\frac{84{,}240\text{千円}}{(1+0.05)}+\frac{84{,}240\text{千円}}{(1+0.05)^2}+\cdots+\frac{84{,}240\text{千円}}{(1+0.05)^5}$$

≒364,715千円

正味売却価額：360,000千円

回収可能価額：364,715千円（使用価値）＞360,000千円（正味売却価額）
∴364,715千円

STEP3 減損損失の測定（総額）：
423,150千円－364,715千円＝58,435千円

減損損失（増加額）：
58,435千円－25,200千円＝33,235千円

共用資産を加えることによる減損損失の増加分は、まず共用資産に優先的に配分されます。ここで、共用資産の簿価が正味売却価額を下回らないように注意します。

（78,750千円（共用資産帳簿価額）－60,000千円（正味売却価額））＜33,235千円
　→共用資産に配分される減損損失：18,750千円

減損損失の増加分が、共用資産の帳簿価額と正味売却価額の差額を超過した分は、資産グループＢ２に配分します。

減損損失（増加額）の資産グループＢ２への配分：
33,235千円－18,750千円＝14,485千円

3　減損損失の各資産への配分

(1)　資産グループＢ１

$$\text{建物：}25{,}200\text{千円}\times\frac{47{,}250\text{千円}}{47{,}250\text{千円}+78{,}750\text{千円}}$$

＝9,450千円

$$\text{備品：}25{,}200\text{千円}\times\frac{78{,}750\text{千円}}{47{,}250\text{千円}+78{,}750\text{千円}}$$

＝15,750千円

(2)　資産グループＢ２

$$\text{建物：}14{,}485\text{千円}\times\frac{174{,}720\text{千円}}{174{,}720\text{千円}+43{,}680\text{千円}}$$

＝11,588千円

$$\text{備品：}14{,}485\text{千円}\times\frac{43{,}680\text{千円}}{174{,}720\text{千円}+43{,}680\text{千円}}$$

＝2,897千円

4　解答数値の算定

建物の貸借対照表価額：

(275,000千円＋189,000千円＋254,800千円＋150,000千円)－減価償却累計額（110,500千円＋141,750千円＋80,080千円＋71,250千円）－減損（9,450千円＋11,588千円＋18,750千円）＝425,432千円

備品の貸借対照表価額：

(122,000千円＋126,000千円＋72,800千円)－減価償却累計額（48,900千円＋47,250千円＋29,120千円）－減損(15,750千円＋2,897千円)＝176,883千円

問題7　解答

貸借対照表　(単位:千円)

資産の部	
科目	金額
:	
Ⅱ　固定資産	
1　有形固定資産	
備品	(*820,000*)
(減価償却累計額)	(*300,000*) (*520,000*)

損益計算書 (単位:千円)

:	
Ⅶ　特別損失	
(減損損失)	(*380,000*)

解説

1　減損の兆候

【資料】1より、減損の兆候が認められます。

2　減損損失の認識の判定

割引前将来キャッシュ・フローの総額と帳簿価額を比較し、割引前将来キャッシュ・フローの総額が帳簿価額を下回る場合には、減損損失を認識します。

600,000千円（割引前将来CFの総額）＜900,000千円（帳簿価額）

このため、減損損失を認識します。

3　減損損失の測定

(1)　回収可能価額

使用価値（割引後将来キャッシュ・フローの総額）と正味売却価額のいずれか高いほうの金額が、回収可能価額となります。

520,000千円（使用価値）＞480,000千円（正味売却価額）

以上により、回収可能価額は520,000千円となります。

(2)　減損損失

帳簿価額から回収可能価額を差し引いた残額が減損損失となります。

900,000千円（帳簿価額）－520,000千円（回収可能価額）＝380,000千円

したがって、

(借)減損損失 380,000　(貸)備　品 380,000

問題8　解答

問1

貸借対照表　(単位:千円)

資産の部	
科目	金額
:	
Ⅱ　固定資産	
1　有形固定資産	
機械	(*600,000*)
(減損損失累計額)	(*102,000*)
減価償却累計額	(*350,000*) (*148,000*)

損益計算書 (単位:千円)

:	
Ⅶ　特別損失	
(減損損失)	(*102,000*)

問2

貸借対照表 (単位:千円)

資　産　の　部	
科　　目	金　　額
:	
Ⅱ　固定資産	
1　有形固定資産	
機　　械	(600,000)
減価償却累計額	(452,000) (148,000)

〈貸借対照表等に関する注記〉
減価償却累計額に減損損失累計額102,000千円が含まれている。

解説

1　減損の兆候

【資料】1より、減損の兆候が認められます。

2　減損損失の認識の判定

割引前将来キャッシュ・フローと帳簿価額を比較し、割引前将来キャッシュ・フローが帳簿価額を下回る場合には、減損損失を認識します。

割引前将来キャッシュ・フロー：

30,000千円×5年+20,000千円
=170,000千円

170,000千円(割引前将来CF) < 250,000千円(帳簿価額)*

* 600,000千円−350,000千円=250,000千円

このため、減損損失を認識します。

3　減損損失の測定

(1)回収可能価額

使用価値と正味売却価額のいずれか高いほうの金額が、回収可能価額となります。

使用価値：

$$\frac{30,000千円}{(1+0.05)}+\frac{30,000千円}{(1+0.05)^2}+\frac{30,000千円}{(1+0.05)^3}+\frac{30,000千円}{(1+0.05)^4}+\frac{(30,000千円+20,000千円)}{(1+0.05)^5}\fallingdotseq 145,555千円$$

正味売却価額：

160,000千円−12,000千円=148,000千円

145,555千円(使用価値) < 148,000千円(正味売却価額)

以上により、回収可能価額は148,000千円となります。

(2)減損損失

帳簿価額から回収可能価額を差し引いた残額が減損損失となります。

なお、本問では問1、問2とも問題文の指示から、**減損損失累計額を取得原価から間接控除する形式で表示していることを判断**します。

250,000千円(帳簿価額) − 148,000千円(回収可能価額) = 102,000千円

したがって、

(借) 減 損 損 失 102,000　(貸) 減損損失累計額 102,000

なお貸借対照表の表示については、容認処理で行います。答案用紙からも判断できるようにしましょう。

問題9 解答

貸借対照表 (単位:千円)

資　産　の　部	
科　　目	金　　額
:	
Ⅱ　固定資産	
1　有形固定資産	
建　　物	(1,432,000)
減価償却累計額	(480,000) (952,000)
機　　械	(693,000)
減価償却累計額	(315,000) (378,000)
土　　地	(1,680,000)

損益計算書 (単位:千円)

:	
Ⅶ　特別損失	
(減　損　損　失)	(215,000)

1　減損の兆候

【資料】２より、減損の兆候が認められます。

2　減損損失の認識の判定

割引前将来キャッシュ・フローと帳簿価額を比較し、割引前将来キャッシュ・フローが帳簿価額を下回る場合には、減損損失を認識します。

3,153,000千円（割引前将来ＣＦ） < 3,225,000千円（帳簿価額）*

＊ 4,020,000千円－630,000千円－165,000千円
＝3,225,000千円

このため、減損損失を認識します。

3　減損損失の測定

⑴　回収可能価額

使用価値と正味売却価額のいずれか高いほうの金額が、回収可能価額となります。

正味売却価額：3,012,500千円－2,500千円
＝3,010,000千円

2,902,500千円（使用価値） < 3,010,000千円（正味売却価額）

以上により、回収可能価額は3,010,000千円となります。

⑵　減損損失

帳簿価額から回収可能価額を差し引いた残額が減損損失となります。

3,225,000千円（帳簿価額）－3,010,000千円（回収可能価額）＝215,000千円

4　資産グループ各資産への減損損失の配分

⑴　建物への配分

$$215{,}000千円\times\frac{建物帳簿価額1{,}020{,}000千円^{01)}}{帳簿価額合計3{,}225{,}000千円}$$
＝68,000千円

⑵　機械への配分

$$215{,}000千円\times\frac{機械帳簿価額\ 405{,}000千円^{02)}}{帳簿価額合計3{,}225{,}000千円}$$
＝27,000千円

⑶　土地への配分

$$215{,}000千円\times\frac{土地帳簿価額1{,}800{,}000千円}{帳簿価額合計3{,}225{,}000千円}$$
＝120,000千円

01）建物帳簿価額：
1,500,000千円－450,000千円－30,000千円
＝1,020,000千円

02）機械帳簿価額：
720,000千円－180,000千円－135,000千円
＝405,000千円

したがって

(借)	金額	(貸)	金額
減損損失	215,000	建物	68,000
		機械	27,000
		土地	120,000

Chapter 6 退職給付会計Ⅰ

問題1　解答

（単位：千円）

借方科目	金　額	貸方科目	金　額
退職給付費用	4,100	退職給付引当金	4,100

解説

(1)　勤務費用：2,300千円
(2)　利息費用：40,000千円×割引率4.5％＝1,800千円
(3)　退職給付費用：(1)＋(2)＝ 4,100千円

問題2　解答

退職給付費用	69,800	千円
退職給付引当金	1,263,400	千円

解説

1．期首の退職給付引当金（単位：千円）

退職給付引当金

借方		貸方	
24期未認識数理差異	2,000	退職給付債務	1,255,000
引当金残高	1,253,600	23期未認識数理差異	600

(1)　未認識数理計算上の差異
　①　第22期発生分：第22期～24期で償却終了
　②　第23期発生分：1,800千円－1,800千円÷3年×2年＝600千円（貸方）
　③　第24期発生分：3,000千円－3,000千円÷3年×1年＝2,000千円（借方）

(2)　退職給付引当金
　期中に増減処理は行われていませんので、前T／Bの金額は期首残高を示しています。
(3)　退職給付債務：差額

2．期中処理の修正（単位：千円）
(1)　退職給付費用の計上

（借）退職給付費用　70,500　（貸）退職給付引当金　70,500

　①　勤務費用：45,000千円
　②　利息費用：1,255,000千円×2％
　　＝25,100千円
　③　数理差異の償却（第23期・貸方）：
　1,800千円÷3年＝600千円
　④　数理差異の償却（第24期・借方）：
　3,000千円÷3年＝1,000千円
　⑤　数理差異の償却（第25期）：
　期末に行います。
　⑥　退職給付費用：①＋②－③＋④
　　＝70,500千円

(2)　一時金の支払

（借）退職給付引当金　60,000　（貸）退職給付費用　60,000

　退職給付費用a/cで処理していますので、これを修正します。

3．決算整理前の退職給付債務（単位：千円）

退職給付債務

借方		貸方	
一時金支払	60,000	期首残高	1,255,000
		勤務費用	45,000
		利息費用	25,100
整理前残高	1,265,100		

4．決算整理（単位：千円）

（借）退職給付引当金　700　（貸）退職給付費用　700

①　数理差異の発生：予測1,265,100千円
　→実際1,263,000千円
　∴　減少2,100千円（未認識数理計算上の差異＝貸方）
②　数理差異の償却：2,100千円÷3年＝700千円（退職給付費用＝貸方）

5．決算整理後の退職給付費用と退職給付引当金（単位：千円）

退職給付引当金

借方		貸方	
一時金支払	60,000	期首残高	1,253,600
期末残高	1,263,400	退職給付費用	69,800

問題3　解答

（単位：千円）

借方科目	金　額	貸方科目	金　額
退職給付費用	3,220	退職給付引当金	3,220

解説

(1)　勤務費用：2,300千円
(2)　利息費用：40,000千円×4.5％＝1,800千円
(3)　期待運用収益：17,600千円×５％＝880千円
(4)　退職給付費用：(1)＋(2)−(3)＝3,220千円

問題4　解答

決算整理後残高試算表（単位：千円）

勘定科目	金　額	勘定科目	金　額
退職給付費用	(52,567)	退職給付引当金	(234,567)

解説

（以下、仕訳の単位：千円）

本問は、期首および期中に行っていた誤処理を訂正して後T／Bを作成する問題です。

(1)　期首処理の修正

期首に行うべき見積計算を行います。

①勤務費用：45,942千円

（借）退職給付費用　45,942　（貸）退職給付引当金　45,942
（退職給付債務）

②利息費用：373,000千円×0.025＝9,325千円

（借）退職給付費用　9,325　（貸）退職給付引当金　9,325
（退職給付債務）

③期待運用収益：150,000千円×0.018＝2,700千円

（借）退職給付引当金　2,700　（貸）退職給付費用　2,700
（年金資産）

以上の仕訳をまとめた仕訳を期首に行う必要があったので、修正します。

（借）退職給付費用　52,567　（貸）退職給付引当金　52,567

(2)　期中処理の修正

年金基金への掛金の拠出や退職一時金の支払いを行った場合、退職給付引当金を減額するのが正しい処理なので、修正を行います。なお、年金基金による給付は「仕訳なし」となります。

①年金基金への掛金の拠出（修正）

（借）退職給付引当金　14,000　（貸）退職給付費用　14,000

②退職一時金の支払い（修正）

（借）退職給付引当金　27,000　（貸）退職給付費用　27,000

以上の３つの仕訳を問題文の前T／Bに加えることで、解答の後T／Bとなります。

【勘定連絡図】

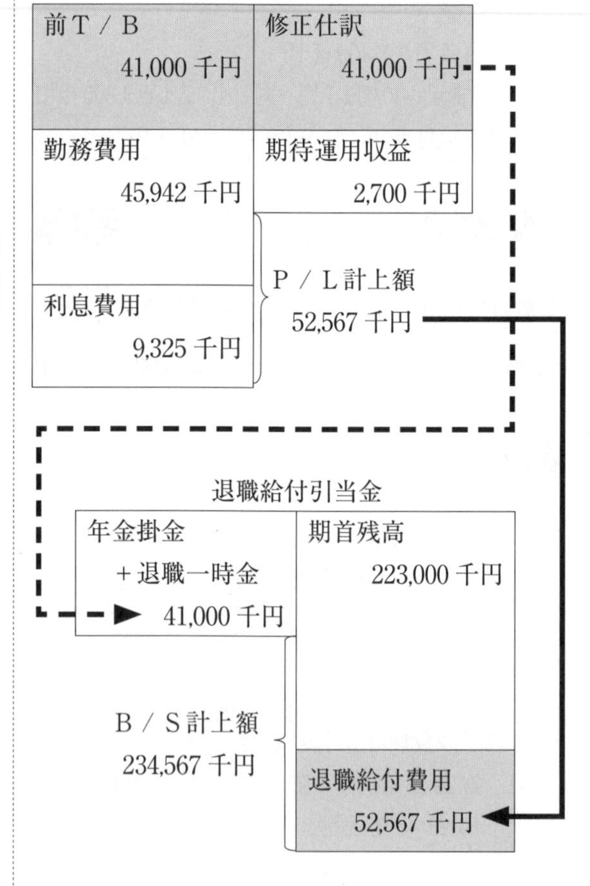

問題5　解答

(1)	39,700 千円	(2)	317,900 千円

解説

（以下、仕訳の単位：千円）

退職給付費用の計上（期首）

勤務費用：23,000 千円

利息費用：480,000 千円 × 0.04 ＝ 19,200 千円

期待運用収益：195,000 千円 × 0.02 ＝ 3,900 千円

数理計算上の差異認識額（前期発生分）：

$$\frac{4{,}500\text{千円}}{(10\text{年}-1\text{年})} = 500\text{千円}$$

合計：23,000 千円 ＋ 19,200 千円 － 3,900 千円 ＋ 500 千円 ＝ 38,800 千円

(借) 退職給付費用	38,800	(貸) 退職給付引当金	38,800

期中の処理

年金基金への拠出：2,300 千円

(借) 退職給付引当金	2,300	(貸) 現 金 預 金	2,300

退職給付費用の計上（期末）

数理計算上の差異当期発生額

退職給付債務にかかる額：

530,000 千円 －（480,000 千円 ＋ 23,000 千円 ＋ 19,200 千円 － 18,000 千円）

＝ 25,800 千円（借方差異）

年金資産にかかる額：

（195,000 千円 ＋ 3,900 千円 ＋ 2,300 千円 － 18,000 千円）－ 200,000 千円

＝△ 16,800 千円（貸方差異）

合計：25,800 千円 － 16,800 千円

＝ 9,000 千円（借方差異）

数理計算上の差異認識額（当期発生分）：

$$\frac{9{,}000\text{千円}}{10\text{年}} = 900\text{千円}$$

(借) 退職給付費用	900	(貸) 退職給付引当金	900

解答数値の算定

(1)退職給付費用：

38,800 千円 ＋ 900 千円 ＝ 39,700 千円

(2)前期末退職給付引当金：

480,000 千円 － 195,000 千円 － 4,500 千円

＝ 280,500 千円

当期末退職給付引当金：

280,500 千円 ＋ 38,800 千円 － 2,300 千円 ＋ 900 千円 ＝ 317,900 千円

【勘定連絡図】

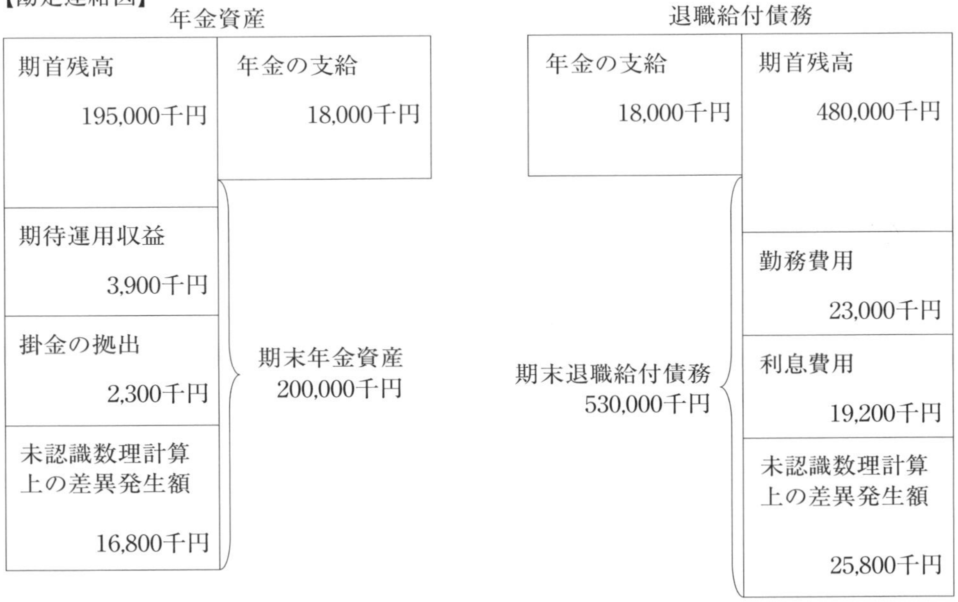

年金資産

期首残高 195,000千円	年金の支給 18,000千円
期待運用収益 3,900千円	期末年金資産 200,000千円
掛金の拠出 2,300千円	
未認識数理計算上の差異発生額 16,800千円	

退職給付債務

年金の支給 18,000千円	期首残高 480,000千円
期末退職給付債務 530,000千円	勤務費用 23,000千円
	利息費用 19,200千円
	未認識数理計算上の差異発生額 25,800千円

未認識数理計算上の差異

期首残高 4,500千円	償却額(期首分) 500千円
	償却額(当期分) 900千円
当期発生額 9,000千円	期末未認識数理計算上の差異 12,100千円

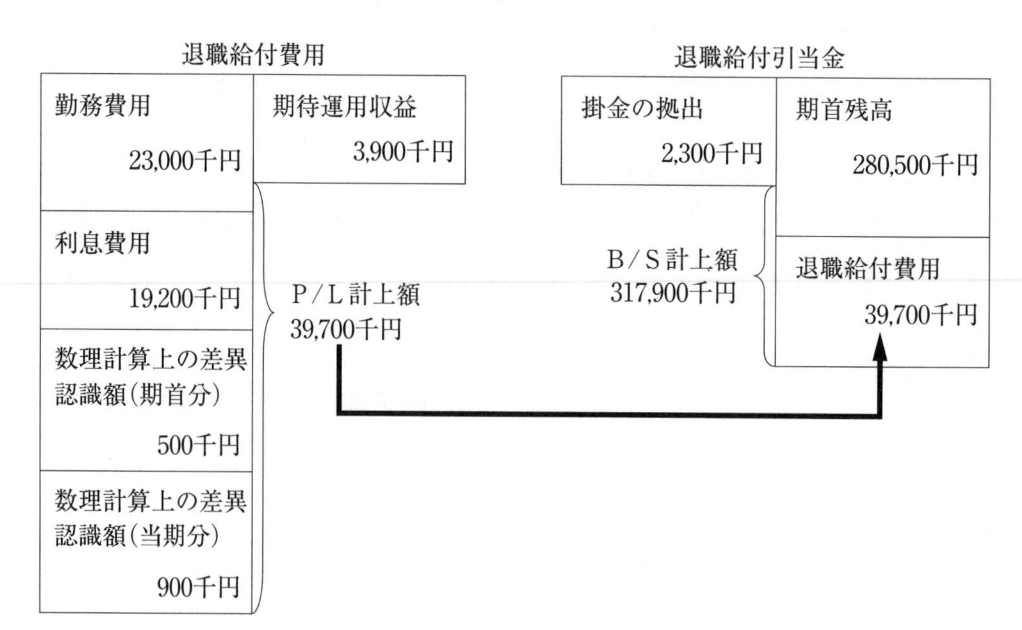

<参考>　ワークシートの作成

(単位：千円)

	期首実際残高	退職給付費用	年金/掛金支払額等	期末予測残高	数理計算上の差異	期末実際残高
退職給付債務	(480,000)	(23,000) (19,200)	18,000	(504,200)	(25,800)	(530,000)
年金資産	195,000	3,900	(18,000) 2,300	183,200	16,800	200,000
未積立退職給付債務	(285,000)			(321,000)		(330,000)
未認識数理計算上の差異	4,500	(500) (900)		4,000 (900)	9,000	12,100
退職給付引当金	(280,500)	(39,700)	2,300	(317,900)	0	(317,900)

当期に発生した数理計算上の差異(本問の9,000千円)を当期から認識するケースでは、ワークシートの記入がやや変則的になります。矢印で示した順序で数字を算定し、期末の未認識数理計算上の差異12,100千円を求めます。

問題6 解答

問1

（単位：千円）

	借方科目	金　額	貸方科目	金　額
(1)	退職給付費用	*10,000*	退職給付引当金	*10,000*
(2)	退職給付引当金	*8,000*	現金預金	*8,000*
	退職給付引当金	*4,000*	現金預金	*4,000*

問2

（単位：千円）

	借方科目	金　額	貸方科目	金　額
(1)	退職給付費用	*280*	退職給付引当金	*280*
(2)	退職給付引当金	*500*	退職給付費用	*500*

解説

（以下、仕訳の単位：千円）

問1　期首に退職給付費用を計算するうえで、各項目の計算を行います。

(1)期首の処理

①勤務費用：7,000 千円

（借）退職給付費用　7,000　（貸）退職給付引当金（退職給付債務）　7,000

②利息費用：100,000 千円 × 0.05 ＝ 5,000 千円

（借）退職給付費用　5,000　（貸）退職給付引当金（退職給付債務）　5,000

③期待運用収益：50,000 千円 × 0.04 ＝ 2,000 千円

（借）退職給付引当金（年金資産）　2,000　（貸）退職給付費用　2,000

以上の仕訳をまとめると、解答の仕訳となります。

（借）退職給付費用　10,000　（貸）退職給付引当金　10,000

退職給付費用

借方	貸方
勤務費用 7,000 千円	期待運用収益 2,000 千円
利息費用 5,000 千円	『**退職給付費用**』（P／L）10,000 千円

退職給付費用（期首見積）：

勤務費用＋利息費用－期待運用収益

＝7,000 千円（勤務費用）＋5,000 千円（利息費用）－2,000 千円（期待運用収益）

＝10,000 千円

(2)期中の処理

①年金基金への掛金の拠出

（借）退職給付引当金（年金資産）　8,000　（貸）現金預金　8,000

②退職一時金の支払い

（借）退職給付引当金（退職給付債務）　4,000　（貸）現金預金　4,000

③年金基金による退職年金の給付

「仕訳なし」となります。ただし、年金資産と退職給付債務の増減は把握します。

（借）退職給付債務　6,000　（貸）年金資産　6,000

問2

(1)　数理計算上の差異の償却

当期発生のものを当期から定額法により10年間で償却します。なお、借方差異（不利な差異・損失）なので、『**退職給付費用**』が増額されるような仕訳になります。

（借）退職給付費用　280[01]（貸）退職給付引当金　280

01）$\frac{2,800千円}{10年}$＝280千円

(2)　過去勤務費用の償却

前期発生のものを前期から定額法により10年間で償却しているので、期首残高を残りの9年間で償却します。なお、貸方差異（有利な差異・利得）なので、『**退職給付費用**』が減額されるような仕訳になります。

（借）退職給付引当金　500　（貸）退職給付費用　500[02]

02）$\frac{4,500千円}{9年}$＝500千円

問題7 解答

(1)	36,905 千円	(2)	14,005 千円
(3)	30,600 千円	(4)	1,855 千円

解説

（以下、仕訳の単位：千円）

退職給付費用の計上（期首）

勤務費用：5,600 千円

利息費用：135,000 千円 × 0.04 ＝ 5,400 千円

期待運用収益：75,000 千円 × 0.03 ＝ 2,250 千円

過去勤務費用認識額：$\frac{34,000千円}{12年-2年}$ ＝ 3,400 千円

合計：5,600 千円 + 5,400 千円 − 2,250 千円 + 3,400 千円 ＝ 12,150 千円

（借）退職給付費用 12,150 （貸）退職給付引当金 12,150

期中の処理

退職一時金：1,700 千円

年金基金への掛金の拠出：1,400 千円

合計：1,700 千円 + 1,400 千円 ＝ 3,100 千円

（借）退職給付引当金 3,100 （貸）現 金 預 金 3,100

退職給付費用の計上（期末）

未認識数理計算上の差異発生額：

（144,300 千円 − 156,200 千円）＋（72,000 千円 − 78,650 千円）＝△ 18,550 千円

数理計算上の差異認識額：

$\frac{18,550千円}{10年}$ ＝ 1,855 千円

（借）退職給付費用 1,855 （貸）退職給付引当金 1,855

解答数値の算定

(1)期末の退職給付引当金：

26,000 千円[01] + 12,150 千円 − 3,100 千円 + 1,855 千円 ＝ 36,905 千円

(2)当期の退職給付費用：12,150 千円 + 1,855 千円 ＝ 14,005 千円

(3)期末の未認識過去勤務費用：

34,000 千円 − 3,400 千円 ＝ 30,600 千円

(4)数理計算上の差異の当期認識額：1,855 千円

01）期首の退職給付引当金：
135,000 千円 − 75,000 千円 − 34,000 千円 ＝ 26,000 千円

【勘定連絡図】

年金資産

借方	貸方
期首残高 75,000千円	未認識数理計算上の差異発生額 6,650千円
期待運用収益 2,250千円	期末年金資産 72,000千円
掛金拠出 1,400千円	

退職給付債務

借方	貸方
退職一時金 1,700千円	期首残高 135,000千円
期末退職給付債務 156,200千円	勤務費用 5,600千円
	利息費用 5,400千円
	未認識数理計算上の差異発生額 11,900千円

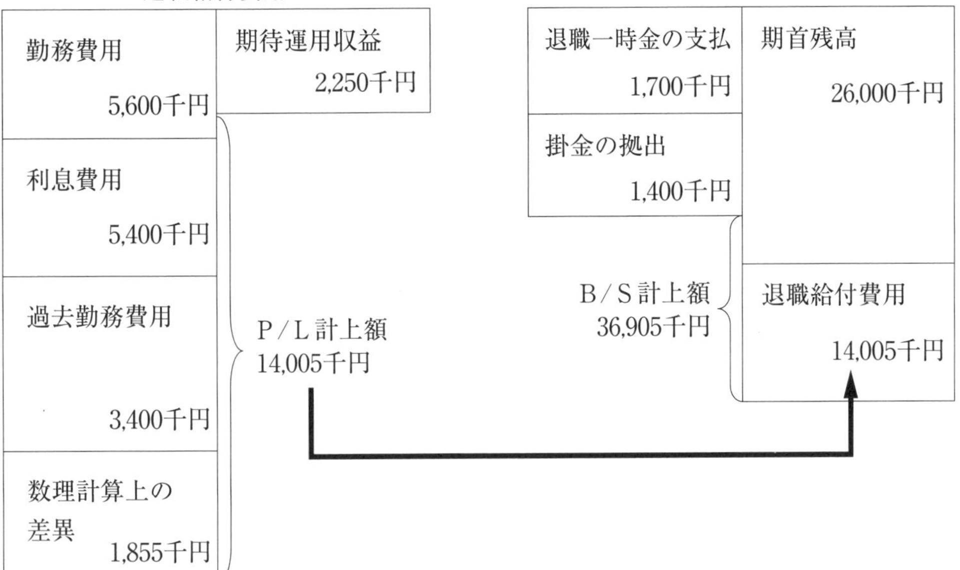

問題8 解答

(1)	*2,020* 百万円	(2)	*450* 百万円
(3)	*180* 百万円		

解説

(以下、仕訳の単位:百万円)

退職給付費用の計上(期首)

勤務費用:300 百万円

利息費用:100 百万円

数理計算上の差異認識額:

$\frac{200\text{百万円}}{10\text{年}}$ = 20 百万円

合計:300 百万円+ 100 百万円+ 20 百万円

= 420 百万円

(借) 退職給付費用	420	(貸) 退職給付引当金	420

期中の処理

退職一時金:250百万円

(借) 退職給付引当金	250	(貸) 現 金 預 金	250

退職給付費用の計上(期末)

過去勤務費用認識額:$\frac{500\text{百万円}}{10\text{年}}$=50百万円

(借) 退職給付費用	50	(貸) 退職給付引当金	50

解答数値の算定

(1)退職給付引当金:

1,800百万円+420百万円−250百万円+50百万円

=2,020百万円

(2)未認識過去勤務費用:

500百万円−50百万円=450百万円

(3)未認識数理計算上の差異:

200百万円−20百万円=180百万円

【勘定連絡図】

なお、非拠出の退職一時金制度と問題文にあるので、年金資産は積み立てません。

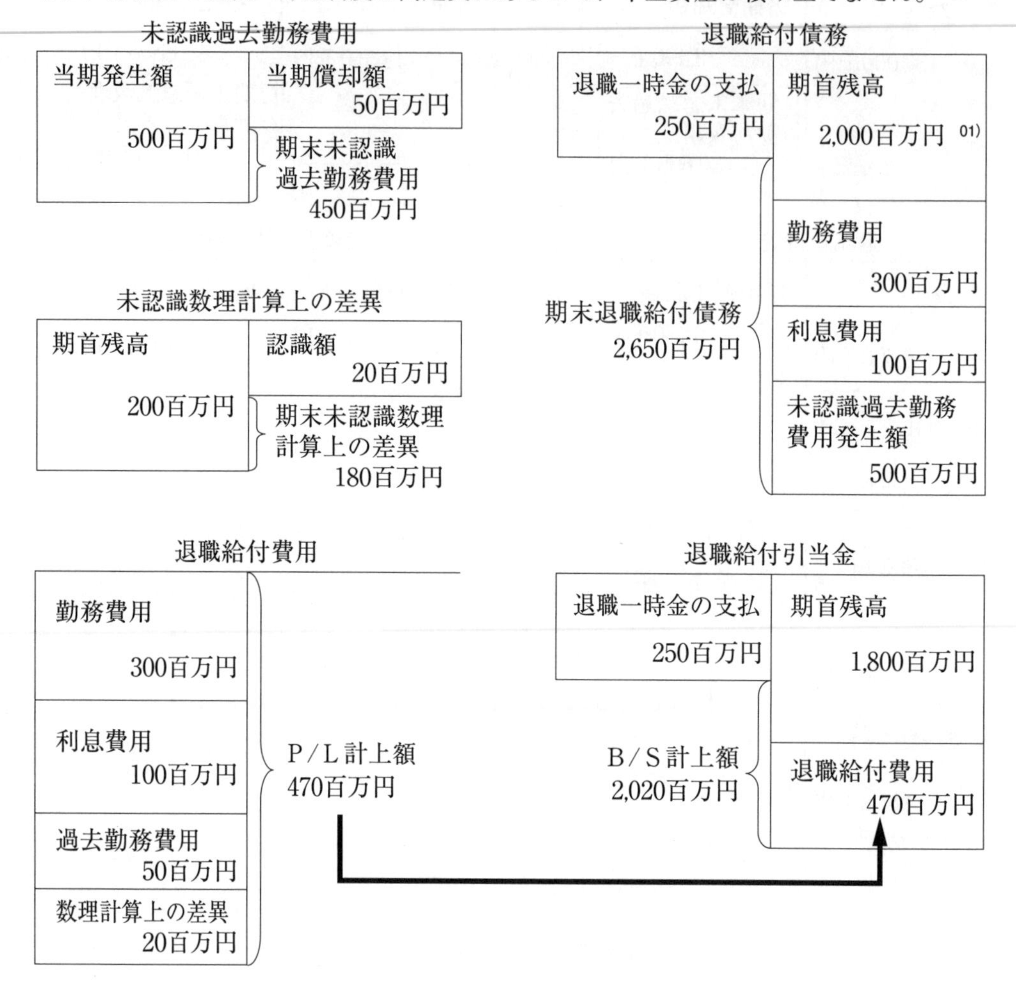

01）期首退職給付債務：1,800百万円＋200百万円＝2,000百万円
この数字は算定しなくても解答は求められます。

問題9　解答

問1

前期末における貸借対照表の退職給付引当金	*188,020*	千円
前期末における損益計算書の退職給付費用	*6,620*	千円

問2

当期末における貸借対照表の退職給付引当金	*189,995*	千円
当期末における損益計算書の退職給付費用	*4,475*	千円

解説

Ⅰ　前期の計算

1．主な計算

(1)　利息費用：400,000 千円 × 3 % = 12,000 千円

(2)　期待運用収益：200,000 千円 × 7 % = 14,000 千円

(3)　費用処理

過去勤務費用：400 千円 ÷ 20 年 = 20 千円

2．集　計（単位：千円）

年　金　資　産

借方		貸方	
(首)	200,000	年金	2,500
収益	14,000	修正後	230,000
掛金	18,000		
数理	**500**		

退職給付債務

借方		貸方	
一時金	600	(首)	400,000
年金	2,500	勤務	8,600
修正後	420,000	利息	12,000
		過去	400
		数理	**2,100**

退職給付費用

借方		貸方	
勤務	8,600	収益	14,000
利息	12,000		
過去	20		

過去勤務費用

借方		貸方	
発生	400	費用	20

数理差異

借方		貸方	
債務	**2,100**	**資産**	**500**

引　当　金

借方		貸方	
資　産	230,000	債　務	420,000
過去費用	380		
数理差異	1,600		
	188,020		

Ⅱ　当期の計算

1．主な計算

(1)　利息費用：420,000千円×3％＝12,600千円

(2)　期待運用収益：230,000千円×7％＝16,100千円

(3)　費用処理

数理計算上の差異：前期発生分（2,100千円－500千円）÷20年＝80千円

過去勤務費用：

前期発生分：前期と同額＝20千円

当期発生分：500千円÷20年＝25千円

2．集　計（単位：千円）

年金資産

借方		貸方	
(首)	230,000	年金	3,200
収益	16,100	**数理**	**3,400**
掛金	2,500	**修正後**	**242,000**

退職給付債務

借方		貸方	
年金	3,200	(首)	420,000
過去	500	勤務	7,900
数理	**2,800**	利息	12,600
修正後	**434,000**		

退職給付費用

借方		貸方	
勤務	7,900	収益	16,100
利息	12,600	過去	25
過去	20		
数理	80		

過去勤務費用

借方		貸方	
(首)	380	費用	20
費用	25	発生	500

数理差異

借方		貸方	
(首)	1,600	費用	80
資産	3,400	債務	2,800

引　当　金

借方		貸方	
資　産	242,000		
数理差異	2,120	債　務	434,000
	189,995	過　去	115

退職給付引当金に関するワークシート（単位：千円）

	実際 ×1/4/1	退職給付 費用	年金／掛金 支払額	予測 ×2/3/31	数理計算 上の差異	実際 ×2/3/31
退職給付債務	(20,000)	S (1,400) I (1,000)	P 400	(22,000)	AGL (200)	(22,200)
年金資産	14,000	R 560	P (400) C 1,320	15,480	AGL 120	15,600
未積立退職給付債務	(6,000)			(6,520)		(6,600)
未認識数理計算上の差異	(200)	A 20		(180)	80	(100)
退職給付引当金	(6,200)	(1,820)	1,320	(6,700)	0	(6,700)

解説

1．期首（実際×1/4/1）

(1) 未積立退職給付債務

6,200千円（退職給付引当金）－200千円（未認識数理計算上の差異）＝6,000千円

(2) 年金資産

20,000千円（退職給付債務）－6,000千円（未積立退職給付債務）＝14,000千円

2．退職給付費用

(1) 利息費用

20,000千円（退職給付債務）×5％（割引率）＝1,000千円

(2) 期待運用収益

14,000千円（年金資産）×4％（長期期待運用収益率）＝560千円

(3) 未認識数理計算上の差異の償却額

200千円（期首残高）÷10年＝20千円

(4) 退職給付費用

1,400千円（勤務費用）＋1,000千円（利息費用）－560千円（期待運用収益）－20千円（数理差異償却）＝1,820千円（退職給付引当金の増加）

3．年金／掛金支払額

掛金拠出額：1,320千円（退職給付引当金の減少）

なお、年金支払額400千円は退職給付債務と年金資産の減少となりますが、退職給付引当金は増減しません。

4．期末（予測×2/3/31）

(1) 退職給付債務

20,000千円（期首残高）＋1,400千円（勤務費用）＋1,000千円（利息費用）－400千円（年金支払額）＝22,000千円

(2) 年金資産

14,000千円（期首残高）＋560千円（期待運用収益）－400千円（年金支払額）＋1,320千円（掛金拠出額）＝15,480千円

(3) 未積立退職給付債務

22,000千円（退職給付債務）－15,480千円（年金資産）＝6,520千円

(4) 未認識数理計算上の差異

200千円（期首残高）－20千円（数理差異償却）＝180千円

(5) 退職給付引当金

6,520千円（未積立退職給付債務）＋180千円（未認識数理計算上の差異）＝6,700千円

5．数理計算上の差異（当期発生額）

(1) 退職給付債務

22,200千円（期末実際）－22,000千円（期末予測）＝200千円（増加）

(2) 年金資産

15,600千円（期末実際）－15,480千円（期末予測）＝120千円（増加）

6．期末（実際×2/3/31）

(1) 未積立退職給付債務

22,200千円（退職給付債務）－15,600千円（年金資産）＝6,600千円

(4) 未認識数理計算上の差異

180千円（期末予測）－80千円（数理差異発生）＝100千円

(5) 退職給付引当金

6,600千円（未積立退職給付債務）＋100千円（未認識数理計算上の差異）＝6,700千円

問題11 解答

決算整理後残高試算表 （単位：円）

勘定科目	金額	勘定科目	金額
退職給付費用	(*4,450,000*)	退職給付引当金	(*42,780,000*)

解説

本問は退職給付会計にかかる簡便法の問題です。「自己都合要支給額－企業年金資産の時価」が退職給付引当金となる点に注意しましょう。

なお、本試験では用語の使い方が多少違うこともありますが、冷静に対応しましょう。

(1) 退職給付引当金の計算

期末退職給付引当金：

期末自己都合要支給額－期末企業年金資産の時価

＝74,320,000円（期末自己都合要支給額）－31,540,000円（期末企業年金資産の時価）＝42,780,000円

(2) 退職給付費用の計算

退職金および企業年金拠出金の支払いにより、**『退職給付引当金』**を取り崩しています。

退職給付にかかる支出額：

3,860,000円＋7,200,000円＝11,060,000円

（借）退職給付引当金（年金資産・退職給付債務） 11,060,000 （貸）現金預金 11,060,000

退職給付費用：

期末退職給付引当金－（期首退職給付引当金－当期引当金取崩額）

＝42,780,000円（期末退職給付引当金）－（49,390,000円（期首退職給付引当金）－11,060,000円（当期引当金取崩額））

＝4,450,000円

（借）退職給付費用 4,450,000 （貸）退職給付引当金 4,450,000

問題12 解答

(1)	*6,060* 千円	(2)	*860* 千円

解説

退職給付費用は、差異が存在しない場合は次のように計算します。

退職給付費用＝勤務費用＋利息費用－期待運用収益

退職給付費用：

780千円（勤務費用）＋320千円（利息費用）－240千円（期待運用収益）＝860千円

退職給付引当金：

5,200千円（決算整理前）＋860千円（退職給付費用）＝6,060千円

これを仕訳で示すと、次のようになります（単位：千円）。

（借）退職給付費用 860 （貸）退職給付引当金 860

また、勘定連絡図で示すと、次のようになります。

【勘定連絡図】

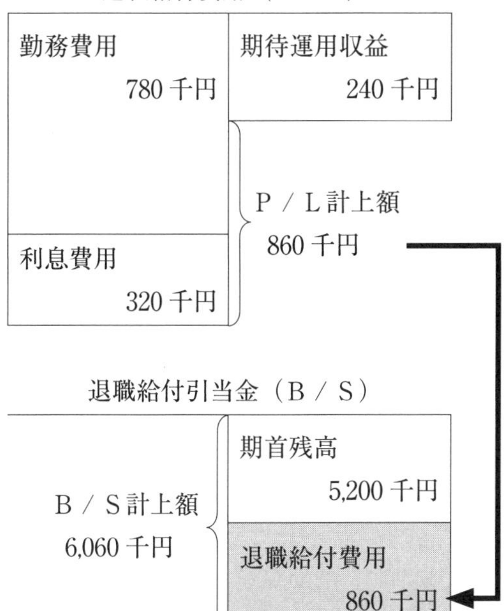

問題13 解答

(1)	13,300 千円	(2)	1,900 千円

解説

仕訳（単位：千円）

資料にもとづいて仕訳を示すと、次のようになります。

勤務費用：1,200 千円（資料2－3より）

利息費用：22,000 千円（前期末退職給付債務）× 0.05（割引率）＝ 1,100 千円

期待運用収益：

10,000 千円（前期末年金資産） × 0.04（長期期待運用収益率）＝ 400 千円

(借)			(貸)		
(借)	退職給付費用（勤務費用）	1,200	(貸)	退職給付引当金（退職給付債務）	1,200
(借)	退職給付費用（利息費用）	1,100	(貸)	退職給付引当金（退職給付債務）	1,100
(借)	退職給付引当金（年金資産）	400	(貸)	退職給付費用（期待運用収益）	400
(借)	退職給付引当金（年金資産）	600	(貸)	現金預金など	600
(借)	退職給付引当金（退職給付債務）	800	(貸)	退職給付引当金（年金資産）	800

勘定連絡

仕訳にもとづいて勘定連絡図を作成すると、次のようになります。

ワークシート

ワークシートにまとめると、次のようになります。

(単位：千円)

	期首実際残高	退職給付費用	年金／掛金支払額等	期末予測残高	数理計算上の差異	期末実際残高
退職給付債務	(22,000)	(1,200) (1,100)	800	(23,500)	—	(23,500)
年　金　資　産	10,000	400	(800) 600	10,200	—	10,200
退職給付引当金	(12,000)	(1,900)	600	(13,300)	—	(13,300)

以上の結果をまとめて、解答の金額を算定します。

①当期末退職給付債務：22,000千円(期首退職給付債務)＋1,200千円(勤務費用)＋1,100千円(利息費用)－800千円(年金給付)＝23,500千円

②当期末年金資産：10,000千円(期首年金資産)＋400千円(期待運用収益)＋600千円(掛金拠出)－800千円(年金給付)＝10,200千円

③当期末退職給付引当金：①23,500千円－②10,200千円＝13,300千円 …(1)

④退職給付費用：1,200千円(勤務費用)＋1,100千円(利息費用)－400千円(期待運用収益)＝1,900千円 …(2)

(1)	*318,800* 千円	(2)	*38,800* 千円

解説

仕訳(単位:千円)

資料にもとづいて仕訳を示すと、次のようになります。

勤務費用:23,000千円(資料2-4より)

利息費用:480,000千円(前期末退職給付債務)×0.04(割引率)=19,200千円

期待運用収益:

195,000千円(前期末年金資産) × 0.02(長期期待運用収益率)=3,900千円

数理計算上の差異の費用処理額:

5,000千円(前期末未認識数理計算上の差異) ÷ 10年(平均残存勤務期間)=500千円

借方	金額	貸方	金額
(借) 退職給付費用(勤務費用)	23,000	(貸) 退職給付引当金(退職給付債務)	23,000
(借) 退職給付費用(利息費用)	19,200	(貸) 退職給付引当金(退職給付債務)	19,200
(借) 退職給付引当金(年金資産)	3,900	(貸) 退職給付費用(期待運用収益)	3,900
(借) 退職給付費用	500	(貸) 退職給付引当金(未認識数理計算上の差異)	500
(借) 退職給付引当金(退職給付債務)	18,000	(貸) 退職給付引当金(年金資産)	18,000

数理計算上の差異の当期発生額

①退職給付債務

(i)見積額:480,000千円+(23,000千円+19,200千円)-18,000千円=504,200千円

(ii)実際額:530,000千円(資料2-8より)

数理計算上の差異:

504,200千円(i)-530,000千円(ii)

=△25,800千円(借方差異)

②年金資産

(i)見積額:195,000千円+3,900千円-18,000千円=180,900千円

(ii)実際額:200,000千円(資料2-9より)

数理計算上の差異:

200,000千円(i)-180,900千円(ii)=19,100千円(貸方差異)

③数理計算上の差異当期発生額

△25,800千円(①(借方差異))+19,100千円(②(貸方差異))=△6,700千円(借方差異)

勘定連絡図

仕訳にもとづいて勘定連絡図を作成すると、次のようになります。

退職給付費用

借方	貸方
勤務費用 23,000千円	期待運用収益 3,900千円
利息費用 19,200千円	P/L計上 退職給付費用 38,800千円
数理計算上の差異 500千円	

退職給付引当金

借方	貸方
B/S計上 退職給付引当金 318,800千円	期首残高 280,000千円
	退職給付費用 38,800千円

年金資産

借方	貸方
期首残高 195,000千円	年金の支給 18,000千円
期待運用収益 3,900千円	期末年金資産 200,000千円
数理計算上の差異 19,100千円	

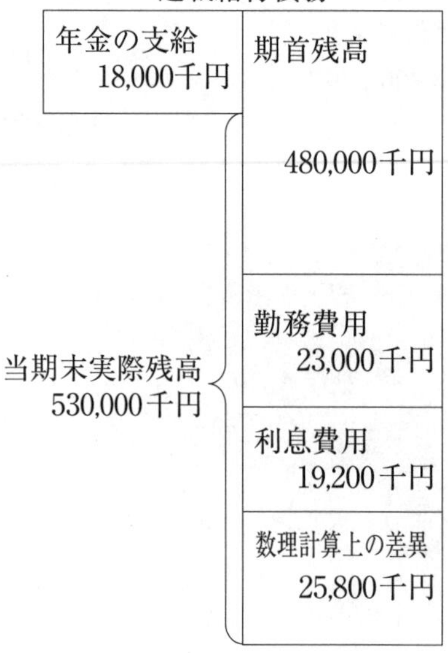

未認識数理計算上の差異

借方	貸方
期首残高 5,000千円	当期償却額 500千円
当期発生額 6,700千円	

ワークシート

差異が発生する場合のワークシートは、次のとおりです。

（単位：千円）

	期首実際残高	退職給付費用	年金／掛金支払額等	期末予測残高	数理計算上の差異	期末実際残高
退職給付債務	(480,000)	(23,000) (19,200)	18,000	(504,200)	(25,800)	(530,000)
年金資産	195,000	3,900	(18,000)	180,900	19,100	200,000
未積立退職給付債務	(285,000)			(323,300)		(330,000)
未認識数理計算上の差異	5,000	(500)		4,500	6,700	11,200
退職給付引当金	(280,000)	(38,800)	0	(318,800)	0	(318,800)

以上の結果をまとめて、解答の金額を算定します。

①当期末退職給付債務：480,000千円（期首退職給付債務）＋(23,000千円（勤務費用）＋19,200千円（利息費用））－18,000千円（年金給付）＋25,800千円（数理計算上の差異）＝530,000千円

②当期末年金資産：195,000千円（期首年金資産）＋3,900千円（期待運用収益）－18,000千円（年金給付）＋19,100千円（数理計算上の差異）＝200,000千円

③未認識数理計算上の差異：5,000千円（期首残高）＋6,700千円（当期発生額）－500千円（当期償却額）＝11,200千円

④退職給付費用：23,000千円（勤務費用）＋19,200千円（利息費用）－3,900千円（期待運用収益）＋500千円（当期償却額）＝38,800千円 …(2)

⑤退職給付引当金：280,000千円＋38,800千円＝318,800千円 …(1)

問題15 解答

繰延税金資産	52,050	千円
法人税等調整額	△ 15,150	千円

解説

(1)その他有価証券

①K社社債

まず、償却原価法を適用し、その後時価評価を行います。

(借) 投資有価証券 1,040 (貸) 有価証券利息 1,040 01)

01) (60,000千円－54,800千円) × $\frac{12カ月}{60カ月}$ ＝1,040千円

(借) 繰延税金資産 300 03) (貸) 投資有価証券 1,000 02)
その他有価証券評価差額金 700 04)

02) 54,840千円－(54,800千円＋1,040千円) ＝△1,000千円（評価差損）

03) 1,000千円×0.3＝300千円

04) 1,000千円－300千円＝700千円

②Y社株式

(借) 投資有価証券 3,000 05) (貸) 繰延税金負債 900 06)
その他有価証券評価差額金 2,100 07)

05) 23,000千円－20,000千円＝3,000千円

06) 3,000千円×0.3＝900千円

07) 3,000千円－900千円＝2,100千円

(2)事業税

①前期分

前期分事業税は当期に納付することにより損金算入され、差異が解消します。

(借) 法人税等調整額 3,750 (貸) 繰延税金資産 3,750

②当期分

(借) 繰延税金資産	5,400	(貸) 法人税等調整額	5,400 [08)]

08) 18,000 千円× 0.3 － 5,400 千円

⑶将来加算一時差異

(借) 法人税等調整額	3,000 [09)]	(貸) 繰延税金負債	3,000

09) 10,000 千円× 0.3 ＝ 3,000 千円

⑷修繕引当金

問題文の指示より税効果会計を適用します。

(借) 繰延税金資産	6,000	(貸) 法人税等調整額	6,000 [10)]

10) 20,000 千円× 0.3 ＝ 6,000 千円

⑸退職給付引当金

(借) 繰延税金資産	9,000	(貸) 法人税等調整額	9,000 [11)]

11) 30,000 千円× 0.3 － 9,000 千円

⑹減損損失

(借) 繰延税金資産	1,500	(貸) 法人税等調整額	1,500 [12)]

12) 5,000 千円× 0.3 ＝ 1,500 千円

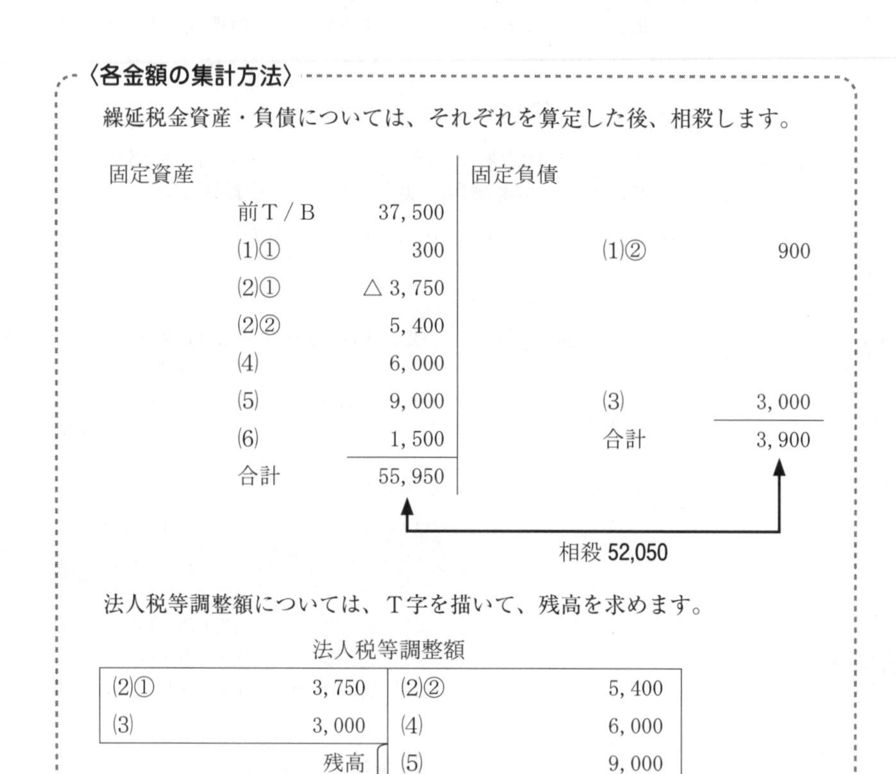

〈各金額の集計方法〉

繰延税金資産・負債については、それぞれを算定した後、相殺します。

固定資産		固定負債	
前T / B	37, 500		
⑴①	300	⑴②	900
⑵①	△ 3, 750		
⑵②	5, 400		
⑷	6, 000		
⑸	9, 000	⑶	3, 000
⑹	1, 500	合計	3, 900
合計	55, 950		

相殺 **52,050**

法人税等調整額については、T字を描いて、残高を求めます。

法人税等調整額

⑵①	3, 750	⑵②	5, 400
⑶	3, 000	⑷	6, 000
残高		⑸	9, 000
15,150		⑹	1, 500

Chapter 7 引当金

問題1 解答

(単位：千円)

	借方科目	金　　額	貸方科目	金　　額
(1)	特別修繕引当金繰入	30,000	特別修繕引当金	30,000
(2)	特別修繕引当金繰入	30,000	特別修繕引当金	30,000
(3)	特別修繕引当金	60,000	未　払　金	57,000
			特別修繕引当金戻入	3,000

解説

一定期間ごとに行われる特別の大修繕に備えて設定される引当金が特別修繕引当金です。基本的な会計処理は、ほかの引当金と同じです。

ただし、本問では特別修繕引当金以下の金額で実際の修繕が行われています。この場合は、特別修繕引当金の過大額を『**特別修繕引当金戻入**』として処理します。

問題2 解答

(1)×５年３月31日　(単位：千円)

借方科目	金　　額	貸方科目	金　　額
特別修繕引当金繰入	100,000	特別修繕引当金	100,000

(2)×６年３月31日　(単位：千円)

借方科目	金　　額	貸方科目	金　　額
特別修繕引当金繰入	100,000	特別修繕引当金	100,000

(3)×７年１月31日　(単位：千円)

借方科目	金　　額	貸方科目	金　　額
特別修繕引当金	200,000	現　金　預　金	100,000
修　　繕　　費	100,000	営業外支払手形	200,000

解説

特別修繕引当金を設定しなければならない場合、通常は問題文に特別修繕引当金を設定する旨の指示があるので、その指示に従ってください。

なお、特別修繕引当金は固定負債に計上するのが通常ですが、特別修繕引当金の対象となる修繕の行われる時期が明確になっている場合は、一年基準により流動負債・固定負債に分類することもあります。その点については、問題文をよく読んで判断しなければなりません。

また、『**特別修繕引当金繰入**』は損益計算書上、通常の『**修繕費**』と同じく販売費及び一般管理費の区分に表示します。

問題3 解答

(単位：千円)

借方科目	金　　額	貸方科目	金　　額
債務保証損失引当金繰入	2,000	債務保証損失引当金	2,000

解説

債務保証による損失の発生可能性が高くなったときには、債務保証損失引当金を設定します。『**債務保証損失引当金繰入**』の損益計算書上の表示を問われた場合には、問題文の指示に従ってください。

なお、『**債務保証損失引当金**』の貸借対照表上の表示についても、流動負債・固定負債のいずれの表示区分も考えられるため、問題文の指示に従ってください。そのさい、一年基準を適用して判断しなければならない場合も考えられるため、注意してください。

問題4　解答

（単位：千円）

借方科目	金　額	貸方科目	金　額
損害補償損失引当金繰入	1,500	損害補償損失引当金	1,500

解説

訴訟などの係争案件により損害賠償義務の生じる可能性が高い場合は、その損失の見積額を損害補償損失引当金として設定します。

『損害補償損失引当金繰入』の損益計算書上の表示は、問題の指示に従ってください。

また、**『損害補償損失引当金』**についても、貸借対照表上の流動負債・固定負債のいずれの区分に表示するかは、問題文に指示されるのが通常なので、その指示に従ってください。

問題5　解答

貸借対照表

×20年3月31日　（単位：千円）

負債の部	
科　目	金　額
Ⅰ 流動負債	
修繕引当金	（ 15,000 ）
Ⅱ 固定負債	
特別修繕引当金	（ 30,000 ）
債務保証損失引当金	（ 5,000 ）

損益計算書

自×19年4月1日
至×20年3月31日　（単位：千円）

科　目	金　額
Ⅲ 販売費及び一般管理費	
修繕費	（ 2,000 ）
修繕引当金繰入額	（ 15,000 ）
特別修繕引当金繰入額	（ 30,000 ）
Ⅴ 営業外費用	
債務保証損失引当金繰入額	（ 5,000 ）

解説

1　当期修繕の修正仕訳

(1)　倉庫の定期修繕

資料より、定期修繕に対しては修繕引当金8,000千円が設定されているため、**『修繕費』**ではなく、**『修繕引当金』**の取崩しとして処理する必要があります。

①正しい仕訳

（借）修繕引当金　8,000　（貸）現金預金　8,000

②当社の仕訳（誤った仕訳）

（借）修繕費　8,000　（貸）現金預金　8,000

③修正仕訳

（借）修繕引当金　8,000　（貸）修繕費　8,000

(2)本社建物の大規模修繕

資料より、大規模修繕に対しては特別修繕引当金50,000千円が設定されているため、引当金が設定されている部分については、引当金を取り崩します。**『特別修繕引当金』**の不足額については、**『修繕費』**として処理します。

①正しい仕訳

（借）修繕引当金　50,000　（貸）現金預金　52,000
　　　修繕費　2,000

②当社の仕訳（誤った仕訳）

（借）修繕費　52,000　（貸）現金預金　52,000

③修正仕訳

（借）特別修繕引当金　50,000　（貸）修繕費　50,000

2　修繕引当金の設定

修繕引当金は、当期に行うべき修繕を翌期にまとめて行う場合など、翌期に行う修繕であっても当期に行うべき修繕に対応する金額を当期の費用として計上する引当金です。繰入額は、**販売費及び一般管理費に『修繕引当金繰入額』**として計上します。今回の問題では修繕引当金を15,000千円設定します。

（借）修繕引当金繰入　15,000　（貸）修繕引当金　15,000

3　特別修繕引当金の設定

船舶などに対して数年間に一度行われる大規模な修繕に対しての引当金は特別修繕引当金を設定します。繰入額は損益計算書の**販売費及び一般管理費**に**『特別修繕引当金繰入額』**として計上し、貸借対照表は固定負債に**『特別修繕引当金』**として表示します。

（借）修繕引当金繰入　30,000　（貸）特別修繕引当金　30,000

4　債務保証損失引当金の設定

得意先の銀行借入に対する債務保証による損失の可能性が高まったために、当該損失に備えて引当金の計上を行います。本問では解答欄にあらかじめ科目が記入されているので、**『債務保証損失引当金繰入額』**は**営業外費用**に計上し、**『債務保証損失引当金』**は**固定負債**に表示します。

（借）債務保証損失引当金繰入　5,000　（貸）債務保証損失引当金　5,000

Chapter 8 社債

問題1 解答

(単位：千円)

	借方科目	金　額	貸方科目	金　額
(1)	現金預金	*291,000*	社　　債	*291,000*
(2)	社債利息	*7,500*	現金預金	*7,500*
	社債利息	*1,376*	社　　債	*1,376*
(3)	社債利息	*7,500*	現金預金	*7,500*
	社債利息	*1,417*	社　　債	*1,417*

解説

(1) 発行時は、払込金額（発行価額）を『**社債**』の貸方に記入します。

発行価額：300,000千円×$\frac{@97円}{@100円}$＝291,000千円

(2) 償却原価法（利息法）により処理するため、利払日に発行差額の償却に関する処理も行います。なお、利払いが年２回であるため、月割計算により半年分の利息をもとに計算します。

利息配分額：291,000千円×0.061×$\frac{6カ月}{12カ月}$
＝8,875.5千円
→8,876千円（千円未満四捨五入）

利札支払額：300,000千円×0.05×$\frac{6カ月}{12カ月}$
＝7,500千円

償却額：8,876千円－7,500千円＝1,376千円

(3) 前回の利払日の処理により、社債の帳簿価額が増加している点に注意しましょう。

利息配分額：292,376千円×0.061×$\frac{6カ月}{12カ月}$
＝8,917.468千円
→8,917千円（千円未満四捨五入）

利札支払額：300,000千円×0.05×$\frac{6カ月}{12カ月}$
＝7,500千円

償却額：8,917千円－7,500千円＝1,417千円

なお、発行から償還までの金額の推移を表にまとめると、次のようになります。

(単位：千円)

年月日	利息配分額	利札支払額	償却額	償却原価(帳簿価額)
×1. 4. 1	―	―	―	291,000
×1. 9. 30	8,876	7,500	1,376	292,376
×2. 3. 31	8,917	7,500	1,417	293,793
×2. 9. 30	8,961	7,500	1,461	295,254
×3. 3. 31	9,005	7,500	1,505	296,759
×3. 9. 30	9,051	7,500	1,551	298,310
×4. 3. 31	9,190	7,500	1,690 [01]	300,000

01）最終利払日の償却額は端数処理の影響で一致しないため、調整しています。

問題2 解答

決算整理後残高試算表 (単位：千円)

勘定科目	金　額	勘定科目	金　額
社債発行費	(*1,054*)	未払費用	(*729*)
社債利息	(*1,021*)	社　　債	(*46,792*)

解説

(以下、仕訳の単位：千円)

(1) 発行に関する仕訳

前T／Bの社債の金額は、社債の発行価額から社債発行費を差し引いた金額であるため、前T／Bに計上された社債の金額と発行価額との差額を、『**社債発行費**』として計上します。

①誤った仕訳

(借) 現金預金 45,446　(貸) 社　　債 45,446

②適正な仕訳 [01]

(借) 現金預金 45,446 [01]　(貸) 社　　債 46,500 [02]
　　社債発行費 1,054 [03]

01）適正な仕訳の現金預金勘定は、誤った仕訳との比較のしやすさから、社債の発行による払込金額と社債発行費の支出額を相殺させて記入しています。
02）@ 93 千円× 500 口＝ 46,500 千円
03）46,500 千円－ 45,446 千円＝ 1,054 千円

③修正仕訳

(借)		(貸)	
社債発行費	1,054	社　　債	1,054

⑵ 償却原価法の処理

(借)		(貸)	
社債利息	292 [04]	社　　債	292

04）（@ 100 千円－@ 93 千円）× 500 口× $\frac{5カ月}{60カ月}$
≒ 292 千円（千円未満四捨五入）

⑶利息の見越計上

(借)		(貸)	
社債利息	729 [05]	未払費用	729

05）50,000 千円× 0.035 × $\frac{5カ月}{12カ月}$
≒ 729 千円（千円未満四捨五入）

⑷後Ｔ／Ｂの金額の集計

社　　債：45,446 千円＋ 1,054 千円＋ 292 千円
＝ 46,792 千円
社債利息：292 千円＋ 729 千円＝ 1,021 千円
社債発行費：1,054 千円
未払費用：729 千円

問題3　

ア	5.4
イ	47,545

解説

（以下、仕訳の単位：千円）

⑴ 実効利子率の算定

前Ｔ／Ｂの『**社債利息**』から、第２回の利払いに関する仕訳を控除して＊ 01）第１回の利払日における仕訳を考え、そこから逆算して、実効利子率を求めます。

01）資料より、前Ｔ／Ｂの社債利息の金額は、第１回利払日の利息配分額（支払額＋償却額）と、第２回利払日の利札支払額の合計額だと判明しています。

発行価額：50,000 千円× $\frac{@94円}{@100円}$ ＝ 47,000 千円

第１回利払日（×１年９月 30 日）の仕訳

(借)		(貸)	
社債利息	1,269 [02]	現金預金	1,000 [03]
		社　　債	269 [04]

02）2,269 千円－ 1,000 千円＝ 1,269 千円
03）50,000 千円× 0.04 × $\frac{6カ月}{12カ月}$ ＝ 1,000 千円
04）1,269 千円－ 1,000 千円＝ 269 千円

上記の仕訳をもとに、実効利子率をｒ（％）とおくと、

利息配分額：47,000 千円×ｒ（％）× $\frac{6カ月}{12カ月}$
＝ 1,269 千円

よって、ｒ＝ 5.4％（空欄ア）

⑵ 第２回利払日の処理および後Ｔ／Ｂの金額の計算

①第２回利払日の処理

額面利息の支払いに関する処理しか行われていませんが、償却原価法（利息法）では、同時に償却額の計上も行う必要があるため、その仕訳を行います。

(i) 誤った仕訳

(借)		(貸)	
社債利息	1,000 [05]	現金預金	1,000

05）50,000 千円× 0.04 × $\frac{6カ月}{12カ月}$ ＝ 1,000 千円

(ii) 正しい仕訳

(借)		(貸)	
社債利息	1,000 [05]	現金預金	1,000
社債利息	276 [06]	社　　債	276

06）47,269 千円× 0.054 × $\frac{6カ月}{12カ月}$ － 1,000 千円
＝ 276.263 千円 → 276 千円（千円未満四捨五入）

(iii) 修正仕訳

(借)		(貸)	
社債利息	276	社　　債	276

以上の仕訳より、
後Ｔ／Ｂ・社債：47,269 千円＋ 276 千円
＝ 47,545 千円（空欄イ）

問題4　解答

（単位：千円）

	借方科目	金額	貸方科目	金額
1	社債利息	375	社債	375
	社債	295,875	現金預金	297,000
	社債償還損	1,125		
	社債利息	1,000	現金預金	1,000
2	社債利息	250	社債	250
	社債	49,275	現金預金	49,250
	社債利息	125	社債償還益	150

解説

1　裸相場による買入償還

①期首の社債の帳簿価額

期首社債帳簿価額：

$$300{,}000\text{千円}\times\frac{@95.5\text{円}}{@100\text{円}}+300{,}000\text{千円}\times\frac{@100\text{円}-@95.5\text{円}}{@100\text{円}}\times\frac{48\text{カ月}}{72\text{カ月}}=295{,}500\text{千円}$$

②当期の発行差額の償却

当期償却額：

$$300{,}000\text{千円}\times\frac{@100\text{円}-@95.5\text{円}}{@100\text{円}}\times\frac{2\text{カ月}}{72\text{カ月}}=375\text{千円}$$

償還時点での社債の帳簿価額：

295,500千円（①）＋375千円（②）＝295,875千円

③社債償還損益の計算

買入価額：

$$300{,}000\text{千円}\times\frac{@99\text{円}}{@100\text{円}}=297{,}000\text{千円}$$

社債償還損益：

295,875千円－297,000千円＝△1,125千円
（社債償還損）

④端数利息の計算

端数利息：

$$300{,}000\text{千円}\times0.02\times\frac{2\text{カ月}}{12\text{カ月}}=1{,}000\text{千円}$$

2　利付相場による買入償還[01)]

①期首の社債の帳簿価額

期首社債帳簿価額：

$$@97\text{千円}\times500\text{口}+(@100\text{千円}-@97\text{千円})\times500\text{口}\times\frac{21\text{カ月}}{60\text{カ月}}=49{,}025\text{千円}$$

②当期の発行差額の償却

当期償却額：

$$(@100\text{千円}-@97\text{千円})\times500\text{口}\times\frac{10\text{カ月}}{60\text{カ月}}=250\text{千円}$$

償還時点での社債の帳簿価額：

49,025千円（①）＋250千円（②）＝49,275千円

01）社債の取引に関する資料が「口数」を単位としていた場合、額面金額や発行価額などは、1口あたりの金額に口数を掛けることで計算します。

③社債償還損益の計算

利付相場での買入価額には端数利息が含まれているため、それを控除した買入価額（つまり裸相場）と買入償還時の社債の帳簿価額を比較して社債償還損益を計算します。

（利付相場による）買入価額：

@98.5千円×500口＝49,250千円

端数利息：

$$@100\text{千円}\times500\text{口}\times0.03\times\frac{1\text{カ月}}{12\text{カ月}}=125\text{千円}$$

（裸相場による）買入価額：

49,250千円－125千円＝49,125千円

社債償還損益：

49,275千円－49,125千円＝150千円
（社債償還益）

問題5　解答

決算整理後残高試算表　（単位：千円）

勘定科目	金　額	勘定科目	金　額
社債利息	（　560）	社　　債	（　11,820）
		社債償還益	（　180）

解説

（以下、仕訳の単位：千円）

(1)　前期末の社債勘定の計算

既償却額：

$$20{,}000\text{千円} \times \frac{@100\text{円} - @97\text{円}}{@100\text{円}} \times \frac{24\text{カ月}}{72\text{カ月}}$$

$= 200$ 千円

前期末社債：

$$20{,}000\text{千円} \times \frac{@97\text{円}}{@100\text{円}} + 200\text{千円}$$

$= 19{,}600$ 千円

(2)　9月30日の処理（利払日・買入償還日）

①買入償還分

(借)	社債利息	20 [01]	(貸)	社　　債	20
(借)	社　　債	7,860 [02]	(貸)	現金預金	7,680 [03]
				社債償還益	180
(借)	社債利息	120 [04]	(貸)	現金預金	120

01) $8{,}000\text{千円} \times \frac{@100\text{円} - @97\text{円}}{@100\text{円}} \times \frac{6\text{カ月}}{72\text{カ月}}$

$= 20$ 千円

02) $19{,}600\text{千円} \times \frac{8{,}000\text{千円}}{20{,}000\text{千円}} + 20\text{千円}$

$= 7{,}860$ 千円

03) $8{,}000\text{千円} \times \frac{@96\text{円}}{@100\text{円}} = 7{,}680\text{千円}$

04) $8{,}000\text{千円} \times 0.03 \times \frac{6\text{カ月}}{12\text{カ月}} = 120\text{千円}$

②残存分

(借)	社債利息	180 [05]	(貸)	現金預金	180

05) $(20{,}000\text{千円} - 8{,}000\text{千円}) \times 0.03 \times \frac{6\text{カ月}}{12\text{カ月}}$

$= 180$ 千円

(3)　3月31日の処理（利払日・決算日）

①利払いの処理

(借)	社債利息	180 [06]	(貸)	現金預金	180

06) $(20{,}000\text{千円} - 8{,}000\text{千円}) \times 0.03 \times \frac{6\text{カ月}}{12\text{カ月}}$

$= 180$ 千円

②償却原価法の処理

(借)	社債利息	60 [07]	(貸)	社　　債	60

07) $(20{,}000\text{千円} - 8{,}000\text{千円}) \times \frac{@100\text{円} - @97\text{円}}{@100\text{円}}$

$\times \frac{12\text{カ月}}{72\text{カ月}} = 60\text{千円}$

(4)　後T／Bの金額の集計

社　　債：

19,600 千円＋ 20 千円－ 7,860 千円＋ 60 千円

＝ 11,820 千円

社債利息：

20 千円＋ 120 千円＋ 180 千円＋ 180 千円

＋ 60 千円＝ 560 千円

社債償還益：180 千円

問題6　解答

貸借対照表　(単位：千円)

資産の部		負債の部	
科目	金額	科目	金額
⋮	⋮	Ⅰ 流動負債	
Ⅲ 繰延資産		〔**未払費用**〕	(750)
〔**社債発行費**〕	(2,040)	Ⅱ 固定負債	
		〔**社　債**〕	(193,200)

損益計算書 (単位：千円)

科目	金額
⋮	⋮
Ⅴ 営業外費用	
〔**社債利息**〕	(3,450)
〔**社債発行費償却**〕	(360)

解説

社債の基本的な会計処理および表示が問われています。社債については、付随した論点として繰延資産（社債発行費）の償却や、社債利息の見越計上が問われる可能性が高いので、あわせて確認しておきましょう。

(1) 償却原価法の処理

社債の発行差額について、償却原価法（定額法）で処理する場合は、当期の償却額を決算整理仕訳で計上します。償却額は、特に指示がない限り『**社債利息**』に含めて表示します。

社債発行差額の償却額：

$$(200{,}000\text{千円} - 192{,}000\text{千円}) \times \frac{9\text{カ月}}{60\text{カ月}} = 1{,}200\text{千円}$$

(借) 社債利息 1,200　(貸) 社　　債 1,200

(2) 社債発行費の償却

社債発行費を繰延資産として計上した場合は、決算日に償却を行います。『**社債発行費償却**』は、営業外費用に計上します。

社債発行費償却：

$$2{,}400\text{千円} \times \frac{9\text{カ月}}{60\text{カ月}} = 360\text{千円}$$

(借) 社債発行費償却 360　(貸) 社債発行費 360

(3) 社債利息の見越計上

本問では、社債の利払日と決算日が異なるため、社債利息の見越計上を行います。

未払費用（未払社債利息）：

$$200{,}000\text{千円} \times 0.015 \times \frac{3\text{カ月}}{12\text{カ月}} = 750\text{千円}$$

(借) 社債利息 750　(貸) 未払費用 750

貸借対照表　(単位：千円)

資産の部		負債の部	
科目	金額	科目	金額
		⋮	⋮
		Ⅱ 固定負債	
		〔社債〕	(343,000)

損益計算書 (単位：千円)

科目	金額
⋮	⋮
Ⅴ 営業外費用	
〔社債利息〕	(19,125)
⋮	⋮
Ⅶ 特別損失	
〔社債償還損〕	(1,125)

解説

本問では、期中の利払いおよび買入償還がすべて仮払金で処理されているため、期中の処理を推定しながら、『**仮払金**』から適切な科目へ振り替えていく必要があります。

(1)利払日（×４年9月30日）の処理

(借) 社債利息	10,000 01)	(貸) 仮払金	10,000

01) $500{,}000\text{千円} \times 0.04 \times \frac{6\text{カ月}}{12\text{カ月}} = 10{,}000\text{千円}$

(2)買入償還の処理

買入償還した社債の帳簿価額を算定したうえで、社債償還損益を計算します。

①期首の社債の帳簿価額

期首社債帳簿価額：

$487{,}500\text{千円} \times \frac{150{,}000\text{千円}}{500{,}000\text{千円}} = 146{,}250\text{千円}$

②当期の発行差額の償却

（買入償還分）当期償却額：

$150{,}000\text{千円} \times \frac{@100\text{円} - @96\text{円}}{@100\text{円}} \times \frac{6\text{カ月}}{96\text{カ月}}$
$= 375\text{千円}$

償還時点での社債の帳簿価額：

146,250千円(①) + 375千円(②) = 146,625千円

③社債償還損益の計算

買入価額：

$150{,}000\text{千円} \times \frac{@98.5\text{円}}{@100\text{円}} = 147{,}750\text{千円}$

社債償還損益：

146,625千円 − 147,750千円 = △1,125千円
（社債償還損）

(借) 社債利息	375	(貸) 社債	375
(借) 社債	146,625	(貸) 仮払金	147,750
社債償還損	1,125		

(3)利払日（×５年3月31日）の処理

買入償還を行っているため、支払う社債利息の金額が減少します。

(借) 社債利息	7,000 02)	(貸) 仮払金	7,000

02) $(500{,}000\text{千円} - 150{,}000\text{千円}) \times 0.04 \times \frac{6\text{カ月}}{12\text{カ月}}$
$= 7{,}000\text{千円}$

(4)決算整理仕訳

社債の発行差額について償却原価法（定額法）により処理しているため、決算整理で償却原価法の処理を行います。なお、利払いの処理は期中取引であるため、決算整理仕訳として示す必要はありません。

（未償還分の）当期償却額：

$$(500,000千円-150,000千円)\times\frac{@100円-@96円}{@100円}\times\frac{12カ月}{96カ月}=1,750千円$$

（借）社 債 利 息　1,750　（貸）社　　　債　1,750

問題8　解答

貸借対照表　（単位：千円）

資産の部		負債の部	
科目	金額	科目	金額
		Ⅰ 流 動 負 債	
		〔一年内償還社債〕	（ 169,745 ）
		〔未 払 費 用〕	（ 850 ）

損益計算書（単位：千円）

科目	金額
⋮	⋮
Ⅴ 営 業 外 費 用	
〔社 債 利 息〕	（ 4,940 ）
⋮	⋮
Ⅶ 特 別 利 益	
〔社 債 償 還 益〕	（ 145 ）

解説

1　買入償還の処理・社債償還損益の計算

(1)　期首の社債の帳簿価額

期首社債帳簿価額：

$$@97千円\times300口+(@100千円-@97千円)\times300口\times\frac{45カ月}{60カ月}=29,775千円$$

(2)当期の発行差額の償却

（買入償還分）当期償却額：

$$(@100千円-@97千円)\times300口\times\frac{8カ月}{60カ月}=120千円$$

償還時点での社債の帳簿価額：

$$\underset{(1)}{29,775千円}+\underset{(2)}{120千円}=29,895千円$$

(3)社債償還損益の計算

利付相場での買入価額には端数利息が含まれています。

（利付相場による）買入価額：

$$@100千円\times300口=30,000千円$$

端数利息：

$$@100千円\times300口\times0.02\times\frac{5カ月}{12カ月}=250千円$$

（裸相場による）買入価額：

$$30,000千円-250千円=29,750千円$$

社債償還損益：

29,895千円－29,750千円＝145千円（社債償還益）

上記の計算をもとに、誤った仕訳（期中に行った仕訳）と正しい仕訳を考えて、修正仕訳を行います。

①誤った仕訳

償還時の社債の償却原価と利付相場による買入価額との差額を社債償還損としているという文章から、次のような仕訳をしていることがわかります。

(借)	社債利息	120	(貸) 社　　債	120
(借)	社　　債	29,895	(貸) 現金預金	30,000
	社債償還損	105		

②正しい仕訳

(借)	社債利息	120	(貸) 社　　債	120
(借)	社　　債	29,895	(貸) 現金預金	30,000
	社債利息	250	社債償還益	145

③修正仕訳

①の誤った仕訳と②の正しい仕訳から、修正仕訳を導き出します。

(借)	社債利息	250	(貸) 社債償還損	105
			社債償還益	145

2　決算時の処理

⑴　償却原価法の処理

(借)	社債利息	1,020 01)	(貸) 社　　債	1,020

01) (@100千円－@97千円)×(2,000口－300口)×$\frac{12カ月}{60カ月}$＝1,020千円

⑵利息の見越計上

(借)	社債利息	850 02)	(貸) 未払費用	850

02) @100千円×(2,000口－300口)×0.02×$\frac{3カ月}{12カ月}$＝850千円

3　金額の集計

当期末は×6年3月31日で社債の償還期限が×6年6月30日となっているため、買入償還していない社債については、『**一年内償還社債**』として流動負債に計上する必要があります。

一年内償還社債：
168,725千円＋1,020千円＝169,745千円

未払費用：850千円

社債利息：2,820千円＋250千円＋1,020千円＋850千円＝4,940千円

社債償還益：145千円

Chapter 9
純資産会計Ⅰ

問題1　解答

（単位：千円）

	借方科目	金　額	貸方科目	金　額
(1)	別段預金	50,000	新株式申込証拠金	50,000
(2)	新株式申込証拠金	50,000	資本金	50,000
	当座預金	50,000	別段預金	50,000
	株式交付費	750	現金	750
(3)	その他資本剰余金	6,540	未払配当金	6,000
			資本準備金	540
	繰越利益剰余金	9,810	未払配当金	9,000
			利益準備金	810
(4)	資本準備金	1,500	資本金	1,500
	資本準備金	2,100	その他資本剰余金	2,100
	利益準備金	2,400	繰越利益剰余金	2,400
(5)	資本金	20,000	その他資本剰余金	20,000
	その他資本剰余金	20,000	繰越利益剰余金	20,000

解説

(1)　新株式申込証拠金：
　@50千円×1,000株＝50,000千円

(2)　資本金組入額については、問題文の指示に従い原則の「全額を資本金とする」方法によって処理します。
　また、新株の発行に要した費用は、『**株式交付費**』で処理します。株式交付費は、原則として支出した期の費用として処理します（一定の場合には、繰延資産として計上することも認められています。問題文の指示に従いましょう）。

(3)　その他資本剰余金を財源とする場合には『**資本準備金**』を、その他利益剰余金（繰越利益剰余金）を配当財源とする場合には『**利益準備金**』を積み立てます。ただし、積立限度額（資本金の4分の1）に注意しましょう。

$$(6{,}000千円+9{,}000千円)\times\frac{1}{10}=1{,}500千円 \quad > \quad 150{,}000千円\times\frac{1}{4}-(19{,}500千円+16{,}650千円)=1{,}350千円$$

∴準備金積立額＝1,350千円

本問では、準備金積立額を配当金額で按分して、資本準備金と利益準備金に加算します。

資本準備金：

$$1{,}350千円\times\frac{6{,}000千円}{6{,}000千円+9{,}000千円}=540千円$$

利益準備金：

$$1{,}350千円\times\frac{9{,}000千円}{6{,}000千円+9{,}000千円}=810千円$$

(4)　株主総会決議にもとづいて仕訳を行います。
　「資本金・資本剰余金⇔利益剰余金」の振替えは原則として認められないため、問題の指示が曖昧であっても（特別な指示がない限り）、「資本金･資本剰余金内」、「利益剰余金内」の振替えを行うことになります。

(5)　株主総会決議にもとづいて資本金を繰越利益剰余金に振り替えます。なお、問題文の指示に従い、いったんその他資本剰余金に振り替えてから繰越利益剰余金に充当します。「資本金から利益剰余金」への振替えは、本来は認められませんが、欠損填補に限って例外的に認められています。

問題2　解答

（単位：千円）

	借方科目	金　額	貸方科目	金　額
(1)	自己株式	9,600	現金預金	10,000
	支払手数料	400		
(2)	現金預金	5,000	自己株式	5,100
	株式交付費	200	その他資本剰余金	100

解説

(以下、仕訳の単位：千円)

本問は、自己株式の取得と処分における付随費用の取扱いがポイントとなります。また、問題文で単位が円（自己株式の単価）と千円が混在しているので、注意しましょう。

(1) 自己株式の取得

自己株式の取得に要した費用は、『**支払手数料**』(営業外費用）として処理します。

自己株式の取得原価：

@ 4,800 円× 2,000 株＝ 9,600 千円

(2) 自己株式の処分

まず期首に保有している自己株式も考慮し、処分単価を求めます。

処分単価：

$$\frac{6{,}720\text{千円(T／B)}+9{,}600\text{千円(期中取得)}}{1{,}200\text{株(T／B)}+2{,}000\text{株(期中取得)}}$$

＝@ 5.1 千円（@ 5,100 円）

これより、自己株式の処分の仕訳を行います。

(借)		(貸)	
現金預金	5,200 [02)]	自己株式	5,100 [01)]
		その他資本剰余金	100 [03)]

01）@ 5,100 円× 1,000 株＝ 5,100 千円
02）@ 5,200 円× 1,000 株＝ 5,200 千円
03）貸借差額

次に、自己株式の処分に要した費用を『**株式交付費**』として処理します。なお、株式交付費は、原則は全額費用処理です。

(借)		(貸)	
株式交付費	200	現金預金	200

これらの仕訳を1つにまとめると、解答の仕訳となります。

問題3 解答

①	株主資本	②	資本剰余金	③	利益剰余金	④	自己株式
⑤	新株予約権	⑥	資本準備金	⑦	利益準備金	⑧	繰越利益剰余金

解説

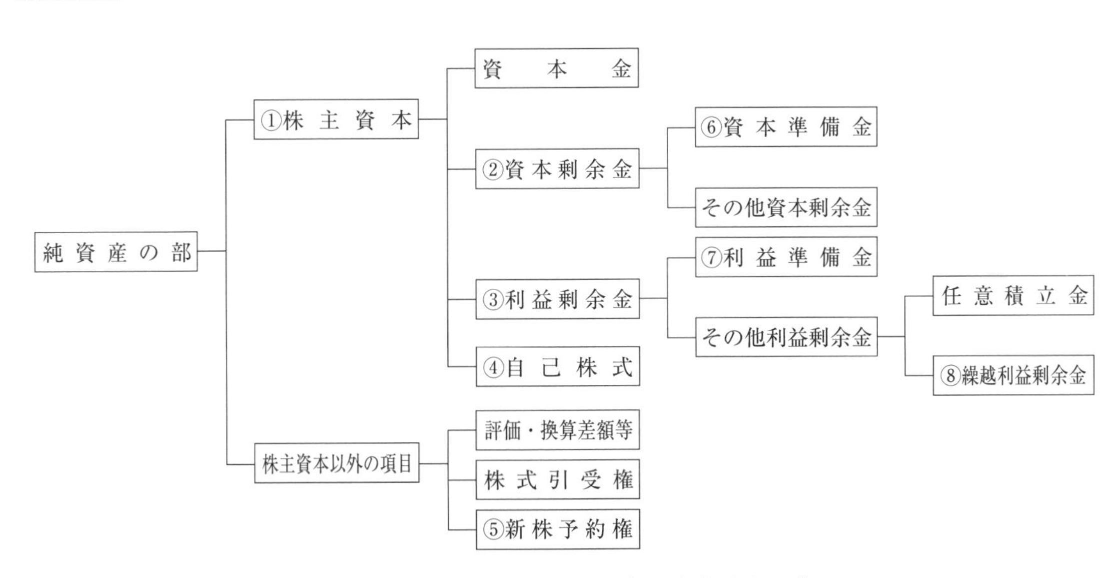

純資産の分類は純資産会計の基本となるので、しっかりおさえましょう。

株主資本等変動計算書

自×1年4月1日　至×2年3月31日

(単位：千円)

	株主資本							純資産合計
	資本金	資本剰余金		利益剰余金			株主資本合計	
		資本準備金	その他資本剰余金	利益準備金	その他利益剰余金			
					別途積立金	繰越利益剰余金		
当期首残高	450,000	75,000	20,000	45,000	17,000	23,000	630,000	630,000
当期変動額								
新株の発行	50,000						50,000	50,000
剰余金の配当		400	△4,400	600		△6,600	△10,000	△10,000
当期純利益						30,000	30,000	30,000
当期変動額合計	50,000	400	△4,400	600	—	23,400	70,000	70,000
当期末残高	500,000	75,400	15,600	45,600	17,000	46,400	700,000	700,000

貸借対照表

×2年3月31日

(単位：千円)

純資産の部		
科目	金額	
Ⅰ 株主資本		
1〔**資本金**〕		(500,000)
2 資本剰余金		
(1)〔**資本準備金**〕	(75,400)	
(2)〔**その他資本剰余金**〕	(15,600)	(91,000)
3 利益剰余金		
(1)〔**利益準備金**〕	(45,600)	
(2) その他利益剰余金		
〔**別途積立金**〕	(17,000)	
〔**繰越利益剰余金**〕	(46,400)	(109,000)
株主資本合計		(700,000)
純資産合計		(700,000)

解説

⑴新株の払込金額は、全額を資本金とする方法（原則）によります。

（問題文で特に指示がない場合は、原則的な方法により処理を行います）

(借)	現金預金	50,000	(貸)	資本金	50,000[01]

01）@ 50 千円× 1,000 株＝ 50,000 千円

⑵剰余金の配当にともなう準備金の積立ては、配当をする日における資本金と準備金合計にもとづいて計算をします。

本問では、×1年5月1日に新株の発行による資本金の増加がある点に注意します。

$(4{,}000\text{千円}+6{,}000\text{千円})\times\frac{1}{10}=1{,}000\text{千円}$

$<(450{,}000\text{千円}+50{,}000\text{千円})\times\frac{1}{4}$

$-(75{,}000\text{千円}+45{,}000\text{千円})=5{,}000\text{千円}$

∴準備金積立額＝ 1,000 千円

本問では、配当の財源がその他資本剰余金とその他利益剰余金（繰越利益剰余金）のため、それぞれの準備金積立額を計算します。

1,000 千円

資本準備金：$4{,}000\text{千円}\times\frac{1}{10}=400\text{千円}$

利益準備金：$6{,}000\text{千円}\times\frac{1}{10}=600\text{千円}$

(借)	その他資本剰余金	4,400	(貸)	未払配当金	4,000
				資本準備金	400

(借)	繰越利益剰余金	6,600	(貸)	未払配当金	6,000
				利益準備金	600

⑶　当期純利益は、繰越利益剰余金の加算項目となります。

(借)	損益	30,000	(貸)	繰越利益剰余金	30,000

問題5　解答

（単位：千円）

	借方科目	金額	貸方科目	金額
(1)	現金預金	75,000	新株予約権	75,000
(2)	現金預金	270,000	資本金	142,500
	新株予約権	15,000	資本準備金	142,500
(3)	現金預金	540,000	自己株式	548,000
	新株予約権	30,000	その他資本剰余金	22,000
(4)	新株予約権	30,000	新株予約権戻入益	30,000

解説

⑴発行時

新株予約権：

@ 75 千円× 1,000 個＝ 75,000 千円

⑵権利行使時（新株発行）

新株発行数：

1,000 個× 0.2 × 10 株／個＝ 2,000 株

払込金額：

@ 135 千円× 2,000 株＝ 270,000 千円

新株予約権振替額：

75,000 千円× 0.2 ＝ 15,000 千円

※　払込金額合計：285,000 千円

資本金（資本準備金）：

$285{,}000\text{千円}\times\frac{1}{2}=142{,}500\text{千円}$

⑶権利行使時（自己株式交付）

自己株式交付数：

1,000 個× 0.4 × 10 株／個＝ 4,000 株

払込金額：

@ 135 千円× 4,000 株＝ 540,000 千円

新株予約権振替額：

75,000 千円× 0.4 ＝ 30,000 千円

※　自己株式処分対価：570,000 千円

自己株式帳簿価額：

@ 137 千円× 4,000 株＝ 548,000 千円

自己株式処分差額：

570,000 千円－ 548,000 千円＝ 22,000 千円(差益)

⑷権利行使期限到来時

新株予約権戻入益：75,000千円×0.4
= 30,000千円

問題6 解答

(単位：千円)

借方科目	金　額	貸方科目	金　額
現金預金	360,000	資本金	104,250
新株予約権	10,500	資本準備金	104,250
		自己株式	162,000

解説

株式交付数：150個×20株／個＝3,000株

新株発行数：3,000株－1,200株＝1,800株

払込金額：@120千円×3,000株
= 360,000千円

新株予約権振替額：@70千円×150個
= 10,500千円 ※

※　払込金額合計：370,500千円

自己株式処分対価：

$$370{,}500千円 \times \frac{1{,}200株}{3{,}000株} = 148{,}200千円$$

自己株式帳簿価額：@135千円×1,200株
= 162,000千円

自己株式処分差額：148,200千円－162,000千円
=△13,800千円（差損）

新株発行と自己株式処分を同時に行い、かつ自己株式処分差損が生じる場合の処分差損は、新株の払込金額から控除します。

新株の払込金額：

$$370{,}500千円 \times \frac{1{,}800株}{3{,}000株} - 13{,}800千円$$

$$= 208{,}500千円$$

資本金(資本準備金)：

$$208{,}500千円 \times \frac{1}{2} = 104{,}250千円$$

問題7 解答

(単位：千円)

	借方科目	金　額	貸方科目	金　額
(1)	現金預金	3,000,000	社債	3,000,000
(2)	社債	2,250,000	資本金	1,125,000
			資本準備金	1,125,000
(3)	社債利息	22,500	現金預金	22,500
(4)	社債利息	22,500	現金預金	22,500
	社債	750,000	現金預金	750,000

解説

⑵権利行使時

代用払込額：

3,000,000千円×0.75＝2,250,000千円

資本金（資本準備金）：

$$2{,}250{,}000千円 \times \frac{1}{2} = 1{,}125{,}000千円$$

⑶利払時

社債残高：3,000,000千円－2,250,000千円
＝750,000千円

クーポン利息額：750,000千円×0.03
＝22,500千円

⑷利払時・満期時

クーポン利息額：750,000千円×0.03
＝22,500千円

社債償還額：750,000千円（社債残高）

問題8　解答

（単位：千円）

	借方科目	金額	貸方科目	金額
(1)	現金預金	2,290,000	社債	2,290,000
	現金預金	210,000	新株予約権	210,000
(2)	社債利息	22,750	社債	22,750
	社債	1,511,250	資本金	823,875
	新株予約権	136,500	資本準備金	823,875
(3)	社債利息	17,500	現金預金	17,500
	社債利息	24,500	社債	24,500
(4)	社債利息	17,500	現金預金	17,500
	社債利息	24,500	社債	24,500
	社債	875,000	現金預金	875,000
	新株予約権	73,500	新株予約権戻入益	73,500

解説

(2)権利行使時

発行差額：2,500,000千円－2,290,000千円
　　= 210,000千円

当期償却額：

$$210{,}000\text{千円} \times 0.65 \times \frac{6\text{カ月}}{36\text{カ月}} = 22{,}750\text{千円}$$

代用払込額：2,290,000千円×0.65＋22,750千円
　　= 1,511,250千円 ※

新株予約権振替額：210,000千円×0.65
　　= 136,500千円 ※

※　払込金額合計：1,647,750千円

資本金（資本準備金）：

$$1{,}647{,}750\text{千円} \times \frac{1}{2} = 823{,}875\text{千円}$$

(3)利払時・決算時

クーポン利息額：2,500,000千円×0.35×0.02
　　= 17,500千円

当期償却額：

$$210{,}000\text{千円} \times 0.35 \times \frac{12\text{カ月}}{36\text{カ月}} = 24{,}500\text{千円}$$

(4)利払時・満期時

クーポン利息額：17,500千円

当期償却額：24,500千円

社債償還額：2,500,000千円×0.35
　　= 875,000千円

新株予約権戻入益：210,000千円×0.35
　　= 73,500千円

問題9　解答

(1)	3,384千円	(2)	360千円	(3)	192千円

解説

（以下、仕訳の単位：千円）

新株予約権の発行総数：$\frac{6{,}000\text{千円}}{@100\text{千円}} = 60\text{個}$

決算整理前残高試算表

発行差額：

$$6{,}000\text{千円} - 6{,}000\text{千円} \times \frac{@90\text{円}}{@100\text{円}} = 600\text{千円}$$

社　　債：

$$\underbrace{6{,}000\text{千円} \times \frac{@90\text{円}}{@100\text{円}}}_{\text{払込金額}} + \underbrace{600\text{千円} \times \frac{12\text{カ月}}{60\text{カ月}}}_{\text{当期首までの償却額}}$$

= 5,520千円

権利行使時（未処理修正）

(借) 社債利息	24	(貸) 社債	24
(借) 社債	2,232	(貸) 資本金	1,236
新株予約権	240	資本準備金	1,236

当期償却額：

$$600\text{千円} \times \frac{24\text{個}}{60\text{個}} \times \frac{6\text{カ月}}{60\text{カ月}} = 24\text{千円}$$

払込金額：

$$5{,}520\text{千円} \times \frac{24\text{個}}{60\text{個}} + 24\text{千円} = 2{,}232\text{千円}$$ ※

新株予約権振替額：

$$600\text{千円} \times \frac{24\text{個}}{60\text{個}} = 240\text{千円}$$ ※

※　払込金額合計：2,472千円

資本金（資本準備金）：

$$2{,}472\text{千円} \times \frac{1}{2} = 1{,}236\text{千円}$$

利払時（未処理修正）・決算時

(借) 社債利息	36	(貸) 現金預金	36
(借) 社債利息	72	(貸) 社債	72

前T／B『**社債利息**』が9月利払分[01]しか計

上していないので、３月利払分の処理について期中未処理と判断します。

クーポン利息額（３月分）：

$$6{,}000\text{千円} \times \frac{(60\text{個} - 24\text{個})}{60\text{個}} \times 0.02 \times \frac{6\text{カ月}}{12\text{カ月}}$$

$= 36$ 千円

償却額：

$$600\text{千円} \times \frac{(60\text{個} - 24\text{個})}{60\text{個}} \times \frac{12\text{カ月}}{60\text{カ月}}$$

$= 72$ 千円

01）クーポン利息額（９月分）：

$$6{,}000\text{千円} \times 0.02 \times \frac{6\text{カ月}}{12\text{カ月}} = 60\text{千円}$$

決算整理後残高

⑴社　　　債：5,520 千円＋ 24 千円－ 2,232 千円＋ 72 千円＝ 3,384 千円

⑵新株予約権：600 千円－ 240 千円＝ 360 千円

⑶社債利息：60 千円＋ 24 千円＋ 36 千円＋ 72 千円＝ 192 千円

問題10　解答

（単位：千円）

	借方科目	金　額	貸方科目	金　額
(1)	資本準備金	1,500	資本金	2,060
	その他資本剰余金	560		
(2)	資本準備金	800	その他資本剰余金	800
(3)	利益準備金	2,000	繰越利益剰余金	2,000
(4)	繰越利益剰余金	300	利益準備金	240
			別途積立金	60

解説

株主資本項目間の振替えは、資本金と資本剰余金、資本剰余金内、利益剰余金内で行うことができます。借方と貸方に注意し、問題文の指示に従いましょう。

問題11　解答

（単位：千円）

	借方科目	金　額	貸方科目	金　額
(1)	自己株式	17,500	現金預金	17,700
	支払手数料	200		
(2)	現金預金	9,025	自己株式	8,750
	株式交付費	475	その他資本剰余金	750
(3)	その他資本剰余金	4,200	自己株式	4,200
	支払手数料	300	現金預金	300

解説

本問は、自己株式の取得と処分および消却における一連の取引です。それぞれの場合の付随費用の取扱いに注意しましょう。

⑴自己株式の取得

自己株式の取得に要した費用 200 千円は、**『支払手数料』（営業外費用）**として処理します。

自己株式の取得原価：@ 3,500 円× 5,000 株＝ 17,500 千円

⑵自己株式の処分

自己株式の処分に要した費用 475 千円は、**『株式交付費』（営業外費用）**として処理します。

(借) 現金預金	9,025 [02]	(貸) 自己株式	8,750 [01]
株式交付費	475	その他資本剰余金	750 [03]

01）@ 3,500 円× 2,500 株＝ 8,750 千円
02）@ 3,800 円× 2,500 株－ 475 千円＝ 9,025 千円
03）貸借差額

なお、株式交付費は、原則は全額費用処理です。問題文の指示によっては、株式交付費を繰延資産に計上することもあります。

⑶自己株式の消却

自己株式の消却に要した費用 300 千円は、**『支払手数料』（営業外費用）**として処理します。

自己株式の消却価額：@ 3,500 円× 1,200 株＝ 4,200 千円

貸借対照表　(単位：千円)

資産の部		純資産の部	
科目	金額	科目	金額
投資その他の資産		株主資本	
〔投資有価証券〕	(18,500)	資本金	(100,000)
〔関係会社株式〕	(2,000)	その他資本剰余金	(555)
繰延資産		〔自己株式〕	(△ 275)
〔株式交付費〕	(40)	評価・換算差額等	
		〔その他有価証券評価差額金〕	(△ 1,500)

損益計算書(単位：千円)

科目	金額
V 営業外費用	
〔支払手数料〕	(56)
〔株式交付費償却〕	(5)

解説

(1)有価証券の処理

①自己株式

自己株式が有価証券に含まれているため、正しい処理に修正します。なお、自己株式の取得に要した費用は『**支払手数料**』(営業外費用)として処理するため、自己株式の取得原価は1,400千円（＝1,456千円－56千円）となります。

(借)		(貸)	
自己株式	1,400	有価証券	1,456
支払手数料	56		

②子会社株式

子会社株式は取得原価で評価し、『**関係会社株式**』で表示します。

(借)		(貸)	
関係会社株式	2,000	有価証券	2,000

③その他有価証券

時価評価し、評価差額は全部純資産直入法で処理します。

(借)		(貸)	
投資有価証券	18,500	有価証券	20,000
その他有価証券評価差額金	1,500		

(2)仮受金の処理

①期中に行った仕訳

(借)		(貸)	
現金預金	1,275	仮受金	1,275

②正しい仕訳

(借)		(貸)	
現金預金	1,275	自己株式	1,125 01)
株式交付費	45	その他資本剰余金	195 02)

③修正仕訳（＝①の逆仕訳＋②）

(借)		(貸)	
仮受金	1,275	自己株式	1,125
株式交付費	45	その他資本剰余金	195

01）帳簿価額

02）1,320千円(処分対価)－1,125千円(帳簿価額)＝195千円(処分差益)

(3)繰延資産の償却

(2)で計上した繰延資産を3年間の定額法で償却します。なお、株式交付費は営業外項目であるため、『**株式交付費償却**』は**営業外費用**に計上します。

(借)		(貸)	
株式交付費償却	5	株式交付費	5 03)

03）$45千円 \times \frac{4カ月}{36カ月} = 5千円$

(4)貸借対照表の記入上の注意

自己株式…株主資本に表示しますが、借方項目のため、△を付して表示します。

その他有価証券評価差額金…借方残高になる場合には、△を付して表示します。

問題13 解答

貸借対照表
×2年3月31日 (単位：千円)

資産の部		純資産の部	
科目	金額	科目	金額
流動資産		株主資本	
現金預金	(270,000)	資本金	(200,000)
		資本準備金	(115,000)
		その他資本剰余金	(12,000)
		〔自己株式〕	(△ 4,000)
		〔新株予約権〕	(20,000)

解説

(1)新株予約権の発行

(借) 現金預金 50,000 (貸) 新株予約権 50,000

(2)新株予約権の行使と自己株式の交付

権利行使による払込金額と新株予約権の振替額の合計額を自己株式処分対価とし、自己株式の帳簿価額との差額を『**その他資本剰余金**』とします。

(借) 現金預金 20,000 01) (貸) 自己株式 21,000 03)
新株予約権 5,000 02) その他資本剰余金 4,000 04)

01) @20千円×10,000株×0.1＝20,000千円
02) 50,000千円×0.1＝5,000千円
03) @21千円×1,000株＝21,000千円
04) 貸借差額

(3)新株予約権の行使と新株の発行

問題文の指示により、資本金に2分の1を組み入れます。

(借) 現金預金 100,000 05) (貸) 資本金 62,500
新株予約権 25,000 06) 資本準備金 62,500

05) @20千円×10,000株×0.5＝100,000千円
06) 50,000千円×0.5＝25,000千円

問題14 解答

(単位：千円)

	借方科目	金額	貸方科目	金額
(1)	**現金預金**	3,000,000	**社債**	3,000,000
(2)	**社債**	1,800,000	**資本金**	900,000
			資本準備金	900,000

解説

(1) 発行時の処理

一括法のため、社債と新株予約権を分けずに『**社債**』で一括して処理します。

(2) 新株予約権行使時

新株予約権の60%が行使されたため、対応する社債を減少させます。また、問題文の指示により資本金とする金額は、2分の1とします。

社　　債：3,000,000千円×0.6
＝1,800,000千円

資本金：1,800,000千円×$\frac{1}{2}$
＝900,000千円

資本準備金：1,800,000千円－900,000千円
＝900,000千円

問題15 解答

株主資本等変動計算書に関する注記

当事業年度の末日における発行済株式数	530,000 株
当事業年度の末日における自己株式数	10,000 株
当事業年度中に行った配当総額	400,000 千円
当事業年度末日後に行う配当総額	180,000 千円
新株予約権の目的となる株式数	15,000 株

一株あたり情報に関する注記

一株あたり当期純利益は 1,234 円 56 銭 である。

一株あたり純資産額は 9,876 円 50 銭 である。

解説

株主資本等変動計算書に関する注記

①株式数の計算

当期首（前期末）の発行済株式数をもとに、当期末の発行済株式数などを計算していきます。

当期首株式数 500,000 株
新株発行（8月1日）30,000 株 ｝※
自己株式取得（10 月1日）10,000 株
※　期末発行済株式数　530,000 株

②配当金の計算

当事業年度中の配当総額：
150,000 千円（資料2-1）＋ 250,000 千円（資料2-4）＝ 400,000 千円
翌事業年度中の配当予定：180,000 千円（資料3-3）

③新株予約権の目的となる株式数（資料2－5）
5,000 個 × 3株 = 15,000 株

一株あたり情報

本問における一株あたり情報では、金額の単位に注意します。問題で与えられている金額の単位が「千円」であるのに対し、表示方法は「○○円××銭」なので、千円単位で求めた金額を円単位に修正する必要があります。

①一株あたり当期純利益

まず、期中平均株式数を求めます。このさい、自己株式数は控除するとともに、期中取得分は月数按分をします。

期中平均株式数：

$$500,000\text{株} + 30,000\text{株} \times \frac{8\text{カ月}}{12\text{カ月}} - 10,000\text{株} \times \frac{6\text{カ月}}{12\text{カ月}} = 515,000\text{株}$$

∴一株あたり当期純利益：
635,800 千円 ÷ 515,000 株 = 1.234563…千円
⇒ 1,234 円 56 銭

②一株あたり純資産額

自己株式を控除した期末株式数：
530,000 株 − 10,000 株 = 520,000 株

次に、期末純資産額から新株予約権を控除した金額を求めます。

5,150,780 千円 −（@ 3 千円× 5,000 個）
= 5,135,780 千円

∴一株あたり純資産額：
5,135,780 千円 ÷ 520,000 株 = 9.8765 千円
⇒ 9,876 円 50 銭

問題16 解答

(1) 新株の発行（単位：千円）

借方科目	金額	貸方科目	金額
当座預金	4,000	資本金	2,000
		資本準備金	2,000

(2) 剰余金の配当（単位：千円）

借方科目	金額	貸方科目	金額
繰越利益剰余金	3,300	利益準備金	300
		未払配当金	3,000

(3) 別途積立金の積立（単位：千円）

借方科目	金額	貸方科目	金額
繰越利益剰余金	1,000	別途積立金	1,000

(4) 資本準備金の取崩（単位：千円）

借方科目	金額	貸方科目	金額
資本準備金	500	その他資本剰余金	500

(5) 自己株式の取得（単位：千円）

借方科目	金額	貸方科目	金額
自己株式	600	当座預金	600

(6)　自己株式の処分（単位：千円）

借方科目	金　額	貸方科目	金　額
当座預金	400	**自己株式**	300
		その他資本剰余金	100

(7)　自己株式の消却（単位：千円）

借方科目	金　額	貸方科目	金　額
その他資本剰余金	200	**自己株式**	200

(8)　当期純利益（単位：千円）

借方科目	金　額	貸方科目	金　額
損　益	6,000	**繰越利益剰余金**	6,000

解説

株主資本等変動計算書には、純資産の増加（貸方項目）であればプラスの記入、純資産の減少（借方項目）であればマイナスの記入が行われます。

(1)　新株の発行
　資本金（または資本金と資本準備金）が増加します。

(2)　剰余金の配当
　剰余金（その他資本剰余金または繰越利益剰余金）が減少し、準備金（資本準備金または利益準備金）が増加します。

(3)　別途積立金の積立
　繰越利益剰余金が減少し、別途積立金が増加します。

(4)　資本準備金の取崩
　資本準備金が減少し、資本金またはその他資本剰余金が増加します。

(5)　自己株式の取得
　自己株式が増加（＝純資産が減少）します。

(6)　自己株式の処分
　自己株式が減少（＝純資産が増加）し、その他資本剰余金が増減します（処分差益であれば増加し、処分差損であれば減少します。）。

(7)　自己株式の消却
　自己株式が減少（＝純資産が増加）し、その他資本剰余金が減少します。

(8)　当期純利益
　繰越利益剰余金が増加します（当期純損失であれば減少します。）。

問題17　解答

X	△　17	千円
Y	155	千円
Z	93	千円

解説

（以下、仕訳の単位：千円）

1　新株予約権の行使

(借)	現金預金	220	(貸) 資本金	150
	新株予約権	80	資本準備金	150

　会社法に定める最低額を資本金とする場合、払込金額の２分の１を資本金とし、同額を『**資本準備金**』とします。

資本金(資本準備金)：

$$(220千円 + 80千円) \times \frac{1}{2} = 150千円$$

2　剰余金の配当等

(借)	その他資本剰余金	22	(貸) 未払配当金	20
			資本準備金	2
(借)	繰越利益剰余金	55	(貸) 未払配当金	50
			利益準備金	5

$$\underbrace{750千円 + 150千円}_{資本金} \times \frac{1}{4}$$

$$-(\underbrace{30千円 + 150千円}_{資本準備金} + \underbrace{10千円}_{利益準備金}) = 35千円$$

$$> \underbrace{(20千円 + 50千円)}_{配当総額} \times \frac{1}{10} = 7千円$$

∴準備金積立額７千円

７千円
- 資本準備金：$20千円 \times \frac{1}{10} = 2千円$
- 利益準備金：$50千円 \times \frac{1}{10} = 5千円$

3　自己株式

①取得時

(借)		(貸)	
自己株式	80	現金預金	81
支払手数料[01]	1		

01）自己株式の取得にかかった費用は、自己株式の取得原価に含めません。

②処分時

(借)		(貸)	
現金預金	65	自己株式	50
		その他資本剰余金[02]	15

自己株式処分差額：65千円－50千円
＝15千円（差益）

02）自己株式処分差益は『その他資本剰余金』として処理します。

③消却時

(借)		(貸)	
その他資本剰余金[03]	10	自己株式	10

03）自己株式を消却する場合、『**その他資本剰余金**』を取り崩します。

4　任意積立金

①取崩し

(借)		(貸)	
任意積立金	20	繰越利益剰余金	20

②積立て

(借)		(貸)	
繰越利益剰余金	90	任意積立金	90

5　決算振替仕訳（当期純損失の計上）

(借)		(貸)	
繰越利益剰余金	60	損益	60

6　その他有価証券評価差額金

①期首振替仕訳

(借)		(貸)	
その他有価証券評価差額金	60	投資有価証券	60

②決算整理仕訳

(借)		(貸)	
投資有価証券	78	その他有価証券評価差額金	78

期末評価差額：60千円＋18千円＝78千円

株主資本等変動計算書

（単位：千円）

	株主資本										評価・換算差額等		
	資本金	資本剰余金			利益剰余金				自己株式	株主資本合計	その他有価証券評価差額金	新株予約権	純資産合計
		資本準備金	その他資本剰余金	資本剰余金合計	利益準備金	その他利益剰余金		利益剰余金合計					
						任意積立金	繰越利益剰余金						
当期首残高	750	30	35	65	10	35	200	245	△60	1,000	60	200	1,260
当期変動額													
新株の発行	150	150		150						300			300
剰余金の配当		2	△22	△20	5		△55	△50		△70			△70
任意積立金の取崩						△20	20	—		—			—
任意積立金の積立						90	△90	—		—			—
当期純損失							△60	△60		△60			△60
自己株式の取得									△80	△80			△80
自己株式の処分			15	15					50	65			65
自己株式の消却			△10	△10					10	—			—
株主資本以外の項目に係る当期変動額（純額）											18	△80	△62
当期変動額合計	150	152	△**17**	135	5	70	△185	△110	△20	**155**	18	△80	**93**
当期末残高	900	182	18	200	15	105	15	135	△80	1,155	78	120	1,353

問題18 解答

①	910 千円	②	5,721,510 千円
③	50,000 千円	④	△ 100 千円
⑤	1,850 千円	⑥	1,200 千円
⑦	△ 1,000 千円	⑧	5,765,425 千円

解説

(以下、仕訳の単位：千円)

解答要求の単位は「千円」ですが、資料中の単位には「円」もありますので、混同しないように注意しましょう。

1 剰余金の配当等

(借) 繰越利益剰余金	22,000	(貸) 未払配当金	20,000
		利益準備金	2,000
(借) 繰越利益剰余金	5,000	(貸) 新築積立金	5,000

$\underset{\text{資本金}}{3{,}800{,}000\text{千円}} \times \frac{1}{4} - (\underset{\text{資本準備金}}{700{,}000\text{千円}} + \underset{\text{利益準備金}}{200{,}000\text{千円}})$

$> \underset{\text{配当総額}}{20{,}000\text{千円}} \times \frac{1}{10} = 2{,}000\text{千円}$

∴準備金積立額2,000千円

2 自己株式

①期首保有分

@10.8千円×500株＝5,400千円

②取得時（×2年４月10日）

(借) 自己株式	3,000	(貸) 現金預金	3,000

取得原価：@10千円×300株＝3,000千円

評価単価：$\frac{5{,}400\text{千円} + 3{,}000\text{千円}}{500\text{株} + 300\text{株}} = @10.5\text{千円}$

③処分時（×２年５月20日）

(借) 現金預金	950	(貸) 自己株式	1,050
その他資本剰余金[01]	100		

処分対価：@ 9.5 千円× 100 株＝ 950 千円

帳簿価額：@ 10.5 千円× 100 株＝ 1,050 千円

自己株式処分差額：950 千円－ 1,050 千円
＝△ 100 千円（差損）

01）自己株式処分差損は『その他資本剰余金』を取り崩します。

④新株発行および自己株式処分時（×２年６月28日）

(借) 現金預金	5,000	(貸) 資本金	1,850
		自己株式	3,150

現金払込額：5,000 千円

自己株式処分対価：

$5{,}000\text{千円} \times \frac{300\text{株}}{500\text{株}} = 3{,}000\text{千円}$

自己株式帳簿価額：@ 10.5 千円× 300 株
＝ 3,150 千円

自己株式処分差額：3,000 千円－ 3,150 千円
＝△ 150 千円（差損）

新株発行と自己株式処分を同時に行い、かつ自己株式処分差損が生じる場合の処分差損は、新株の払込金額から控除します。

新株の払込金額：

$5{,}000\text{千円} \times \frac{200\text{株}}{500\text{株}} - \underset{\text{自己株式処分差損}}{150\text{千円}} = 1{,}850\text{千円}$

3 その他有価証券

①期首振替仕訳

(借) 繰延税金負債	390	(貸) 投資有価証券	1,300
その他有価証券評価差額金	910		

評価差額：(@ 10 千円－@ 9 千円) × 1,300 株
＝ 1,300 千円

繰延税金負債：1,300 千円× 0.3 ＝ 390 千円

その他有価証券評価差額金：

1,300 千円－ 390 千円＝ 910 千円

②期中

(借) 現金預金	3,000	(貸) 投資有価証券	2,700
		投資有価証券売却益	300

売却損益：(@ 10 千円－@ 9 千円) × 300 株
＝ 300 千円（売却益）

③決算整理仕訳

(借) 投資有価証券	1,250	(貸) 繰延税金負債	375
		その他有価証券評価差額金	875

評価差額：(@ 10.25 千円－@ 9 千円)
× 1,000 株＝ 1,250 千円

繰延税金負債：1,250 千円× 0.3 ＝ 375 千円

その他有価証券評価差額金：

1,250千円－375千円＝875千円

4　新株予約権

①発行時（×２年５月１日）

(借) 現金預金　4,000　(貸) 新株予約権　4,000

②行使時（×２年９月20日）

(借) 現金預金　10,000　(貸) 資本金　8,000
　　新株予約権　2,000　　　資本準備金　4,000

資本準備金：(10,000千円＋2,000千円)
　　　　　　－8,000千円＝4,000千円

③行使期限到来時（×２年12月31日）

(借) 新株予約権　3,000　(貸) 新株予約権戻入益　3,000

【資料２】より、期末残高は5,000千円です。①～③の仕訳より、期首残高を逆算します。

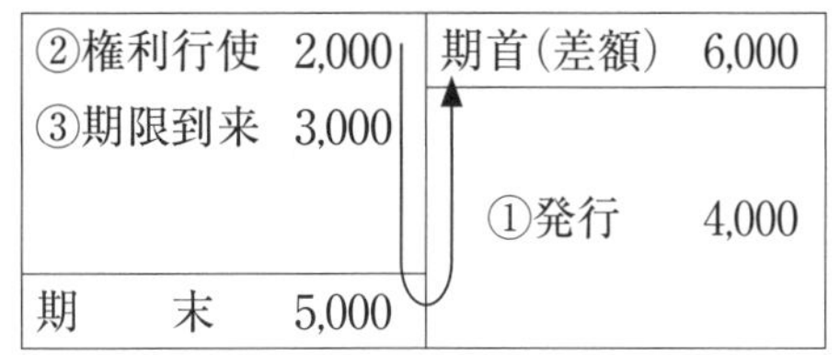

5　当期純利益

(借) 損益　50,000　(貸) 繰越利益剰余金　50,000

株主資本等変動計算書
自×２年４月１日　至×３年３月31日

(単位：千円)

	株主資本										評価・換算差額等	新株予約権	純資産合計
	資本金	資本剰余金			利益剰余金				自己株式	株主資本合計	その他有価証券評価差額金		
		資本準備金	その他資本剰余金	資本剰余金合計	利益準備金	その他利益剰余金		利益剰余金合計					
						新築積立金	繰越利益剰余金						
当期首残高	3,800,000	700,000	820,000	1,520,000	200,000	100,000	100,000	400,000	△5,400	5,714,600	①910	6,000	②5,721,510
当期変動額													
新株の発行	8,000	4,000		4,000						12,000			12,000
剰余金の配当					2,000		△22,000	△20,000		△20,000			△20,000
積立金の積立						5,000	△5,000	—		—			—
当期純利益							③50,000	50,000		50,000			50,000
自己株式の取得									△3,000	△3,000			△3,000
自己株式の処分			④△100	△100					1,050	950			950
自己株式の処分と新株の発行による増減	⑤1,850								3,150	5,000			5,000
株主資本以外の項目の当期変動額(純額)											△35	△1,000	△1,035
当期変動額合計	9,850	4,000	△100	3,900	2,000	5,000	23,000	30,000	⑥1,200	44,950	△35	⑦△1,000	43,915
当期末残高	3,809,850	704,000	819,900	1,523,900	202,000	105,000	123,000	430,000	△4,200	5,759,550	875	5,000	⑧5,765,425

Chapter 10
繰延資産

問題1 解答

決算整理後残高試算表　(単位：千円)

開　発　費	(30,480)
社債発行費	(49,245)
株式交付費	(2,700)
開発費償却	(7,620)
研究開発費	(78,900)
社債発行費償却	(7,035)
株式交付費償却	(10,800)

解説

(以下、仕訳の単位：千円)

1　開発費

(1)　×3年4月1日に新規市場開拓のために特別に支出した金額38,100千円

⇒『**開発費**』に該当。繰延資産として計上しているため、期末に償却します。

(借) 開発費償却　7,620　(貸) 開　発　費　7,620

当期償却額：

$$38{,}100\text{千円} \times \frac{12\text{カ月}}{12\text{カ月} \times 5\text{年}} = 7{,}620\text{千円}$$

開発費：38,100千円－7,620千円=30,480千円

(2)　×3年9月1日に研究開発のために支出した金額78,900千円

⇒『**研究開発費**』(当期の費用) として処理します。

(借) 研究開発費　78,900　(貸) 開　発　費　78,900

2　社債発行費

社債の償還期間 (本問では2年) で償却します。

(借) 社債発行費償却　7,035　(貸) 社債発行費　7,035

当期償却額：

$$56{,}280\text{千円} \times \frac{3\text{カ月}}{12\text{カ月} \times 2\text{年}} = 7{,}035\text{千円}$$

社債発行費：56,280千円－7,035千円=49,245千円

3　株式交付費

株式交付費は前期以前に支出しており、前期末までに21カ月分 (×1.7.1～×3.3.31) が償却済みのため、残り15カ月分 (=12カ月×3年－21カ月) が前T/Bに計上されています。

(借) 株式交付費償却　10,800　(貸) 株式交付費　10,800

当期償却額：

$$13{,}500\text{千円} \times \frac{12\text{カ月}}{15\text{カ月}} = 10{,}800\text{千円}$$

株式交付費：13,500千円－10,800千円=2,700千円

問題2 解答

【貸借対照表】

表示科目	金　額
(開　発　費)	(32,000) 千円
株式交付費	(6,250) 千円
社債発行費	(500) 千円

【損益計算書】

表示科目	金　額
(開　発　費)	(5,000) 千円
開発費償却	(8,000) 千円
株式交付費償却	(18,750) 千円
社債発行費償却	(500) 千円

重要な会計方針に係る事項に関する注記

- **開発費は5年間で定額法により償却している。**
- **株式交付費は株式交付時から3年間で定額法により償却している。**
- **社債発行費は償還期限である3年間で定額法により償却している。**

解説

1　開発費（繰延資産計上）

仮払金のうち40,000千円については、新市場開拓のための特別の支出です。特別の支出とは経常的でない開発費に該当するため、繰延資産に計上し問題文に与えられた指示により、５年間で定額法によって償却します。

・開発費償却（P／L）

$40,000千円 \times \frac{12カ月}{\underbrace{12カ月 \times 5年}_{償却期間}}$

＝8,000千円（販売費及び一般管理費）

・開発費（B／S）

$40,000千円 - \underbrace{8,000千円}_{当期償却額} = 32,000千円$（繰延資産）

(借) 開発費償却	8,000	(貸) 開　発　費	40,000
開　発　費	32,000		

なお、繰延資産として計上された開発費（繰延資産として計上できるのは経常費用としての性格をもつものを除いた支出額のみ）は、支出のときから５年以内の定額法その他の合理的な方法（月割）で償却しなければなりません。そして、開発費償却は販売費及び一般管理費または売上原価に表示します。

2　開発費（費用処理）

残額の仮払金5,000千円については、新市場開拓のために経常費用として支出した開発費です。経常費用としての性格を持つ開発費は費用処理を行い、全額当期に費用計上します。

なお、費用処理を行う場合は、繰延資産のように「開発費償却」という勘定科目を使うのではなく、「開発費」という勘定科目を使って販売費及び一般管理費に計上されることに注意が必要です。

(借) 開　発　費（販売費及び一般管理費）	5,000	(貸) 仮　払　金	5,000

3　株式交付費

株式交付費は×１年８月１日に支出しており、株式交付の日から３年間にわたり定額法により償却しています。よって前期末までに20カ月分が償却されており、残りの16カ月分が前T／Bに株式交付費として計上されています。

・株式交付費償却（P／L）

$25,000千円 \times \frac{12カ月}{\underbrace{36カ月}_{償却期間} - \underbrace{20カ月}_{償却済み期間}}$

＝18,750千円（営業外費用）

・株式交付費（B／S）

$25,000千円 - \underbrace{18,750千円}_{当期償却額} = 6,250千円$（繰延資産）

(借) 株式交付費償却	18,750	(貸) 株式交付費	18,750

なお、繰延資産として計上された株式交付費は、株式交付のときから３年以内の定額法（月割）で償却しなければなりません。そして、株式交付費償却は、営業外費用に表示します。

4　社債発行費

社債発行費は、前期の４月１日に発行した社債に関するものであり、社債の償還期間の３年間にわたり定額法により償却しています。よって前期末までに12カ月分が償却されており、残りの24カ月分が前T／Bに社債発行費として計上されています。

・社債発行費償却（P／L）

$1,000千円 \times \frac{12カ月}{\underbrace{36カ月}_{償却期間} - \underbrace{12カ月}_{償却済み期間}}$

＝500千円（営業外費用）

・社債発行費（B／S）

$1,000千円 - \underbrace{500千円}_{当期償却額} = 500千円$（繰延資産）

(借) 社債発行費償却	500	(貸) 社債発行費	500

なお、繰延資産として計上された社債発行費は、社債の償還期限内に原則として利息法または継続適用を条件として定額法（月割）で償却しなければなりません。そして、社債発行費償却は営業外費用に表示します。

・繰延資産の注記

重要な会計方針にかかる事項に関する注記には、繰延資産の処理方法の情報として、個々の繰延資産の償却方法と償却期間の２つの内容が記載されます。

問題3 

【貸借対照表】

表示科目	金　額
創　立　費	（　750　）千円
開　業　費	（　3,800　）千円

【損益計算書】

表示科目	金　額
創立費償却	（　250　）千円
開業費償却	（　1,200　）千円

重要な会計方針に係る事項に関する注記
・創立費は会社設立のときから５年間で定額法により償却している。
・開業費は開業のときから５年間で定額法により償却している。

解説

1　創立費

創立費は前期の４月１日に会社設立にともない支出したものであり、会社設立の日から５年間にわたり定額法により償却しています。よって前期末までに12カ月分が償却されており、残りの48カ月分が前T／Bに創立費として計上されています。

・創立費償却（P／L）

$$1{,}000\text{千円}\times\frac{12\text{カ月}}{\underbrace{60\text{カ月}}_{\text{償却期間}}-\underbrace{12\text{カ月}}_{\text{償却済み期間}}}$$

＝250千円（営業外費用）

・創　立　費（B／S）

$$1{,}000\text{千円}-\underbrace{250\text{千円}}_{\text{当期償却額}}=750\text{千円（繰延資産）}$$

（借）創立費償却　250　（貸）創　立　費　250

なお、繰延資産として計上された創立費は、会社設立のときから５年以内の定額法（月割）で償却しなければなりません。そして、創立費償却は営業外費用に表示します。

2　開業費

開業費は前期の６月１日の営業の開始にともない、開業の準備のために支出したものであり、開業（営業開始）のときから５年間にわたり定額法により償却しています。よって前期末までに10カ月分が償却されており、残りの50カ月分が前T／Bに繰延資産として計上されています。

・開業費償却（P／L）

$$5{,}000\text{千円}\times\frac{12\text{カ月}}{\underbrace{60\text{カ月}}_{\text{償却期間}}-\underbrace{10\text{カ月}}_{\text{償却済み期間}}}$$

＝1,200千円（営業外費用）

・開業費（B／S）

$$5{,}000\text{千円}-\underbrace{1{,}200\text{千円}}_{\text{当期償却額}}=3{,}800\text{千円（繰延資産）}$$

（借）開業費償却　1,200　（貸）開　業　費　1,200

なお、繰延資産として計上された開業費は、開業（営業開始）のときから５年以内の定額法（月割）で償却しなければなりません。そして、開業費償却は営業外費用に表示します。

・創立費と開業費の違い

創立費と開業費は、ともに営業を開始する前に支払われた繰延資産ですが、両者の違いは以下のような時系列で把握しておくとよいでしょう。

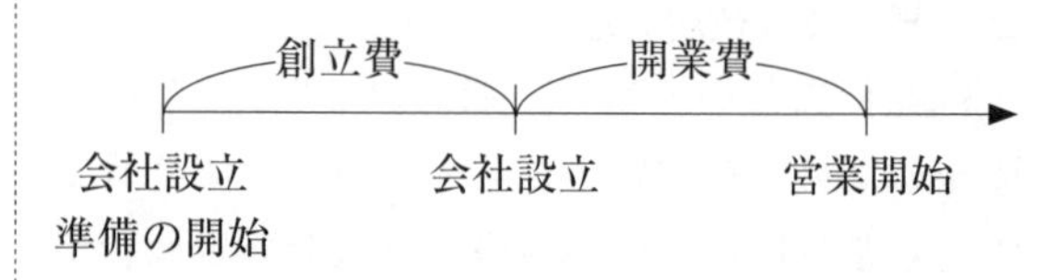

・繰延資産の会計処理のまとめ

<table>
<tr><th></th><th>償却方法</th><th>表示区分</th></tr>
<tr><td>創　立　費</td><td rowspan="2">５年以内の定額法(月割)</td><td>営業外費用</td></tr>
<tr><td>開　業　費</td><td>営業外費用(販売費及び一般管理費も可)</td></tr>
<tr><td>株式交付費</td><td>３年以内の定額法(月割)</td><td rowspan="3">営業外費用</td></tr>
<tr><td>社債発行費</td><td>社債の償還期間内
原則：利息法(定額法も可)</td></tr>
<tr><td>新株予約権</td><td>３年以内の定額法(月割)</td></tr>
<tr><td>開　発　費</td><td>５年以内の定額法(月割)</td><td>販売費及び一般管理費または売上原価</td></tr>
</table>

Chapter 11
外貨換算会計

問題1 解答

（単位：千円）

	借方科目	金　額	貸方科目	金　額
(1)	前渡金	6,100	現金預金	6,100
(2)	仕入	60,100	前渡金	6,100
			買掛金	54,000
(3)	買掛金	54,000	現金預金	51,750
			為替差損益	2,250

解説

前渡金は取引発生時の為替レートで換算し、仕入価額は前渡金と買掛金の合計で求めます。

(1) 前渡金：@122円×50千ドル
　= 6,100千円

(2) 買掛金：@120円×450千ドル
　= 54,000千円

仕入：6,100千円＋54,000千円
　= 60,100千円

(3) 現金預金：@115円×450千ドル
　= 51,750千円

為替差損益：54,000千円－51,750千円
　= 2,250千円（為替差益）

問題2 解答

資産・負債	貸借対照表価額	為替差損益
①買掛金	305,000千円	△22,500千円
②売掛金	280,600千円	6,900千円
③前払費用	28,500千円	―　千円
④短期貸付金	380,640千円	△3,120千円
⑤土地	732,480千円	―　千円
⑥長期借入金	352,580千円	2,890千円

解説

①買掛金

貸借対照表価額：@122円(CR)×2,500千ドル
　= 305,000千円

為替差損益：
（@113円(HR)－@122円(CR)）×2,500千ドル
=△22,500千円（為替差損）

②売掛金

貸借対照表価額：@122円(CR)×2,300千ドル
　= 280,600千円

為替差損益：
（@122円(CR)－@119円(HR)）×2,300千ドル
= 6,900千円（為替差益）

③前払費用

貸借対照表価額：非貨幣項目のため発生時の為替レートで換算した金額となります。

為替差損益：為替差損益は生じません。

④短期貸付金

貸借対照表価額：@122円(CR)×3,120千ドル
　= 380,640千円

為替差損益：
（@122円(CR)－@123円(HR)）×3,120千ドル
=△3,120千円（為替差損）

⑤土　地

貸借対照表価額：非貨幣項目のため発生時の為替レートで換算した金額となります。

為替差損益：為替差損益は生じません。

⑥長期借入金

前期末にも換算替えを行っているため、帳簿価額は前期末のレートで換算した金額になっています。

貸借対照表価額：2,890千ドル×122円(CR)
＝352,580千円

為替差損益：

（123円(前期末レート)－122円(CR)）×2,890千ドル
＝2,890千円（為替差益）

なお、為替差損益の求め方については、いったん帳簿価額を求めて、それとB/S価額を比べることで計算することもできます。

（例）

①買掛金

帳簿価額　@113円(HR)×2,500千ドル＝282,500千円

B/S価額　@122円(CR)×2,500千ドル＝305,000千円

為替差損益＝△22,500千円

（為替差損　∵負債が増加しているため）

問題3　

決算整理後残高試算表（単位：千円）

勘定科目	金　額	勘定科目	金　額
売　掛　金	（50,600）	貸倒引当金	（1,012）
前払利息	（2,525）	借　入　金	（102,000）
貸倒引当金繰入	（300）	為替差損益	（400）
支払利息	（505）		

解説

1．売掛金の換算

決算日の為替レートに換算替えをします。

（借）売　掛　金　600　（貸）為替差損益　600

（@102円(CR)－@100円(HR)）×300千ドル
＝600千円（為替差益）

2．貸倒引当金の計上

（借）貸倒引当金繰入　300　（貸）貸倒引当金　300

（50,000千円＋600千円）×0.02－712千円
＝300千円

3．借入金の換算

決算日の為替レートに換算替えをします。

（借）為替差損益　1,000　（貸）借　入　金　1,000

（@101円(HR)－@102円(CR)）×1,000千ドル
＝△1,000千円（為替差損）

4．利息の繰延計上

支払利息は借入時の為替レートで計上済みのため、翌期にかかる分を繰延計上します。

（借）前払利息　2,525　（貸）支払利息　2,525

前T/B支払利息：

@101円(HR)×1,000千ドル×0.03＝3,030千円

前払利息：3,030千円×$\frac{10カ月}{12カ月}$＝2,525千円

5．為替差損益

800千円(前T/B)＋600千円－1,000千円＝400千円(為替差益)

問題4　

決算整理前残高試算表（単位：千円）

勘定科目	金　額	勘定科目	金　額
支払利息	（4,060）	為替差損益	（2,000）

解説

1．借入時（×1年12月1日）

（借）現金預金　210,000　（貸）借　入　金　210,000

@105円×2,000千ドル＝210,000千円

2．前期末（×2年3月31日）

借入金を決算日のレートで換算するとともに、利息の見越計上額も決算日の為替レートで換算します。

（借）借　入　金　4,000　（貸）為替差損益　4,000
（借）支払利息　2,060　（貸）未払利息　2,060

為替差損益：

（@105円(HR)－@103円(決算時CR)）×2,000千ドル
＝4,000千円（為替差益）

未払利息：

$$@103円_{(決算時CR)} \times 2,000千ドル \times 0.03 \times \frac{4カ月}{12カ月}$$

＝2,060千円

3．期首（×2年4月1日）の再振替仕訳

(借) 未払利息	2,060	(貸) 支払利息	2,060

4．返済時（×2年11月30日）

(借) 借入金	206,000	(貸) 現金預金	204,000
		為替差損益	2,000
(借) 支払利息	6,120	(貸) 現金預金	6,120

前T/B為替差損益：

(@103円(決算時CR)－@102円(決済時CR)) ×2,000千ドル

＝2,000千円（為替差益）

支払利息：@102円(決済時CR)×2,000千ドル×0.03

＝6,120千円

5．前T/B支払利息

6,120千円－2,060千円＝4,060千円

問題5 解答

（単位：千円）

	借方科目	金額	貸方科目	金額
(1)	**仕入**	*11,000*	**買掛金**	*11,000*
(2)	**買掛金**	*2,200*	**仕入**	*2,200*
(3)	**売掛金**	*9,750*	**売上**	*9,750*
(4)	**買掛金**	*8,800*	**現金預金**	*8,400*
			為替差損益	*400*
(5)	**現金預金**	*9,375*	**売掛金**	*9,750*
	為替差損益	*375*		

解説

(2)　商品を返品し、買掛金と相殺した場合には、仕入（輸入）時の為替レートを用います。

(4)　(2)で20千ドル分を返品しているので、買掛金80千ドルを決済します。

買掛金：@110円(HR)×80千ドル＝8,800千円

決済額：@105円(CR)×80千ドル＝8,400千円

為替差損益：8,800千円－8,400千円＝400千円（為替差益）

(5)売掛金：@130円(HR)×75千ユーロ＝9,750千円

決済額：@125円(CR)×75千ユーロ＝9,375千円

為替差損益：9,375千円－9,750千円＝△375千円（為替差損）

問題6 

貸借対照表　（単位：千円）

資産の部		負債の部	
科目	金額	科目	金額
Ⅰ 流動資産		Ⅰ 流動負債	
売掛金	(*270,000*)	買掛金	(*108,000*)
前払金	(*10,500*)	未払金	(*21,600*)
短期貸付金	(*54,000*)	Ⅱ 固定負債	
Ⅱ 固定資産		長期借入金	(*16,200*)
土地	(*224,400*)		

損益計算書に表示される為替差損益に関する事項

表示箇所	表示科目	表示金額
営業外収益	**為替差益**	*4,850* 千円

期末に換算替えする項目については、まず外貨額を求め、次に決算日レートで換算します。

資産および負債	帳簿価額	外貨額	貸借対照表価額	為替差損益
① 買　掛　金	112,000千円	÷@112円＝1,000千ドル	×@108円＝108,000千円	4,000千円
② 売　掛　金	272,500千円	÷@109円＝2,500千ドル	×@108円＝270,000千円	△2,500千円
③ 前　払　金	10,500千円	換算不要		―
④ 未　払　金	22,000千円	÷@110円＝200千ドル	×@108円＝　21,600千円	400千円
⑤ 短期貸付金	51,500千円	÷@103円＝500千ドル	×@108円＝　54,000千円	2,500千円
⑥ 土　　地	224,400千円	換算不要		―
⑦ 長期借入金	16,650千円	÷@111円 01)＝150千ドル	×@108円＝　16,200千円	450千円
			為替差損益の純額：	4,850千円

01）長期借入金（前々期に借入れ）については、前期末にも換算替えを行っているため、帳簿価額は前期末レートで換算した金額になっています。よって、帳簿価額を前期末レートで割った金額が、外貨額になります。

問題7　解答

問1

（単位：千円）

	借方科目	金　額	貸方科目	金　額
(1)	仕　　入	*262,500*	支払手形	*262,500*
(2)	仕訳なし			
(3)	支払手形	*262,500*	現金預金	*262,500*

問2

（単位：千円）

	借方科目	金　額	貸方科目	金　額
(1)	売　掛　金	*72,100*	売　　上	*72,100*
(2)	売　掛　金	*2,100*	為替差損益	*700*
			前受収益	*1,400*
(3)	前受収益	*1,000*	為替差損益	*1,000*
(4)	現金預金	*74,200*	売　掛　金	*74,200*
	前受収益	*400*	為替差損益	*400*

×1年度に属する為替差損益：　*1,700*　千円

※為替差損の場合は、金額の前に△を付しなさい。

解説

問1　為替予約（取引時予約）

(1)取引発生時：

取引全体を予約レートで換算します。

@105円（予約レート）× 2,500千ドル＝262,500千円

(2)決　算　時：

換算替えの必要がないため、仕訳は行いません。

(3)決　済　時：

取引発生時に付した、予約レートで決済します。

予約レート @105円　仕入も債務も予約レートで換算

問2　為替予約(取引後予約)

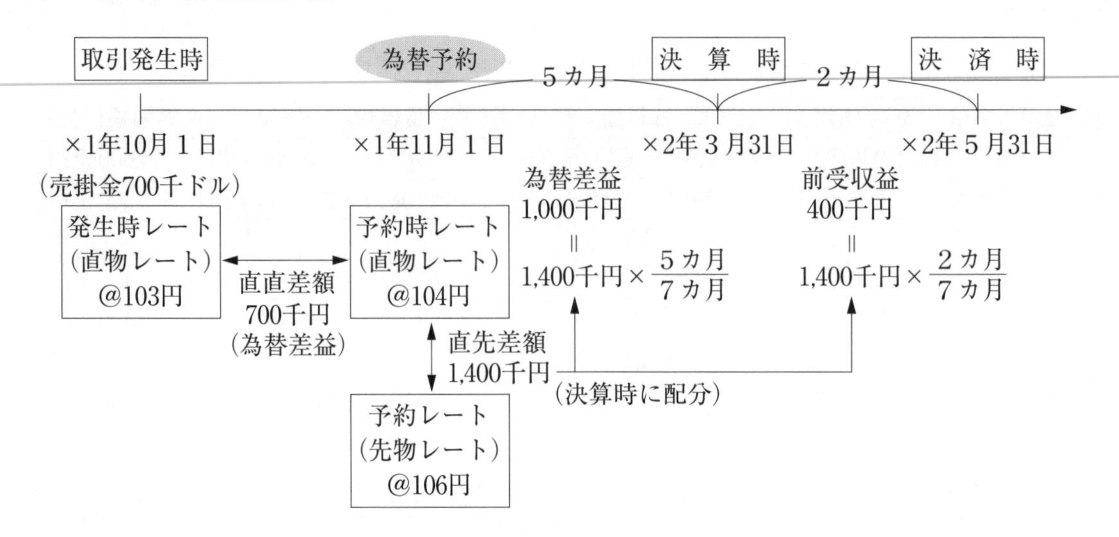

(1)取引発生時：

取引全体を、取引発生時の為替レートで換算します。

@ 103 円× 700 千ドル = 72,100 千円

(2)為替予約時：

①取引時発生時の直物レートと予約時の直物レートとの換算差額（直直差額）は当期の損益として計上します。

(@ 104 円－@ 103 円) × 700 千ドル
= 700 千円（為替差益）

②予約時の直物レートと予約レートによる換算差額（直先差額）は、前受収益または前払費用に計上し、決算時に当期分と翌期分に配分します。

(@ 106 円－@ 104 円) × 700 千ドル
= 1,400 千円（前受収益）

(3)決　算　時：

直先差額（前受収益）の当期対応分を為替差損益に振り替えます。

$1{,}400\text{千円}\times\frac{5\text{カ月}}{7\text{カ月}}=1{,}000\text{千円}$(為替差益)

∴×1年度為替差損益：700 千円＋ 1,000 千円
= 1,700 千円（為替差益）

(4)決　済　時：

予約レートで決済し、前受収益の残高を為替差損益に振り替えます。

問題8　解答

問1

(単位：千円)

	借方科目	金　額	貸方科目	金　額
(1)	現金預金	*123,600*	借入金	*126,000*
	前払費用	*2,400*		
(2)	為替差損益	*1,920*	前払費用	*1,920*
(3)	借入金	*126,000*	現金預金	*126,000*
	為替差損益	*480*	前払費用	*480*

×1年度に属する為替差損益：△ *1,920* 千円

※為替差損の場合は、金額の前に△を付しなさい。

問2

(単位：千円)

	借方科目	金　額	貸方科目	金　額
(1)	現金預金	*147,000*	借入金	*147,000*
(2)	為替差損益	*1,400*	借入金	*4,200*
	前払費用	*2,800*		
(3)	為替差損益	*2,240*	前払費用	*2,240*
(4)	借入金	*151,200*	現金預金	*151,200*
	為替差損益	*560*	前払費用	*560*

×1年度に属する為替差損益：△ *3,640* 千円

※為替差損の場合は、金額の前に△を付しなさい。

問1　為替予約(取引時予約)

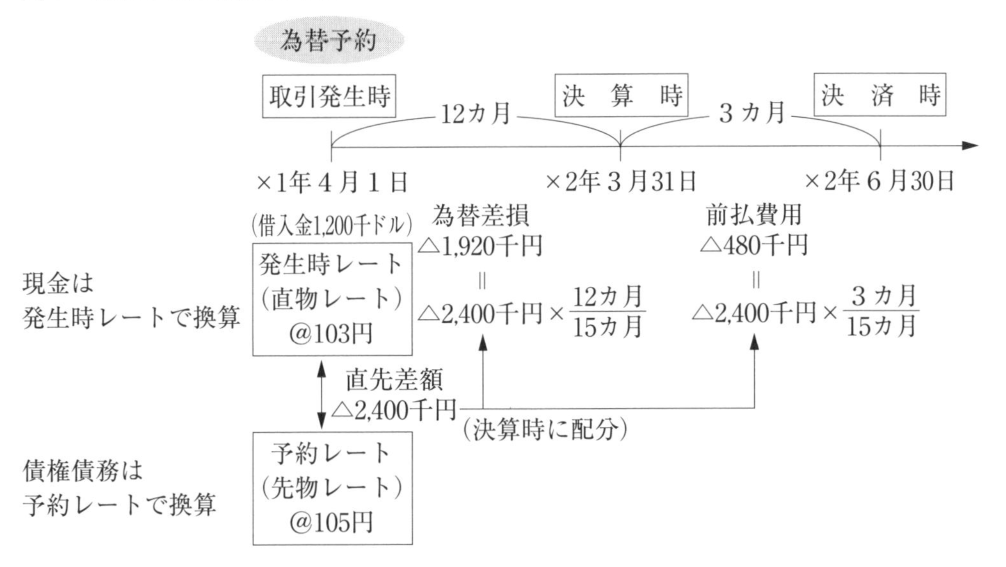

(1)取引発生時：

借入金は予約レート（@ 105 円)、現金は取引発生時（@ 103 円）の為替レートで換算します。

(2)決　算　時：

取引発生時に計上した前払費用のうち、当期に対応する金額を為替差損益に振り替えます。

(3)決　済　時：

取引発生時に付した予約レートで決済し、前払費用の残高を為替差損益に振り替えます。

問2　為替予約（取引後予約）

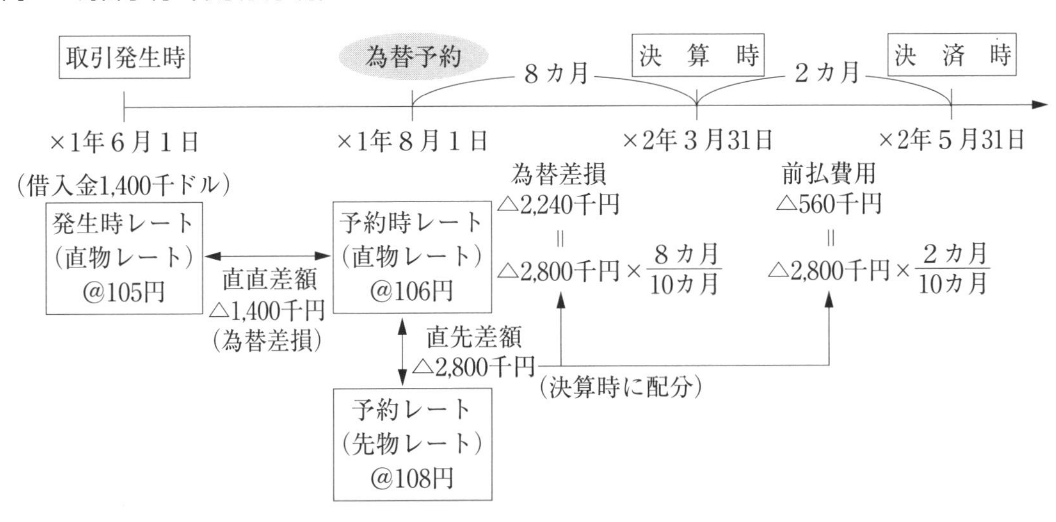

(1)取引発生時：

取引全体を、取引発生時のレートで換算します。

(2)為替予約時：

①取引発生時の直物レートと予約時の直物レートとの換算差額（直直差額）は、当期の損益として計上します。

(@ 105 円－@ 106 円) × 1,400 千ドル
＝△ 1,400 千円（為替差損)

②予約時の直物レートと予約レートによる換算差額（直先差額）は、前受収益または前払費用に計上し、決算時に当期分と翌期分に配分します。

(@ 106円 − @ 108円) × 1,400千ドル
= △ 2,800千円（前払費用）

(3)決　算　時：前払費用の按分

$△2,800千円 \times \frac{8カ月}{10カ月} = △2,240千円$(為替差損)

∴×1年度為替差損益：

△ 1,400千円 + △ 2,240千円 = △ 3,640千円（為替差損）

(4)決　済　時：

予約レートで決済し、前払費用の残高を為替差損益に振り替えます。

問題9　解答

決算整理後残高試算表　(単位：千円)

勘定科目	金　額	勘定科目	金　額
繰越商品	(25,421)	買掛金	(11,395)
仕入	(114,177)	前受収益	(60)
棚卸減耗損	(320)	為替差損益	(203)

解説

1．未処理事項の処理

(1)掛仕入

(借) 仕　入	1,017	(貸) 買掛金	1,017[01]

01) @ 113円×9千ドル＝1,017千円

(2)為替予約（直直差額、直先差額の計上）

外貨建取引額：

$\frac{3,300千円}{@110円(取引時直物)} = 30千ドル$

①取引発生時の直物レートと予約時の直物レートとの換算差額（直直差額）は、当期の損益として計上します。

(@ 110円 − @ 113円) × 30千ドル
= △ 90千円（為替差損）

(借) 為替差損益	90	(貸) 買掛金	90

②予約時の直物レートと予約レートによる換算差額（直先差額）は、前受収益または前払費用に計上し、決算時に当期分と翌期分に配分します。

(@ 113円 − @ 110円) × 30千ドル
= 90千円（前受収益）

(借) 買掛金	90	(貸) 前受収益	90

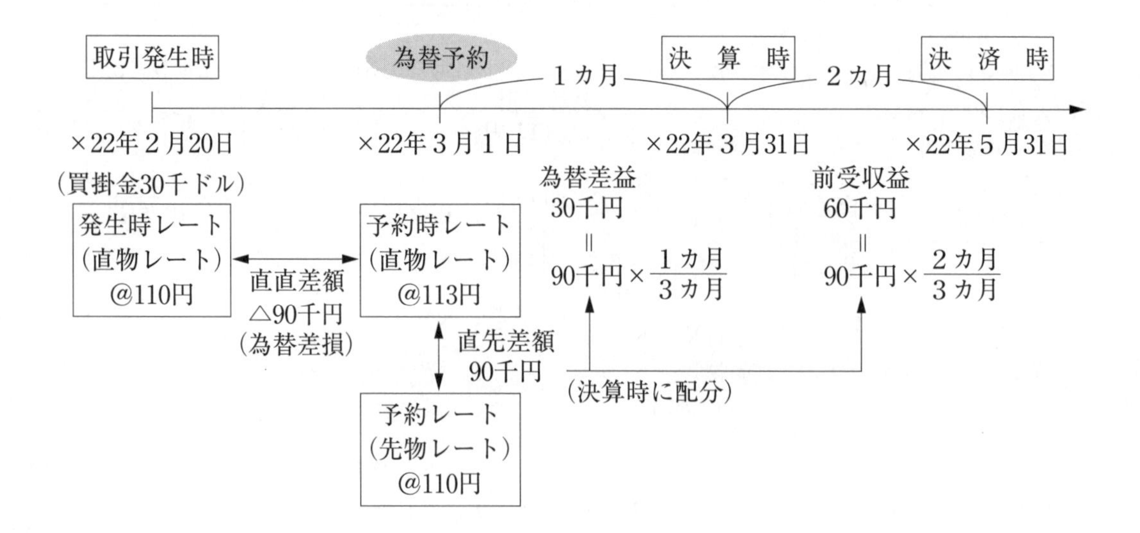

2．決算整理事項の処理

(1)外貨建買掛金の換算（3／1仕入分）

(借)為替差損益	27	(貸)買掛金	27

為替差損益：

（@113円（HR）－@116円（CR））×9千ドル＝△27千円

買掛金：

10,351千円＋1,017千円＋90千円－90千円＋27千円＝11,395千円

(2)期首・期末商品の振替え

(借)仕入	26,537	(貸)繰越商品	26,537
(借)繰越商品	25,741	(貸)仕入	25,741
(借)棚卸減耗損	320	(貸)繰越商品	320

期末商品帳簿棚卸高：

25,421千円＋320千円＝25,741千円

（期末実地棚卸高に棚卸減耗損を加えたものが期末帳簿棚卸高となります）

後T／B仕入：

112,364千円＋1,017千円＋26,537千円－25,741千円＝114,177千円

(3)為替予約（直先差額の配分）

(借)前受収益	30	(貸)為替差損益	30

直先差額のうち当期対応分：

$90千円 \times \frac{1カ月}{3カ月} = 30千円$

前受収益：90千円－30千円＝60千円

為替差損益：290千円－90千円－27千円＋30千円＝203千円

問題10 解答

問1

（単位：千円）

	借方科目	金額	貸方科目	金額
(1)	仕入	47,000	買掛金	47,000
(2)	仕訳なし			
(3)	為替差損益	2,000	買掛金	2,000
	為替予約	1,000	為替差損益	1,000
(4)	買掛金	49,000	現金預金	50,000
	為替差損益	1,000		
	現金預金	1,500	為替予約	1,000
			為替差損益	500

問2

（単位：千円）

	借方科目	金額	貸方科目	金額
(1)	売掛金	73,500	売上	73,500
(2)	仕訳なし			
(3)	為替差損益	4,900	売掛金	4,900
	為替予約	3,500	為替差損益	3,500
(4)	現金預金	65,800	売掛金	68,600
	為替差損益	2,800		
	現金預金	4,200	為替予約	3,500
			為替差損益	700

解説

問1

(1)×1年12月1日（取引時）

@94円×500千ドル＝47,000千円

(3)×2年3月31日（決算時）

①買掛金の換算差額（直物為替相場で換算）

（@94円－@98円）×500千ドル＝△2,000千円（為替差損）

②為替予約の評価（先物為替相場で換算）

予約時と決算時の換算差額を『**為替予約**』とします。

（@99円－@97円）×500千ドル＝1,000千円（為替差益）

(4)×2年5月31日（決済日）

①買掛金の換算差額（直物為替相場で換算）

決算時と決済時の換算差額を『**為替差損益**』とします。

（@98円－@100円）×500千ドル＝△1,000千円（為替差損）

②為替予約の決済（先物為替相場で換算）

前期末に計上した『**為替予約**』を取り消し、決算時と決済時の換算差額を『**為替差損益**』とします。

（@100円－@99円）×500千ドル＝500千円（為替差益）

問2

(1)×2年10月1日（取引時）

@105円×700千ドル＝73,500千円

(3)× 3 年 3 月 31 日（決算時）

①売掛金の換算差額（直物為替相場で換算）

(@ 98 円 − @ 105 円) × 700 千ドル

= △ 4,900 千円（為替差損）

②為替予約の評価（先物為替相場で換算）

予約時と決算時の換算差額を『**為替予約**』とします。

(@ 100 円 − @ 95 円) × 700 千ドル

= 3,500 千円（為替差益）

(4)× 3 年 4 月 30 日（決済日）

①買掛金の換算差額（直物為替相場で換算）

決算時と決済時の換算差額を『**為替差損益**』とします。

(@ 94 円 − @ 98 円) × 700 千ドル

= △ 2,800 千円（為替差損）

②為替予約の決済（先物為替相場で換算）

前期末に計上した『**為替予約**』を取り消し、決算時と決済時の換算差額を『**為替差損益**』とします。

(@ 95 円 − @ 94 円) × 700 千ドル

= 700 千円（為替差益）

問題 11 解答

1 振当処理による場合（単位：千円）

(1) × 15 年 12 月 1 日

勘定科目	金 額	勘定科目	金 額
仕入	*352,000*	買掛金	*352,000*

(2) × 16 年 1 月 1 日

勘定科目	金 額	勘定科目	金 額
為替差損	*8,000*	買掛金	*20,000*
前払費用	*12,000*		

(3) × 16 年 3 月 31 日

勘定科目	金 額	勘定科目	金 額
為替差損	*7,200*	前払費用	*7,200*

(4) × 16 年 5 月 31 日

勘定科目	金 額	勘定科目	金 額
買掛金	*372,000*	現金	*372,000*
為替差損	*4,800*	前払費用	*4,800*

2 独立処理による場合（単位：千円）

(1) × 15 年 12 月 1 日

勘定科目	金 額	勘定科目	金 額
仕入	*352,000*	買掛金	*352,000*

(2) × 16 年 1 月 1 日

勘定科目	金 額	勘定科目	金 額
仕訳不要			

(3) × 16 年 3 月 31 日

勘定科目	金 額	勘定科目	金 額
為替差損	*16,000*	買掛金	*16,000*
為替予約	*4,000*	為替差益	*4,000*

(4) × 16 年 5 月 31 日

勘定科目	金 額	勘定科目	金 額
買掛金	*368,000*	現金	*380,000*
為替差損	*12,000*		
現金	*8,000*	為替予約	*4,000*
		為替差益	*4,000*

解説

1 振当処理による場合

(1) 仕入時（× 15 年 12 月 1 日）

4,000 千ドル×直物 88 円= 352,000 千円

(2) 為替予約時（× 16 年 1 月 1 日）

直直差額：4,000 千ドル×（直物 90 円 − 直物 88 円） = 8,000 千円

買掛金の増加→差損

直先差額：4,000 千ドル×（先物 93 円 − 直物 90 円） = 12,000 千円

買掛金の増加→差損

※ 直先差額は前払費用とします。

(3) 決算時（× 16 年 3 月 31 日）

為替差損：12,000千円× $\frac{3カ月}{3カ月+2カ月}$

= 7,200 千円

⑷　決済時（×16年5月31日）

為替差損：12,000千円－7,200千円

＝4,800千円

現金支払高：4,000千ドル×予約93円

＝372,000千円

2　独立処理による場合

⑴　仕入時（×15年12月1日）

4,000千ドル×直物88円＝352,000千円

⑵　為替予約時（×16年1月1日）

仕訳不要

⑶　決算時（×16年3月31日）

①　買掛金の換算替

4,000千ドル×ＣＲ92円＝368,000千円

②　為替予約の評価

決算日の先物94円より、予約した93円の方が、支払額が1円少なくなります。

∴　4,000千ドル×（先物94円－先物93円）＝4,000千円　→差益

⑷　決済時（×16年5月31日）

①　買掛金の決済

現金支払高：4,000千ドル×直物95円

＝380,000千円

為替差損：380,000千円－368,000千円

＝12,000千円

②　為替予約の決済

現金収支：決済日の直物95円より、予約した93円の方が、支払額が2円少なくなります。

∴　4,000千ドル×（直物95円－先物93円）＝8,000千円

為替差益：8,000千円－為替予約4,000千円＝4,000千円

<参　考>

1　振当処理による場合

仕入れた期の差損：15,200千円

決済時の差損：4,800千円

計：20,000千円

2　独立処理による場合

仕入れた期の差損：12,000千円

決済時の差損：8,000千円

計：20,000千円

3　為替予約をしなかった場合

仕入れた期の差損：16,000千円

決済時の差損：12,000千円

計：28,000千円

問題12　解答

問1

（単位：千円）

	借方科目	金　額	貸方科目	金　額
⑴	**売掛金**	*55,500*	**売上**	*55,500*
⑵	**貸付金**	*20,200*	**現金預金**	*20,200*
⑶	**貸付金**	*800*	**前受収益**	*600*
			為替差損益	*200*
⑷	**前受収益**	*150*	**為替差損益**	*150*
	未収収益	*525*	**受取利息**	*525*
⑸	**現金預金**	*55,500*	**売掛金**	*55,500*
⑹	**現金預金**	*22,050*	**貸付金**	*21,000*
			受取利息	*1,050*
	前受収益	*450*	**為替差損益**	*450*

※貸付金は『**短期貸付金**』でも可。未収収益は『**未収利息**』でも可。

問2

貸借対照表　（単位：千円）

資産の部		負債の部	
科目	金額	科目	金額
Ⅰ　流動資産		Ⅰ　流動負債	
売掛金	（*55,500*）	〔**前受収益**〕	（*450*）
短期貸付金	（*21,000*）		
〔**未収収益**〕	（*525*）		

損益計算書に表示される為替差損益に関する事項

表示箇所	表示科目	表示金額
営業外収益	**為替差益**	*350*　千円

解説

問1　仕訳問題

⑴×21年6月1日（売上取引・為替予約時）

売上取引と同時に振当処理（為替差損益を認識しない簡便法）により、為替予約を付しているため、予約レートで換算した金額で計上します。

売掛金・売上：@ 111 円× 500 千ドル
= 55,500 千円

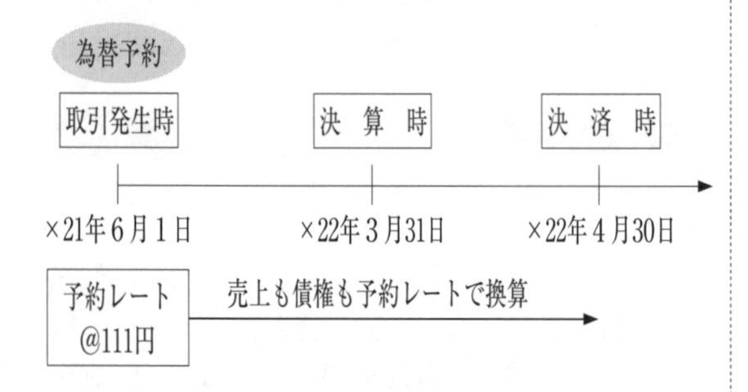

(2)× 21 年 10 月 1 日（現金貸付時）

貸付金：@ 101 円（取引時CR）× 200 千ドル = 20,200 千円

(3)× 22 年 2 月 1 日（為替予約時）

① 取引発生時の直物レートと予約時の直物レートとの換算差額（直直差額）は、当期の損益として計上します。
(@ 102 円 − @ 101 円) × 200 千ドル
= 200 千円（為替差益）

② 予約時の直物レートと予約レートによる換算差額（直先差額）は、前受収益または前払費用に計上し、決算時に当期分と翌期分に配分します。
(@ 105 円 − @ 102 円) × 200 千ドル
= 600 千円（前受収益）

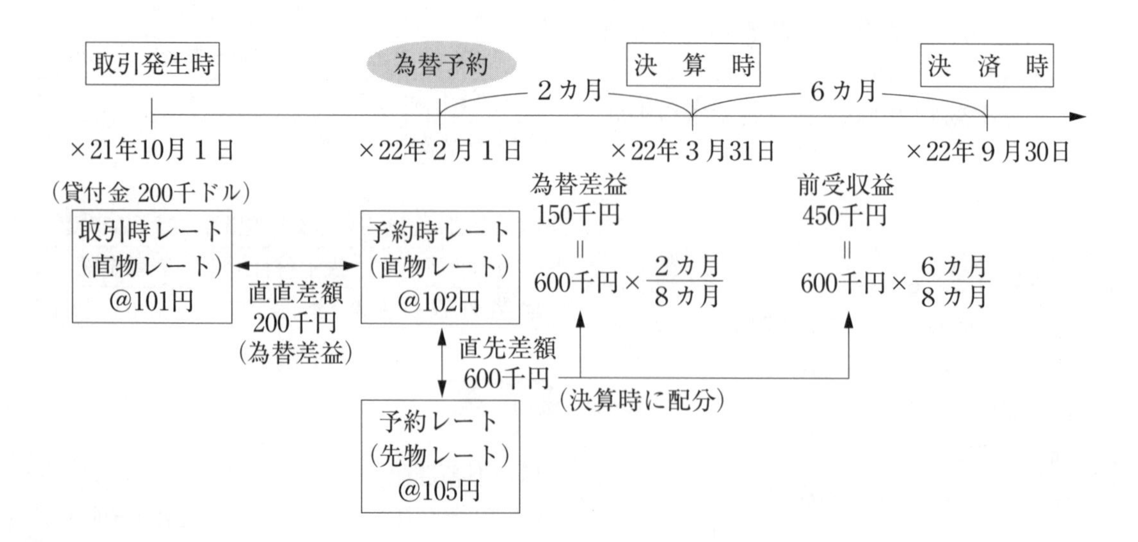

(4)× 22 年 3 月 31 日（決算日）

直先差額（前受収益）の当期対応分を為替差損益に振り替えます。

$$600\text{千円} \times \frac{2\text{カ月}}{8\text{カ月}} = 150\text{千円}(\text{為替差益})$$

また、貸付金利息の当期帰属分を見越計上します。なお、元利に対して為替予約を行っているため、利息についても２月１日の予約レートで換算します。

$$@105\text{円} \times 200\text{千ドル} \times 0.05 \times \frac{6\text{カ月}}{12\text{カ月}}$$

＝ 525 千円（未収収益）

(5)× 22 年 4 月 30 日（売掛金決済日）

取引発生と同時に予約レートを付しているため、その予約レートで決済し、為替差損益は計上しません。

(6)× 22 年 9 月 30 日（貸付金決済日）

為替予約時に付した予約レートで元本および利息を回収し、前受収益の残高を為替差損益に振り替えます。

問２　× 22 年３月 31 日の財務諸表（一部）作成（カッコ内の数字は解説番号）

《B / S》

売　掛　金：55,500 千円(1)より

貸　付　金：20,200 千円(2) + 800 千円(3)

＝ 21,000 千円（短期貸付金）

前受収益：600 千円(3) − 150 千円(4) ＝ 450 千円

未収収益：525 千円(4)より

《P / L》

為替差損益：200 千円(3) + 150 千円(4) ＝ 350 千円（為替差益）

問題13 解答

問1

（単位：千円）

	借方科目	金額	貸方科目	金額
(1)	**現金預金**	*103,000*	**借入金**	*103,000*
(2)	**長期前払費用**	*4,000*	**借入金**	*7,000*
	為替差損益	*3,000*		
(3)	**為替差損益**	*400*	**長期前払費用**	*400*
	支払利息	*3,210*	**未払費用**	*3,210*
(4)	**為替差損益**	*2,400*	**長期前払費用**	*2,400*
	支払利息	*3,240*	**未払費用**	*3,240*
(5)	**借入金**	*110,000*	**現金預金**	*116,720*
	支払利息	*6,720*		
	為替差損益	*1,200*	**長期前払費用**	*1,200*

※(1)、(2)の借入金は『**長期借入金**』、(5)の借入金は『**短期借入金**』などでも可。

(5)の長期前払費用は『**前払費用**』でも可。未払費用は『**未払利息**』でも可。

問2　×22年3月31日の貸借対照表（一部）

貸借対照表　（単位：千円）

資産の部		負債の部	
科目	金額	科目	金額
Ⅰ 流動資産		Ⅰ 流動負債	
〔**前払費用**〕	（*1,200*）	〔**一年内返済長期借入金**〕	（*110,000*）
		〔**未払費用**〕	（*3,240*）

※一年内返済長期借入金は『**短期借入金**』でも可。

解説

問1　仕訳問題

(1)×20年10月1日（現金借入時）

借入金：@103円×1,000千ドル＝103,000千円

(2)×21年2月1日（為替予約時）

① 取引発生時の直物レートと予約時の直物レートとの換算差額（直直差額）は、当期の損益として計上します。

（@103円－@106円）×1,000千ドル
＝△3,000千円（為替差損）

② 予約時の直物レートと予約レートによる換算差額（直先差額）は、前受収益または前払費用に計上し、決算時に当期分と翌期以後分に配分します。

（@106円－@110円）×1,000千ドル
＝△4,000千円（長期前払費用[01]）

01） 決済日が決算日の翌日から1年を超えて到来するため、『長期前払費用』で処理します。

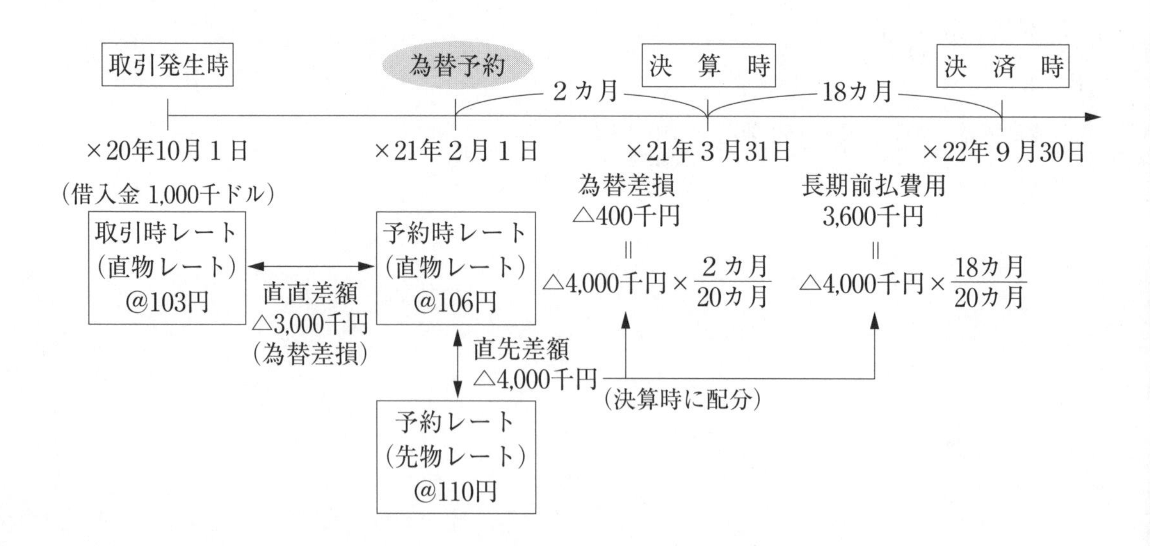

(3)× 21 年 3 月 31 日（決算日）

直先差額（長期前払費用）の当期対応分を為替差損益に振り替えます。

$\triangle 4{,}000千円 \times \frac{2カ月}{20カ月} = \triangle 400千円$（為替差損）

また、借入金利息の当期帰属分を見越計上します。なお、利息に対しては為替予約を行っていないため、未払利息は決算時レートで換算します。

$@107円 \times 1{,}000千ドル \times 0.06 \times \frac{6カ月}{12カ月}$

= 3,210 千円（未払費用）

(4)× 22 年 3 月 31 日（決算日）

直先差額（長期前払費用）の当期対応分を為替差損益に振り替えます。

$\triangle 4{,}000千円 \times \frac{12カ月}{20カ月} = \triangle 2{,}400千円$（為替差損）

また、借入金利息の当期帰属分を見越計上します。

$@108円 \times 1{,}000千ドル \times 0.06 \times \frac{6カ月}{12カ月}$

= 3,240 千円（未払費用）

(5)× 22 年 9 月 30 日（借入金返済日）

為替予約時に付した予約レートで元本を返済し、返済日のレートで支払利息を計上します。また、長期前払費用の残高を為替差損益に振り替えます。

支払利息：@ 112 円× 1,000 千ドル× 0.06
= 6,720 千円

問2　× 22 年3月 31 日の財務諸表（一部）作成

《B / S》

借入金：103,000 千円(1) + 7,000 千円(2) = 110,000 千円

なお、返済期限が決算日後 1 年以内の長期借入金であるため、『**一年内返済長期借入金**』（または『**短期借入金**』）として流動負債に表示します。

長期前払費用：

4,000 千円(2) − 400 千円(3) − 2,400 千円(4)
= 1,200 千円

なお、決済日が決算日以後 1 年以内のため、『**前払費用**』として流動資産に表示します。

未払費用：3,240 千円（(4)より）

問題 14　解答

問1

（単位：千円）

	借方科目	金額	貸方科目	金額
(1)	**現金預金**	*36,000*	**借入金**	*36,000*
(2)	**仕訳なし**			
(3)	**為替差損益**	*1,200*	**借入金**	*1,200*
	支払利息	*372*	**未払費用**	*372*
	為替予約	*300*	**為替差損益**	*300*
(4)	**借入金**	*37,200*	**現金預金**	*38,250*
	為替差損益	*300*		
	支払利息	*750*		
	現金預金	*2,100*	**為替予約**	*300*
			為替差損益	*1,800*

※借入金は『**短期借入金**』でも可。未払費用は『**未払利息**』でも可。

問2　× 22 年3月 31 日の財務諸表（一部）

貸借対照表　（単位：千円）

資産の部		負債の部	
科目	金額	科目	金額
Ⅰ 流動資産		Ⅰ 流動負債	
〔**為替予約**〕	(*300*)	〔**短期借入金**〕	(*37,200*)
		〔**未払費用**〕	(*372*)

損益計算書に表示される為替差損益に関する事項

表示箇所	表示科目	表示金額
営業外費用	**為替差損**	*900 千円*

解説

問1　仕訳問題

(1)× 21 年 10 月 1 日（現金借入時）

借入金：@ 120 円（取引時直物）× 300 千ドル = 36,000 千円

(2)× 22 年 2 月 1 日（為替予約時）

問題文の指示により、原則の独立処理を適用します。

為替予約日は為替予約の効果がまだ出ていないため、仕訳は行いません。

(3)× 22 年 3 月 31 日（決算時）

借入金：@ 124 円（決算時直物）× 300 千ドル = 37,200 千円

36,000千円 − 37,200千円 = △1,200千円
（為替差損）

また、借入金利息の当期帰属分を見越計上します。

支払利息：

@124円（決算時直物）× 300千ドル × 0.02 × 6カ月/12カ月
= 372千円（未払費用）

為替予約：(@119円（決算時先物）− @118円（予約時先物）) × 300千ドル
= 300千円（為替差益）

(4) ×22年9月30日（返済時）

①借入金の返済

借入金と利息は返済時の為替レートにより換算します。

借入金：@125円（返済時直物）× 300千ドル = 37,500千円

37,200千円（帳簿価額(3)）− 37,500千円（返済時換算額）= △300千円
（為替差損）

支払利息：@125円（返済時直物）× 300千ドル × 0.02
= 750千円

(借)		(貸)	
借入金	37,200	現金預金	38,250
為替差損益	300		
支払利息	750		

②為替予約の決済

予約日と決済日のレートの差額を現金で受け取ります。

現金預金：(@125円（返済時直物）− @118円（予約時先物）) × 300千ドル
= 2,100千円

為替差損益：(3)で計上済みの為替予約300千円との差額で求めます。

(借)		(貸)	
現金預金	2,100	為替予約	300
		為替差損益	1,800

問2　×22年3月31日の財務諸表（一部）作成

《B／S》

借入金：37,200千円(3)より（短期借入金）

未払費用：372千円(3)より

為替予約：300千円(3)より

《P／L》

為替差損益：300千円 − 1,200千円
= △900千円(3)より（為替差損）

問題15　解答

決算整理後残高試算表　(単位：千円)

勘定科目	金額	勘定科目	金額
有価証券	(59,780)	有価証券利息	(2,420)
投資有価証券	(92,120)	為替差損益	(3,730)
関係会社株式	(19,600)		
有価証券評価損益	(220)		
関係会社株式評価損	(27,900)		

解説

(1) A社株式（売買目的有価証券）

(借)		(貸)	
有価証券評価損益	220	有価証券	220

@98円（CR）× 610千ドル − 60,000千円
= △220千円（評価差損）

CR @98円
HR @100円
有価証券評価損益 △220千円
取得原価 60,000千円
B/S価額 59,780千円
HC 600千ドル　CC 610千ドル

(2) B社社債（満期保有目的債券）

(借)		(貸)	
投資有価証券	1,440	有価証券利息	1,440
投資有価証券	3,730	為替差損益	3,730

①ドル建償却額

(1,000千ドル − 925千ドル) × 12カ月/60カ月 = 15千ドル

②円建償却額

@96円（AR）× 15千ドル = 1,440千円

有価証券利息：980千円（前T/B）+ 1,440千円
= 2,420千円

③為替差損益

@98円（CR）×(925千ドル + 15千ドル) −(86,950千円 + 1,440千円) = 3,730千円（為替差益）

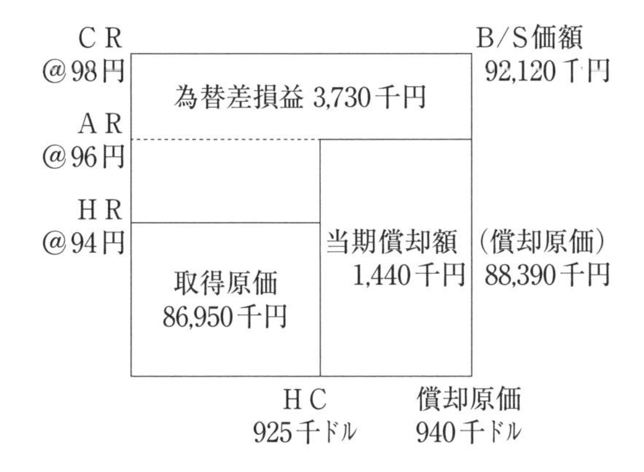

⑶C社株式（子会社株式）

（借）関係会社株式評価損　27,900　（貸）関係会社株式　27,900

@98円(CR)×200千ドル－47,500千円
＝△27,900千円（評価損）

問題16 解答

決算整理後残高試算表（単位：千円）

勘定科目	金　額	勘定科目	金　額
投資有価証券	（　*53,460*）	その他有価証券評価差額金	（　*1,060*）
		為替差損益	（　*1,800*）

解説

⑴　A社株式（その他有価証券：株式）

全部純資産直入法（税効果会計の適用なし）を採用しているため、評価差額はすべて『**その他有価証券評価差額金**』で処理します。

（借）投資有価証券　520　（貸）その他有価証券評価差額金　520

@108円(CR)×190千ドル－@100円(HR)×200千ドル
＝520千円（評価益）

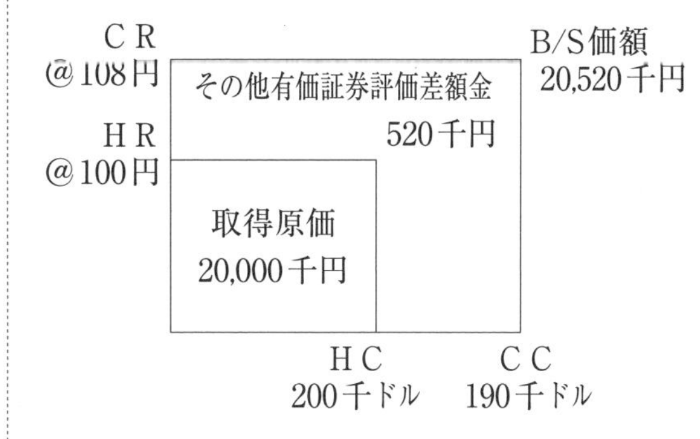

⑵　B社社債（その他有価証券：債券）

問題文の指示により、評価差額のうち、外貨による時価の変動にともなう換算差額のみを『**その他有価証券評価差額金**』とし、残額は『**為替差損益**』として処理します。このような評価差額の一部を『**為替差損益**』とする処理は、債券特有の容認処理です。

（借）投資有価証券　2,340　（貸）その他有価証券評価差額金　540
為替差損益　1,800

その他有価証券評価差額金：
@108円(CR)×（305千ドル－300千ドル）
＝540千円（評価益）

為替差損益：（@108円(CR)－@102円(HR)）×300千ドル
＝1,800千円（為替差益）

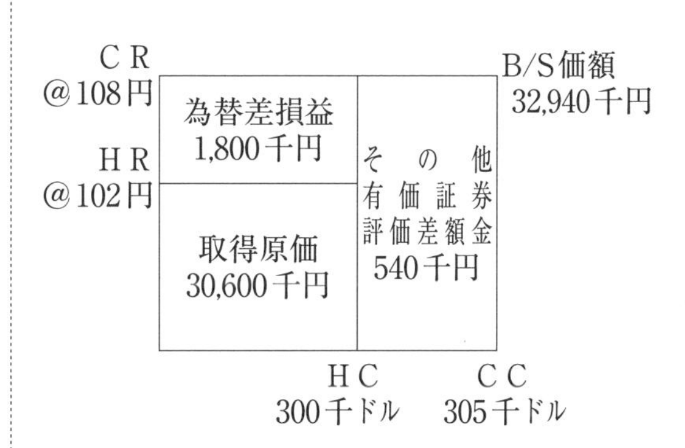

問題17 解答

決算整理後残高試算表 (単位：千円)

勘定科目	金 額	勘定科目	金 額
投資有価証券	(31,500)	繰延税金負債	(495)
繰延税金資産	(165)	その他有価証券評価差額金	(1,155)
投資有価証券評価損	(550)	法人税等調整額	(165)

解説

(1) A社株式（その他有価証券：株式）

部分純資産直入法を採用しており、評価損が生じているので、評価差額は損失として処理します。

(借) 投資有価証券評価損	550	(貸) 投資有価証券	550
(借) 繰延税金資産	165	(貸) 法人税等調整額	165

評価差額：@105円(CR)×90千ドル－@100円(HR)×100千ドル＝△550千円（評価損）

繰延税金資産：550千円×0.3＝165千円

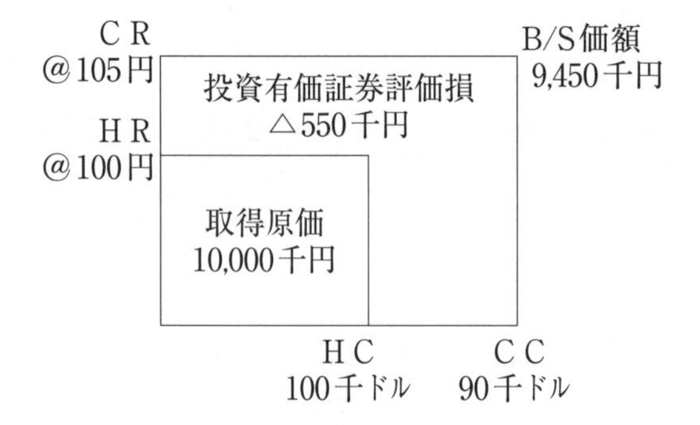

(2) B社社債（その他有価証券：債券）

問題文に特に指示がないため、評価差額の処理は原則処理（為替差損益を認識しない方法）となります。また、部分純資産直入法を採用しており、評価益が生じているので、評価差額は**『その他有価証券評価差額金』**として処理します。

(借) 投資有価証券	1,650	(貸) 繰延税金負債	495
		その他有価証券評価差額金	1,155

評価差額：@105円(CR)×210千ドル－@102円(HR)×200千ドル＝1,650千円（評価益）

繰延税金負債：1,650千円×0.3＝495千円

その他有価証券評価差額金：

1,650千円－495千円＝1,155千円

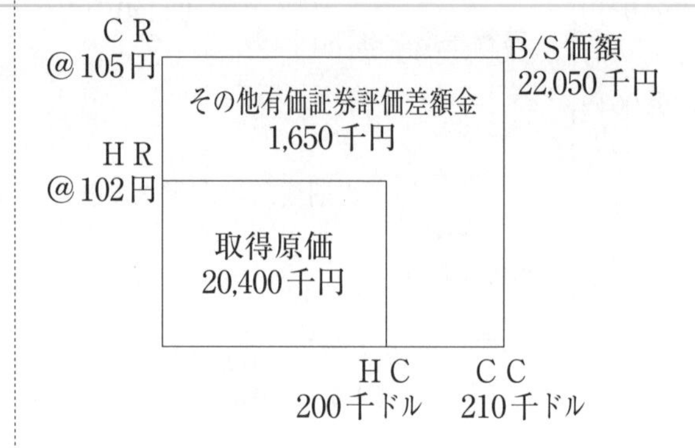

問題18 解答

決算整理後残高試算表 (単位：円)

勘定科目	金 額	勘定科目	金 額
有価証券	(714,000)	有価証券運用損益	(8,500)
投資有価証券	(1,329,195)	有価証券利息	(50,260)
関係会社株式	(126,000)	為替差益	(—)
投資有価証券評価損益	(45,500)		
関係会社株式評価損	(270,000)		
為替差損	(38,350)		

解説

1. W社株式（売買目的→有価証券 a/c）

(借) 有価証券運用損益	32,000 01)	(貸) 有価証券	32,000

01) 簿価：273,500円
時価：4.6ドル×500株×105円＝241,500円
評価損：241,500円－273,500円＝△32,000円

2. X社株式（売買目的→有価証券 a/c）

(借) 有価証券	40,500	(貸) 有価証券運用損益	40,500 01)

01) 簿価：432,000円
時価：5ドル×900株×105円＝472,500円
評価益：472,500円－432,000円＝40,500円

3. Y社株式（子会社→関係会社株式 a/c）

(借) 関係会社株式	126,000 02)	(貸) 有価証券	396,000 01)
関係会社株式評価損	270,000 03)		

01) 簿価：396,000円
02) 実質価額：2ドル×600株×105円＝126,000円
03) 評価損：126,000円－396,000円＝△270,000円

4. 甲社社債（その他有価証券→投資有価証券 a/c）

(借)投資有価証券	519,750 [02]	(貸)有価証券	565,250 [01]
投資有価証券評価損益	45,500 [03]		
(借)現金預金	8,925	(貸)有価証券利息	8,925 [04]

01）簿価：565,250円
02）時価：99ドル×50口×105円＝519,750円
03）評価損：519,750円－565,250円＝△45,500円
04）約定利息：5,000ドル×3.4%×$\frac{6ヵ月}{12ヵ月}$×105円＝8,925円

5. 丙社社債（満期保有目的→投資有価証券 a/c）

(借)投資有価証券	840,840 [01]	(貸)有価証券	840,840
(借)投資有価証券	6,955 [02]	(貸)有価証券利息	6,955
(借)為替差損	38,350	(貸)投資有価証券	38,350
(借)現金預金	25,200	(貸)有価証券利息	25,200

01）簿価：840,840円
02）償却額：
直前の利払日の翌日の簿価に実効利率を乗じた実効利息から、約定利息をマイナスしたものが、当期の償却額となります。
7,644ドル×4％－8,000ドル※×3％＝65ドル（ドル未満切捨）
※ 100ドル×80口＝8,000ドル
65ドル×107円（AR）＝6,955円
03）丙社社債の後T／Bの金額の計算：(7,644ドル＋65ドル)×105円（CR）＝809,445円
04）為替差損益：809,445円－（840,840円＋6,955円）＝△38,350円
05）約定利息：8,000ドル×3％×105円＝25,200円

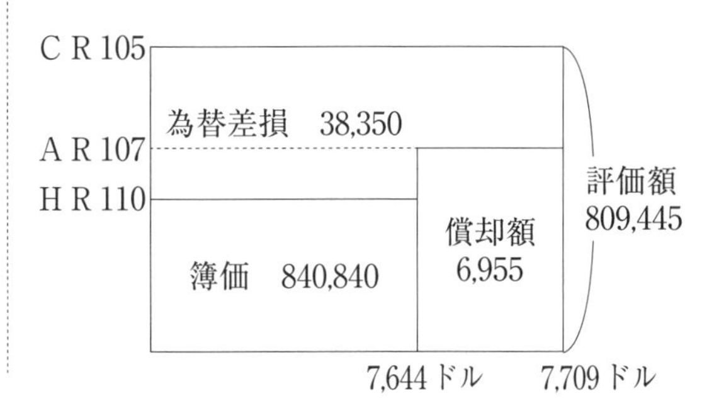

（参考）償却原価法による簿価の推移（ドル建）　　実効利息はドル未満切捨

	期首簿価	実効利息	利札の金額	償却額	期末簿価
1年目	7,644ドル	305ドル	240ドル	65ドル	7,709ドル
2年目	7,709ドル	308ドル	240ドル	68ドル	7,777ドル
3年目	7,777ドル	311ドル	240ドル	71ドル	7,848ドル
4年目	7,848ドル	313ドル	240ドル	73ドル	7,921ドル
5年目	7,921ドル	319ドル	240ドル	79ドル	8,000ドル
合計		1,556ドル	1,200ドル	356ドル	

問題19 解答

イ	108.5 円	ロ	129,660 円

解説

1. G社社債

(1)取得時（×21年1月1日）

(借)投資有価証券	2,156,000	(貸)現金預金	2,156,000

@110円(取得時レート)×19,600ドル＝2,156,000円

(2)決算時（×21年3月31日）

①利息の見越計上

(借)未収利息	31,500	(貸)有価証券利息	31,500

@105円(CR)×20,000ドル×0.06×$\frac{3カ月}{12カ月}$＝31,500円

②償却原価法による償却額

×21年1月1日から3月31日までの平均為替レートが不明のため、償却額をX、換算差額（為替差損益分）をYとしておきます。

(借)投資有価証券	X	(貸)有価証券利息	X
(借)為替差損益	Y	(貸)投資有価証券	Y

01)　数値の算定は後述の３で取りあげます。

２．H社社債

(1)取得時（×21年２月１日）

(借) 投資有価証券	1,134,000	(貸) 現金預金	1,134,000

@108円(取得時レート)×10,500ドル＝1,134,000円

(2)決算時（×21年３月31日）

①利息の見越計上

(借) 未収利息	12,250	(貸) 有価証券利息	12,250

$@105円_{(CR)} \times 10{,}000ドル \times 0.07 \times \frac{2カ月}{12カ月} = 12{,}250円$

②償却原価法による償却額

取得原価が額面金額より高いため（打歩発行のため）、仕訳の貸借を逆にしないように気をつけてください。

(借) 有価証券利息	5,300	(貸) 投資有価証券	5,300
(借) 為替差損益	31,450	(貸) 投資有価証券	31,450

ドル建償却額：

$(10{,}000ドル - 10{,}500ドル) \times \frac{2カ月}{20カ月} = △50ドル$

円建償却額：@106円(AR)×△50ドル＝△5,300円

為替差損益：@105円(CR)×（10,500ドル－50ドル）
－（1,134,000円－5,300円）
＝△31,450円（為替差損）

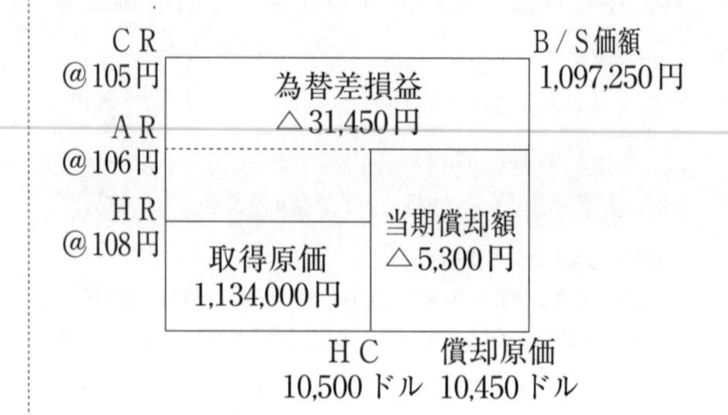

３．不明金額の算定

(1)G社社債償却額（X）

上記仕訳と決算整理後残高試算表より、G社社債償却額（X）を求めます。

有価証券利息

借方		貸方	
H社社債償却額	5,300円	G社社債未収利息	31,500円
後T/B 有価証券利息	44,960円	G社社債償却額	X円
		H社社債未収利息	12,250円

G社償却額（X）：
44,960円＋5,300円－31,500円－12,250円
＝6,510円

(2)×21年１月１日から３月31日の平均為替レート（イ）

ドル建償却額：

$(20{,}000ドル - 19{,}600ドル) \times \frac{3カ月}{20カ月} = 60ドル$

平均為替レート：$\frac{6{,}510円}{60ドル}$＝@108.5円（ＡＲ）

(3)G社社債の為替差損益（Y）

@105円(CR)×（19,600ドル＋60ドル）
－（2,156,000円＋6,510円）＝△98,210円

(4)為替差損益合計（ロ）

△98,210円＋△31,450円＝△129,660円
（為替差損）

貸借対照表　(単位：千円)

資産の部		純資産の部	
科目	金額	科目	金額
Ⅰ 流動資産		：	：
〔有価証券〕	(231,000)	Ⅱ 評価・換算差額等	
Ⅱ 固定資産		その他有価証券評価差額金	(△ 1,400)
投資その他の資産			
〔投資有価証券〕	(172,700)		
〔関係会社株式〕	(71,030)		
〔繰延税金資産〕	(600)		

損益計算書　(単位：千円)

科目	金額
：	：
Ⅳ 営業外収益	
〔有価証券評価益〕	(31,000)
〔有価証券利息〕	(2,240)
〔為替差益〕	(4,460)
：	：
Ⅶ 特別損失	
〔関係会社株式評価損〕	(13,470)

解説

(1) A社株式（売買目的有価証券）→**『有価証券』**

貸借対照表価額：

@110円(CR)× 2,100千ドル＝231,000千円

有価証券評価損益：

231,000千円－200,000千円＝31,000千円（評価益）

(2) B社社債（満期保有目的の債券）→**『投資有価証券』**

当期償却額：

$$\frac{1{,}000\text{千ドル}-900\text{千ドル}}{5\text{年}}=20\text{千ドル}$$

有価証券利息：

@112円(AR)× 20千ドル＝2,240千円

貸借対照表価額：

@110円(CR)×（900千ドル＋20千ドル）[01)]
＝101,200千円

為替差損益：

101,200千円－（94,500千円(取得原価)＋2,240千円(当期償却額)）
＝4,460千円（為替差益）

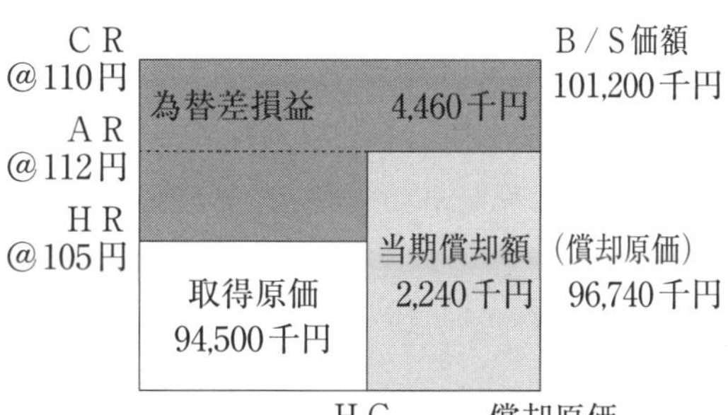

01）満期保有目的の債券につき、外貨ベースで時価評価を行わない点に注意しましょう。

(3) C社株式（子会社株式）→『**関係会社株式**』

関係会社株式は取得原価で評価します。

貸借対照表価額：57,500千円

(4) D社株式（関連会社株式）→『**関係会社株式**』

問題文の指示により、減損処理を行います。

貸借対照表価額：@110円(CR)×123千ドル

=13,530千円

関係会社株式評価損：

27,000千円(帳簿価額)−13,530千円(期末時価)=13,470千円

(5) E社株式（その他有価証券）→『**投資有価証券**』

貸借対照表価額：

@110円(CR)×650千ドル=71,500千円

評価差額：71,500千円−73,500千円

=△2,000千円

→繰延税金資産：2,000千円×0.3=600千円

その他有価証券評価差額金：

2,000千円−600千円=1,400千円

(借)		(貸)	
繰延税金資産	600	投資有価証券	2,000
その他有価証券評価差額金	1,400		

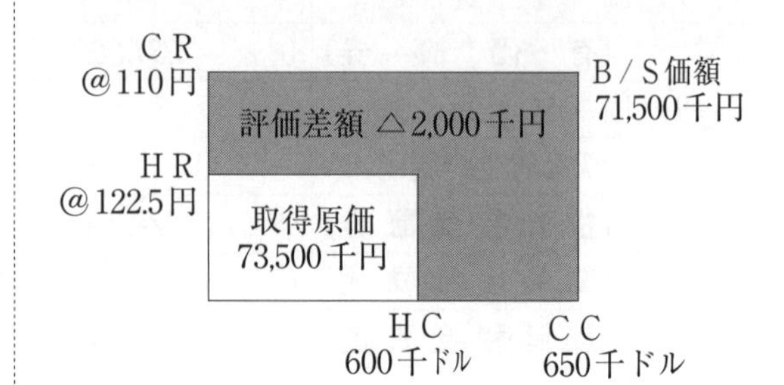

問題21 解答

貸借対照表 (単位：千円)

資産の部		負債の部	
科目	金額	科目	金額
Ⅰ 流動資産		：	：
〔**未収収益**〕	(52)	Ⅱ 固定負債	
Ⅱ 固定資産		〔**繰延税金負債**〕	(156)
：	：	純資産の部	
投資その他の資産		：	：
〔**投資有価証券**〕	(35,646)	Ⅱ 評価・換算差額等	
		その他有価証券評価差額金	(364)

損益計算書 (単位：千円)

科目	金額
：	：
Ⅳ 営業外収益	
〔**有価証券利息**〕	(249)
Ⅴ 営業外費用	
〔**為替差損**〕	(116)
：	：
Ⅶ 特別損失	
〔**投資有価証券評価損**〕	(34,200)

(1)A社社債（満期保有目的の債券）→『**投資有価証券**』

①B／S価額等の計算

当期償却額：

$\frac{(50千ドル - 47千ドル)}{3年} \times \frac{9カ月}{12カ月}$

＝0.75千ドル

有価証券利息：@112円(AR)×0.75千ドル

＝84千円

貸借対照表価額：

@104円(CR)×（47千ドル＋0.75千ドル）

＝4,966千円

為替差損益：

4,966千円－（5,358千円(取得原価)＋84千円(当期償却額)）

＝△476千円（為替差損）

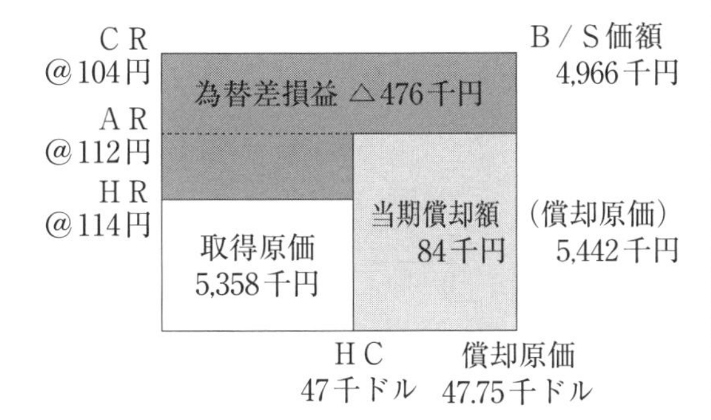

②未収利息の計算

未収収益：

@104円(CR)×50千ドル×0.04×$\frac{3カ月}{12カ月}$

＝52千円

∴有価証券利息：

113千円(12月末分)＋84千円(当期償却額)＋52千円(未収収益)＝249千円

(2)B社株式（その他有価証券）→『**投資有価証券**』

取引上の関係で保有している有価証券（子会社株式・関連会社株式に該当するものを除く）は、「その他有価証券」に該当します。なお、実質価額が著しく下落しているため、減損処理を行います。

実質価額（外貨ベース）：

（5,500千ドル(諸資産)－3,500千ドル(諸負債)）×0.1

＝200千ドル

減損処理の必要性：

$\frac{55,000千円}{@110円(HR)} \times 0.5 = 250千ドル$

≧200千ドル（∴必要）

貸借対照表価額：

@104円(CR)×200千ドル＝20,800千円

投資有価証券評価損：

55,000千円(取得原価)－20,800千円(実質価額)＝34,200千円

(3)C社社債（その他有価証券）→『**投資有価証券**』

取得時レート(HR)：$\frac{9,000千円}{90千ドル}$＝@100円

為替差損益：

（@104円(CR)－@100円(HR)）×90千ドル

＝360千円（為替差益）

貸借対照表価額：@104円(CR)×95千ドル

＝9,880千円

評価差額の算定：

9,880千円－（9,000千円＋360千円）

＝520千円

→繰延税金負債：520千円×0.3＝156千円

その他有価証券評価差額金：

520千円－156千円＝364千円

(借) 投資有価証券	520	(貸) 繰延税金負債	156
		その他有価証券評価差額金	364

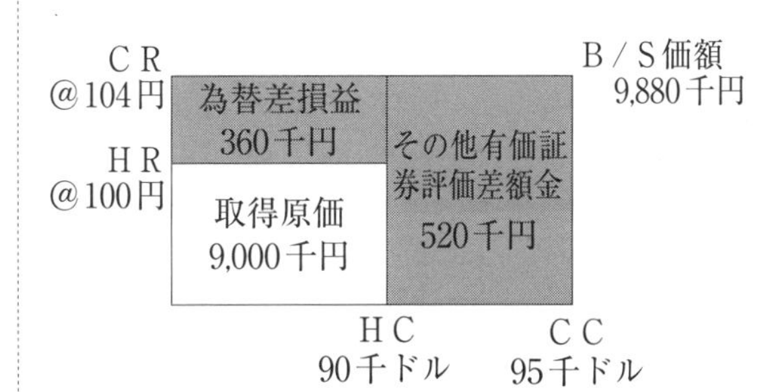

(4)財務諸表の表示

《P／L》為替差損益：

△476千円＋360千円＝△116千円(為替差損)

《B／S》投資有価証券：

4,966千円(A社)＋20,800千円(B社)＋9,880千円(C社)

＝35,646千円

Chapter 12
棚卸資産Ⅱ

問題 1　解答

75　%

解説

売価還元原価法における原価率は、以下の算式で求められます。

$$\text{原価率} = \frac{\text{期首商品原価} + \text{当期仕入原価}}{\text{期首商品売価} + \text{当期仕入原価} + \text{原始値入額} + \underbrace{\text{値上額} - \text{値上取消額}}_{\text{純値上額}} - \underbrace{\text{値下額} + \text{値下取消額}}_{\text{純値下額}}}$$

売価還元原価法による場合の原価率：

$$\frac{64{,}800\text{千円} + 505{,}200\text{千円}}{86{,}400\text{千円} + 505{,}200\text{千円} + 148{,}000\text{千円} + 34{,}600\text{千円} - 3{,}000\text{千円} - 16{,}000\text{千円} + 4{,}800\text{千円}} = 75\%$$

問題 2　解答

損益計算書　(単位：円)

Ⅰ 売上高		(303,000)
Ⅱ 売上原価		
1 期首商品棚卸高	(24,290)	
2 当期商品仕入高	(224,110)	
合計	(248,400)	
3 期末商品棚卸高	(38,170)	
差引	(210,230)	
4 商品評価損	(2,700)	(212,930)
売上総利益		(90,070)
Ⅲ 販売費及び一般管理費		
1 棚卸減耗損		(3,470)
営業利益		(86,600)

解説

売価		原価		売価	
期首	35,000円	期首 24,290円	売上原価（貸借差額）210,230円	売上高	303,000円
仕入	224,110円	当期仕入 224,110円	棚卸減耗損 3,470円 ←69.4%	棚卸減耗損（差額）	5,000円（帳簿棚卸）
原始値入額	82,000円		期末 実地34,700円（時価32,000円）←69.4%	実地棚卸	50,000円（帳簿棚卸）
純値上額	18,900円 01)				
純値下額	△2,010円 02)				
売価合計：	358,000円	原価合計：	248,400円	売価合計：	358,000円

原価率 69.385…%
↓
69.4%

01）20,000円－1,100円＝18,900円
02）3,000円－990円＝2,010円

以上より

商品評価損：34,700円－32,000円＝2,700円

売価還元原価法では、売上原価は「売上高×原価率」と一致しますが、本問では原価率の端数処理が原因で一致しません。「売価還元法とは、いったん売価によって棚卸を行い、それに原価率を乗じて期末商品の原価を算定する方法」なので、売上原価は差額で求めるようにしましょう。

〈参考〉

前述の資料より、決算整理仕訳（売上原価は仕入で計算）を行うと以下のようになります。なお、答案用紙より、棚卸減耗損は「販売費及び一般管理費」に計上されます。

(借)	仕入	24,290	(貸) 繰越商品	24,290
(借)	繰越商品	38,170	(貸) 仕入	38,170
(借)	棚卸減耗損	3,470	(貸) 繰越商品	6,170
	商品評価損	2,700		
(借)	仕入	2,700	(貸) 商品評価損	2,700

仕　　入　6,270　千円

繰越商品　330　千円

解説

本問では、売価還元法・低価法原価率を採用しています。また、商品評価損を計上しないことに注意します。

（以下、ボックス図の単位：千円）

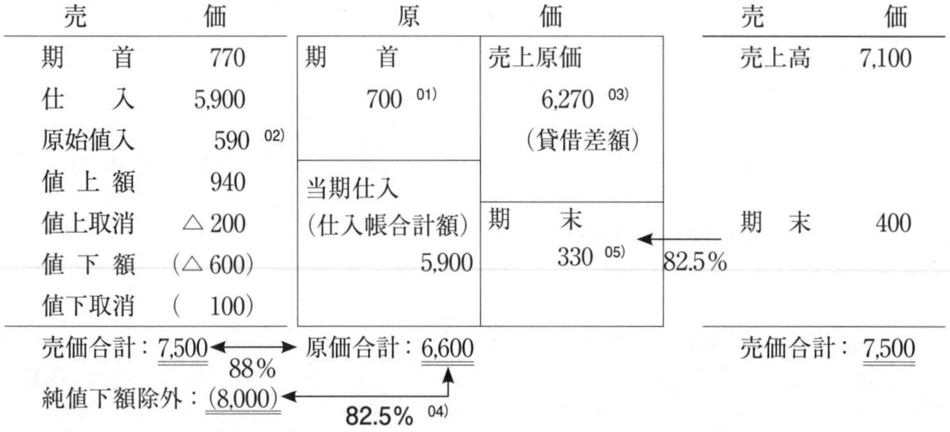

売価		原価		売価	
期　首	770	期　首 700 01)	売上原価 6,270 03)（貸借差額）	売上高	7,100
仕　入	5,900				
原始値入	590 02)				
値上額	940	当期仕入（仕入帳合計額）5,900			
値上取消	△200		期　末 330 05) ← 82.5%	期　末	400
値下額	（△600）				
値下取消	（100）				
売価合計：7,500 ←88%→		原価合計：6,600		売価合計：	7,500
純値下額除外：（8,000）←82.5% 04)→ 原価合計					

01）期首実地棚卸売価 770 千円÷（1＋原始値入率 0.1）＝ 700 千円

02）5,900 千円×原始値入率 0.1 ＝ 590 千円

03）売価還元法・低価法原価率では商品評価損が売上原価に含まれるため、売上原価 6,270 千円と売上高 7,100 千円は原価率と一致しません。

04）$\dfrac{700\text{千円}+5,900\text{千円}}{770\text{千円}+5,900\text{千円}+590\text{千円}+940\text{千円}-200\text{千円}}=0.825$

05）期末実地棚卸売価 400 千円×原価率 0.825 ＝期末商品実地棚卸高 330 千円

決算整理仕訳

（仕　　入）	700	（繰越商品）	700
（繰越商品）	330	（仕　　入）	330

問題4　　　　**解答**

損益計算書　(単位：千円)

I 売　　上　　高		(664,000)
II 売　上　原　価		
1 期首商品棚卸高	(108,200)	
2 当期商品仕入高	(378,150)	
合　　計	(486,350)	
3 期末商品棚卸高	(14,385)	
差　　引	(471,965)	
4 棚卸減耗損	(685)	(472,650)
売上総利益		(191,350)

解説

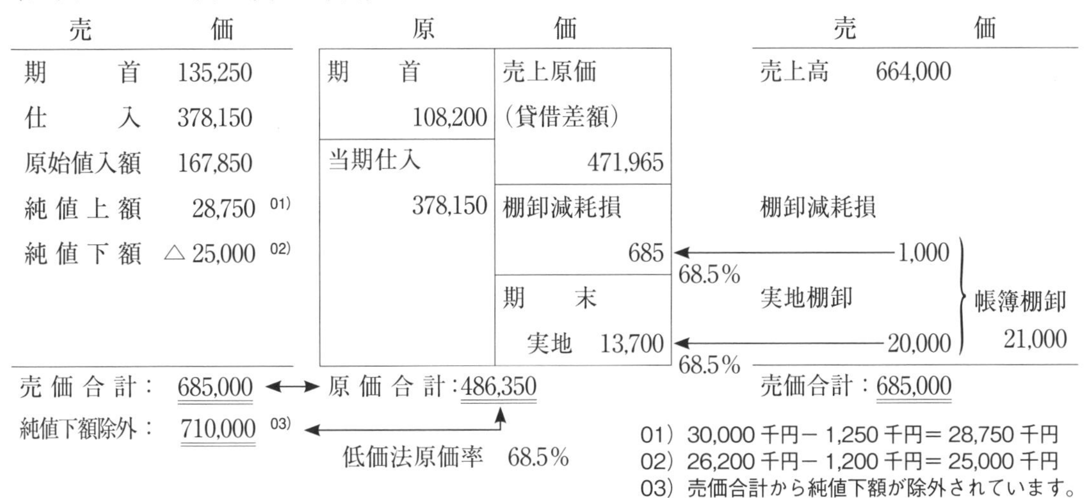

Point

本問では、売上原価に商品評価損が含まれて計算されるため、売上原価と売上高は原価率で対応しなくなります。

〈参考〉

以上の資料より、決算整理仕訳を行うと以下のようになります。なお、答案用紙より、棚卸減耗損は「売上原価の内訳」に計上されます。

(借) 仕入	108,200	(貸) 繰越商品	108,200
(借) 繰越商品	14,385 04)	(貸) 仕入	14,385
(借) 棚卸減耗損	685	(貸) 繰越商品	685
(借) 仕入	685	(貸) 棚卸減耗損	685

04) 21,000千円×68.5%＝14,385千円

問題5　解答

⑴　売価還元平均原価法（単位：円）

勘定科目	金　額	勘定科目	金　額
仕　　入	*300,000*	繰越商品	*300,000*
繰越商品	*195,000*	仕　　入	*195,000*
棚卸減耗損	*39,000*	繰越商品	*39,000*

⑵　売価還元低価法（評価損を計上しない方法）（単位：円）

勘定科目	金　額	勘定科目	金　額
仕　　入	*300,000*	繰越商品	*300,000*
繰越商品	*187,500*	仕　　入	*187,500*
棚卸減耗損	*37,500*	繰越商品	*37,500*

⑶　売価還元低価法（評価損を計上する方法）（単位：円）

勘定科目	金　額	勘定科目	金　額
仕　　入	*300,000*	繰越商品	*300,000*
繰越商品	*195,000*	仕　　入	*195,000*
棚卸減耗損	*39,000*	繰越商品	*45,000*
商品評価損	*6,000*		

解説

商　品（売価）

借方		貸方		
期首商品売価	420,000円	売　上　高	※ 1,250,000円	
当期仕入売価	1,100,000円			
値　上　額	65,000円			
値上取消額	△ 25,000円	減耗損売価	50,000円	} 250,000円
値　下　額	△ 78,000円	期末商品実地売価	200,000円	
値下取消額	18,000円			

※　売上高 1,249,000円＋値引 1,000円＝ 1,250,000円

⑴　売価還元平均原価法

①　原価率：

$$\frac{300,000円+870,000円}{420,000円+1,100,000円+(65,000円-25,000円)-(78,000円-18,000円)}=\frac{1,170,000円}{1,500,000円}=0.78$$

②　期末商品（帳簿）：250,000円× 0.78 ＝ 195,000円

③　減耗損：50,000円× 0.78 ＝ 39,000円

(2) 売価還元低価法（評価損を計上しない方法）

① 原価率：

$$\frac{300{,}000円 + 870{,}000円}{420{,}000円 + 1{,}100{,}000円 + (65{,}000円 - 25{,}000円)} = \frac{1{,}170{,}000円}{1{,}560{,}000円} = 0.75$$

② 期末商品（帳簿）：250,000 円 × 0.75 ＝ 187,500 円

③ 減耗損：50,000 円 × 0.75 ＝ 37,500 円

(3) 売価還元低価法（評価損を計上する方法）

① 期末商品（帳簿）：250,000 円 × 0.78 ＝ 195,000 円

② 減耗損：50,000 円 × 0.78 ＝ 39,000 円

③ 評価損：200,000 円 ×（0.78 － 0.75）＝ 6,000 円

問題 6 解答

損益計算書 （単位：千円）

Ⅰ 売上高		(269,000)
Ⅱ 売上原価		
1 期首商品棚卸高	(15,000)	
2 当期商品仕入高	(220,200)	
合計	(235,200)	
3 期末商品棚卸高	(20,000)	
差引	(215,200)	
4 商品評価損	(384)	(215,584)
売上総利益		(53,416)
Ⅲ 販売費及び一般管理費		
棚卸減耗損	(800)	

貸借対照表 （単位：千円）

Ⅰ 流動資産		
商品		(18,816)

（単位：千円）

（売　　価）	
期首商品売価	18,600
当期仕入売価	272,400
値上額	13,500
値上取消額	△4,500
値下額	△7,500
値下取消額	1,500
売価還元原価法 売価合計	294,000
売価還元低価法 売価合計	300,000

←18,600千円＋272,400千円＋13,500千円－4,500千円＝300,000千円

原	価
期　首　15,000	売上原価　215,200
当期仕入　220,200	
	期　末　20,000
原価合計額　235,200	原価合計額　235,200

（売　　価）
売　上　高　269,000
期末帳簿棚卸売価　25,000
売価還元原価法 売価合計　294,000

売価還元原価法原価率：$\frac{235,200\text{千円}}{294,000\text{千円}}=0.8(80\%)$

売価還元低価法原価率：$\frac{235,200\text{千円}}{300,000\text{千円}}=0.784(78.4\%)$

原価法原価率　80%

低価法原価率78.4%

商品評価損　384千円	棚卸減耗損　800千円
貸借対照表　商品　18,816千円	
24,000千円	25,000千円

1　期首・期末商品の振替え

（借）	仕　　　　入	15,000	（貸）繰　越　商　品	15,000
（借）	繰　越　商　品	20,000	（貸）仕　　　　入	20,000 01)

01)　期末商品帳簿棚卸高：25,000千円×0.8＝20,000千円

2　棚卸減耗損・商品評価損の計上

（借）	棚　卸　減　耗　損	800 02)	（貸）繰　越　商　品	1,184
	商　品　評　価　損	384 03)		

02)　棚卸減耗損：（25,000千円－24,000千円）×0.8＝800千円
03)　商品評価損：24,000千円×（0.8－0.784）＝384千円

貸借対照表　商品：24,000千円×0.784＝18,816千円

Chapter 13 金融商品Ⅱ

問題1 解答

決算整理後残高試算表 (単位：千円)

勘定科目	金額	勘定科目	金額
有価証券	(193,000)	その他有価証券評価差額金	(19,000)
投資有価証券	(375,000)	有価証券評価損益	(3,000)
投資有価証券評価損益	(15,000)	関係会社株式売却益	(28,000)

解説

保有目的の変更によって生じた評価損益は、基本的に変更前の保有目的区分に属するものとして計上します。

(1) A社株式
(売買目的有価証券 ⇒ その他有価証券)

① 変更時

(借) 投資有価証券 100,000　(貸) 有価証券 95,000
　　　　　　　　　　　　　　　有価証券評価損益 5,000

② 決算時

(借) 投資有価証券 10,000　(貸) その他有価証券評価差額金 10,000[01]

01) 110,000千円(当期末の時価)－100,000千円(変更時の時価)＝10,000千円

(2) B社株式
(子会社株式 ⇒ その他有価証券)

⓪ 売却時

(借) 現金預金 540,000　(貸) 関係会社株式[03] 512,000[02]
　　　　　　　　　　　　　　関係会社株式売却益 28,000

02) 768,000千円(変更前簿価) × $\frac{2}{3}$ =512,000千円

03) 関係会社株式は日商簿記などで使った『子会社株式』でも、仕訳は正解です。ただし、本試験や総合問題では、『関係会社株式』として記載されることが多いので、問題文の指示に注意してください。

① 変更時

(借) 投資有価証券 256,000　(貸) 関係会社株式 256,000[04]

04) 768,000千円－512,000千円＝256,000千円

② 決算時

(借) 投資有価証券 9,000　(貸) その他有価証券評価差額金 9,000[05]

05) 265,000千円(当期末の時価)－256,000千円(変更時の簿価) ＝9,000千円

(3) C社株式
(その他有価証券 ⇒ 売買目的有価証券)

① 変更時

(借) 有価証券 195,000　(貸) 投資有価証券 210,000
　　投資有価証券評価損益 15,000

② 決算時

(借) 有価証券評価損益 2,000[06]　(貸) 有価証券 2,000

06) 193,000千円－195,000千円＝△2,000千円(評価損)

問題2　解答

（単位：千円）

		借方科目	金額	貸方科目	金額
(1)	①	有価証券	195,000	投資有価証券	210,000
		投資有価証券評価損益	15,000		
	②	有価証券評価損益	5,000	有価証券	5,000
(2)	①	関係会社株式	125,000	投資有価証券	125,000
	②	仕訳なし			
(3)	①	関係会社株式	55,000	投資有価証券	60,000
		投資有価証券評価損益	5,000		
	②	仕訳なし			

解説

その他有価証券（部分純資産直入法）からの保有目的区分の変更に関する問題です。

(1)　売買目的有価証券への変更

①　変更時

時価により振り替え、変更時の評価損益は、変更前の保有目的区分に属するものとして『**投資有価証券評価損益**』に計上します。

投資有価証券評価損益：

195,000千円（変更時時価）－ 210,000千円（取得原価）＝△15,000千円（評価損）

②　決算時

有価証券評価損益：

190,000千円（期末時価）－ 195,000千円（変更時時価）＝△5,000千円（評価損）

(2)　子会社株式・関連会社株式への変更（前期末は評価差益）

①　変更時

帳簿価額（取得原価）により振り替えるため、変更時の評価損益は発生しません。

②　決算時

簿価で評価するため、仕訳は行いません。

(3)　子会社株式・関連会社株式への変更（前期末は評価差損）

①　変更時

部分純資産直入法を採用し、かつ前期末に評価差損を計上している場合、前期末時価により振り替えます。

投資有価証券評価損益：

55,000千円（前期末時価）－ 60,000千円（取得原価）＝△5,000千円（評価損）

②　決算時

簿価で評価するため、仕訳は行いません。

問題3　解答

(単位：千円)

	借方科目	金額	貸方科目	金額
(1)	**現金預金**	*50,000*	**受取配当金**	*50,000*
(2)	**現金預金**	*50,000*	**受取配当金**	*35,000*
			投資有価証券	*15,000* [01]

01) 50,000千円(株式配当金)×0.3＝15,000千円

解説

(1)　売買目的有価証券

売買目的有価証券として保有している場合、原資が「その他利益剰余金」であるか「その他資本剰余金」であるかに関係なく、受領額を『**受取配当金**』で処理します。

(2)　売買目的有価証券以外

売買目的有価証券以外の有価証券（本問では「その他有価証券」）として保有している場合、原資が「その他利益剰余金」であれば『**受取配当金**』、原資が「その他資本剰余金」であれば有価証券の帳簿価額の減額として処理します。

問題4　

決算整理後残高試算表　(単位：千円)

勘定科目	金額	勘定科目	金額
ゴルフ会員権	(*23,300*)	(**貸倒引当金**)	(*500*)
ゴルフ会員権評価損	(*11,800*)		
(**貸倒引当金繰入**)	(*500*)		

解説

(以下、仕訳の単位：千円)

ゴルフ会員権は、著しい時価の下落があり回復可能性が合理的に立証できないものについては減損処理を行い、それ以外のものについては取得原価（帳簿価額）が評価額となります。

(1)　Bゴルフ会員権（株式方式）

(借) ゴルフ会員権評価損　4,300 [01]　(貸) ゴルフ会員権　4,300

01) 評価損：3,200千円(時価)－7,500千円(簿価)＝△4,300千円

著しい下落の生じている株式方式のゴルフ会員権は、時価で評価します。

(2)　Dゴルフ会員権（預託金方式）

預託金額1,500千円＜期末時価1,700千円

∴帳簿価額を時価まで減額します。

(借) ゴルフ会員権評価損　3,300 [02]　(貸) ゴルフ会員権　3,300

02) 評価損：1,700千円(時価)－5,000千円(簿価)＝△3,300千円

(3)　Eゴルフ会員権（預託金方式）

預託金額2,500千円＞期末時価2,000千円

∴帳簿価額を預託金額まで減額し、預託金額を下回る部分は貸倒引当金を設定します。

(借) ゴルフ会員権評価損　4,200 [03]　(貸) ゴルフ会員権　4,200

(借) 貸倒引当金繰入　500 [04]　(貸) 貸倒引当金　500

03) 評価損：2,500千円(預託金額)－6,700千円(簿価)＝△4,200千円

04) 貸倒引当金：2,500千円(預託金額)－2,000千円(時価)＝500千円

(4)　ゴルフ会員権の価額

7,000千円(A)＋3,200千円(B)＋8,900千円(C)

＋1,700千円(D)＋2,500千円(E)＝23,300千円

または資料の帳簿価額合計からゴルフ会員権評価損合計を控除した金額。

貸借対照表 (単位：千円)

資産の部		負債の部	
科目	金額	科目	金額
Ⅰ 流動資産		Ⅰ 流動負債	
(有価証券)	(800)	：	：
：	：	純資産の部	
Ⅱ 固定資産		：	：
3 投資その他の資産		Ⅱ 評価・換算差額等	
(投資有価証券)	(4,000)	(その他有価証券評価差額金)	(400)
(関係会社株式)	(2,160)	：	：

損益計算書 (単位：千円)

：	：
Ⅴ 営業外費用	
(有価証券評価損)	(360)
(投資有価証券評価損)	(200)

解説

A社株式…売買目的有価証券からその他有価証券への変更

売買目的有価証券からその他有価証券へ保有目的が変更になった場合は、時価で振り替え、評価差額は当期の損益とします。

(借) 投資有価証券	3,600[01]	(貸) 有価証券	3,500
		有価証券評価損益	100
(借) 投資有価証券	400	(貸) その他有価証券評価差額金	400[02]

01) 変更時時価
02) 4,000千円－3,600千円＝400千円

B社株式…その他有価証券から売買目的有価証券への変更

その他有価証券から売買目的有価証券へ保有目的が変更になった場合は、時価で振り替え、評価差額は当期の損益とします。

(借) 有価証券	1,300	(貸) 投資有価証券	1,500
投資有価証券評価損益	200		
(借) 有価証券評価損益	500[03]	(貸) 有価証券	500

03) 800千円－1,300千円＝△500千円

C社株式…売買目的有価証券から関係会社株式への変更

売買目的有価証券から関係会社株式へ保有目的が変更になった場合は、時価で振り替え、評価差額は当期の損益とします。

(借) 関係会社株式	1,800	(貸) 現金預金	1,800
(借) 関係会社株式	360[04]	(貸) 有価証券	320
		有価証券評価損益	40

04) 400株×@900円＝360千円

《貸借対照表》

有価証券（B社株式）：
1,300千円－500千円＝800千円

投資有価証券（A社株式）：
3,600千円＋400千円＝4,000千円

関係会社株式（C社株式）：
1,800千円＋360千円＝2,160千円

《損益計算書》

有価証券評価損益：
100千円－500千円＋40千円＝△360千円(損)

投資有価証券評価損益：△200千円（損）

問題6 解答

貸借対照表 (単位：千円)

:	:	
Ⅱ 固定資産		
3 投資その他の資産		
(**ゴルフ会員権**)	(730)	
(**貸倒引当金**)	(△ 50)	(680)

損益計算書 (単位：千円)

:	:
Ⅴ 営業外費用	
貸倒引当金繰入	(50)
:	:
Ⅶ 特別損失	
(**ゴルフ会員権評価損**)	(1,670)

解説

1 Xカントリークラブの会員権は時価が著しく下落しており、回復可能性は合理的に立証できないので減損処理をします。時価の下落が預託金を上回る部分を評価損とします。

(借) ゴルフ会員権評価損	1,300 01)	(貸) ゴルフ会員権	1,300

01) 500千円－1,800千円＝△1,300千円

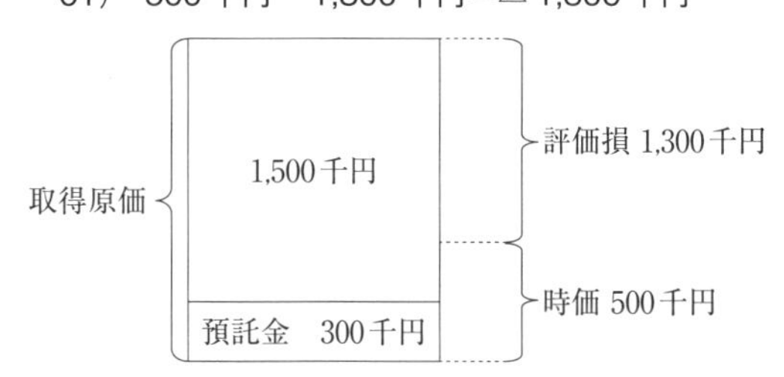

2 Yゴルフクラブの会員権は時価が著しく下落しており、回復可能性は合理的に立証できないので減損処理します。時価の下落が預託金を上回る部分は評価損を計上し、預託金の範囲内については貸倒引当金を設定します。

(借) ゴルフ会員権評価損	300 03)	(貸) ゴルフ会員権	300
(借) 貸倒引当金繰入	50 04)	(貸) 貸倒引当金	50

02) 200千円－500千円＝△300千円
03) 150千円－200千円＝△50千円

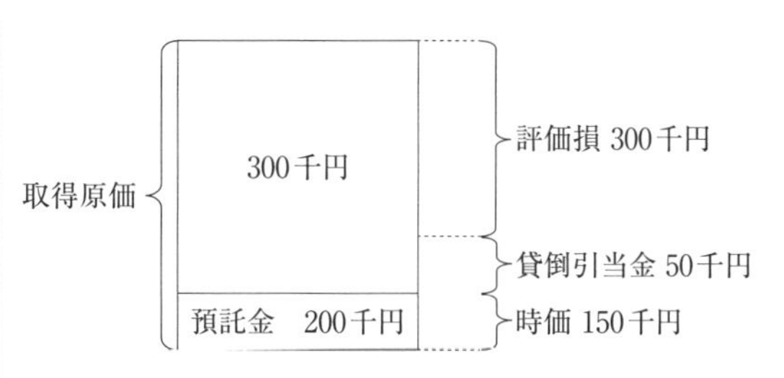

3 Zカントリークラブの会員権は時価が著しく下落しており、回復可能性は合理的に立証できないので時価で評価します。

(借) ゴルフ会員権評価損	70 04)	(貸) ゴルフ会員権	70

04) 30千円－100千円＝△70千円

4 《**貸借対照表**》ゴルフ会員権：

Xカントリークラブ	500千円
Yゴルフクラブ	200千円
Zカントリークラブ	30千円
	730千円
貸倒引当金	△ 50千円
	680千円

《**損益計算書**》ゴルフ会員権評価損：

Xカントリークラブ	1,300千円
Yゴルフクラブ	300千円
Zカントリークラブ	70千円
	1,670千円

貸借対照表

×2年3月31日　(単位：千円)

資産の部		負債の部	
科目	金額	科目	金額
Ⅰ 流動資産		：	：
(有価証券)	(15,600)	純資産の部	
Ⅱ 固定資産		：	：
3 投資その他の資産		Ⅱ 評価・換算差額等	
(投資有価証券)	(7,000)	(その他有価証券評価差額金)	(900)

損益計算書

自×1年4月1日

至×2年3月31日　(単位：千円)

：	：
Ⅳ 営業外収益	
(有価証券利息)	(20)
(有価証券評価益)	(400)

解説

証券投資信託A

…売買目的で保有するので時価評価し、評価差額は当期の損益とします。

(借) 有価証券 400 (貸) 有価証券評価損益 400

証券投資信託B

…その他有価証券となり、時価で評価します。評価差額は貸借対照表の純資産の部に表示します。

(借) 投資有価証券 900 (貸) その他有価証券評価差額金 900

証券投資信託C

…預金と同様の性質を有する中期国債ファンドは、取得原価で評価します。

コマーシャルペーパー

…償却原価で評価します。1年内に満期が到来するので有価証券として表示します。

(借) 有価証券 20[01] (貸) 有価証券利息 20

01) (10,000千円－9,880千円) $\times \frac{1カ月}{6カ月}$ ＝20千円

《貸借対照表》

有価証券：

3,700千円＋2,000千円＋9,880千円＋20千円＝15,600千円

•••••••• *Memorandum Sheet* ••••••••

本書の発行後に公表された法令等及び試験制度の改正情報、並びに判明した誤りに関する訂正情報については、弊社WEBサイト内の『**読者の方へ**』にてご案内しておりますので、ご確認下さい。

https://www.net-school.co.jp/

なお、万が一、誤りではないかと思われる箇所のうち、弊社WEBサイトにて掲載がないものにつきましては、**書名（ＩＳＢＮコード）と誤りと思われる内容**のほか、お客様の**お名前及び郵送の場合はご返送先の郵便番号とご住所**を明記の上、弊社まで**郵送またはe - mail**にてお問い合わせ下さい。

＜郵送先＞　〒101－0054
東京都千代田区神田錦町3－23メットライフ神田錦町ビル３階
ネットスクール株式会社　正誤問い合わせ係

＜e - mail＞　seisaku@net-school.co.jp

※正誤に関するもの以外のご質問、本書に関係のないご質問にはお答えできません。
※**お電話によるお問い合わせはお受けできません。**ご了承下さい。

税理士試験　問題集
簿記論・財務諸表論Ⅱ　基礎完成編　【2025年度版】

2024年９月６日　初版　第１刷

著　　　者　ネットスクール株式会社
発　行　者　桑原知之
発　行　所　ネットスクール株式会社　出版本部
〒101－0054　東京都千代田区神田錦町3－23
電　話　03（6823）6458（営業）
ＦＡＸ　03（3294）9595
https://www.net-school.co.jp
執筆総指揮　熊取谷貴志
表紙デザイン　株式会社オセロ
編　　　集　吉川史織　加藤由季
ＤＴＰ制作　中嶋典子　石川祐子　吉永絢子
有限会社ドアーズ本舎　長谷川正晴
印刷・製本　日経印刷株式会社

　Printed in Japan　ISBN　978-4-7810-3823-0

〈別冊〉答案用紙

ご利用方法

以下の答案用紙は、この紙を残したまま
ていねいに抜き取りご利用ください。
なお、抜取りのさいの損傷によるお取替
えはご遠慮願います。

解き直しのさいには…
答案用紙ダウンロードサービス

**ネットスクール HP（https://www.net-school.co.jp/）➡ 読者の方へ
をクリック**

答案用紙

Chapter 1　法人税等・租税公課

➡問題 P.1-2　➡解答・解説 P.1-1

問題 1　法人税等の処理 1　簿B（3分）　基本

（単位：千円）

	借方科目	金額	貸方科目	金額
(1)				
(2)				
(3)				

➡問題 P.1-2　➡解答・解説 P.1-1

問題 2　事業税の外形標準課税　簿C（3分）　応用

（単位：千円）

	借方科目	金額	貸方科目	金額
(1)				
(2)				
(3)				
(4)				

➡問題 P.1-3　➡解答・解説 P.1-2

問題 3　租税公課の処理　簿B（3分）　基本

決算整理後残高試算表

（単位：千円）

勘定科目	金額	勘定科目	金額
現金預金	（　　）	未払法人税等	（　　）
土地	（　　）		
租税公課	（　　）		
法人税等	（　　）		

➡問題 P.1-4　➡解答・解説 P.1-2

問題 4　法人税等と租税公課　簿A（10分）　応用

決算整理後残高試算表

（単位：千円）

勘定科目	金額	勘定科目	金額
現金	（　　）	未払法人税等	（　　）
貯蔵品	（　　）	その他諸収益	（　　）
土地	（　　）		
租税公課	（　　）		
その他諸費用	（　　）		
法人税等	（　　）		
法人税等追徴税額	（　　）		

➡問題 P.1-5　➡解答・解説 P.1-3

問題 5　法人税等の処理2　財計A（3分）　基本

未払法人税等の金額 [　　　] 千円

損益計算書（一部）　（単位：千円）

科目	金額
Ⅳ 営業外収益	
受取利息	（　　）
：	：
税引前当期純利益	126,000
〔　　　〕	（　　）
当期純利益	（　　）

➡問題 P.1-5　➡解答・解説 P.1-3

問題 6　法人税等と外形標準課税 （5分）　基本

未払法人税等の金額 [　　　　] 千円

損益計算書（一部）　（単位：千円）

科　　目	金　　額
Ⅲ　販売費及び一般管理費	（　　　　）
：	：
税引前当期純利益	186,000
法人税、住民税及び事業税	（　　　　）
当期純利益	（　　　　）

➡問題 P.1-6　➡解答・解説 P.1-4

問題 7　法人税等の追徴 財計B（5分）　基本

未払法人税等の金額 [　　　　] 千円

損益計算書（一部）　（単位：千円）

科　　目	金　　額	
：	：	：
税引前当期純利益		453,000
〔　　　　〕	（　　　）	
〔　　　　〕	（　　　）	（　　　）
当期純利益		（　　　）

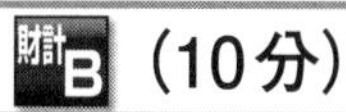
➡問題 P.1-7　➡解答・解説 P.1-4

問題 8　法人税等とその他の税金　財計B（10分）　応用

貸借対照表（一部）　（単位：千円）

資産の部		負債の部	
科目	金額	科目	金額
車両	（　　）	未払法人税等	（　　）
土地	（　　）		

損益計算書（一部）　（単位：千円）

科目	金額
Ⅲ 販売費及び一般管理費	（　　）
Ⅳ 営業外収益	
受取利息配当金	（　　）
：	：
税引前当期純利益	198,800
法人税、住民税及び事業税	（　　）
当期純利益	（　　）

〈貸借対照表等に関する注記〉

Chapter 2　税効果会計

➡問題 P.2-2　➡解答・解説 P.2-1

問題 1　繰延税金資産の計上 1　簿A　(3分)　基本

(単位：千円)

	借方科目	金額	貸方科目	金額
(1)				
(2)				

➡問題 P.2-2　➡解答・解説 P.2-1

問題 2　繰延税金資産の計上 2　簿A　(3分)　基本

(単位：千円)

	借方科目	金額	貸方科目	金額
(1)				
(2)				
(3)				

➡問題 P.2-2　➡解答・解説 P.2-1

問題 3　法人税等の算定　簿A　(3分)　基本

法人税等 [　　　　] 千円

➡問題 P.2-3 ➡解答・解説 P.2-2

問題 4 繰延税金資産の計上 3 簿A (10分) 応用

損益計算書 (単位：千円)

Ⅰ売上高		784,500
Ⅱ売上原価		
期首商品棚卸高	(　　)	
当期商品仕入高	(　　)	
合計	(　　)	
期末商品棚卸高	(　　)	
差引	(　　)	
棚卸減耗費	(　　)	
商品評価損	(　　)	(　　)
売上総利益		(　　)
Ⅲ販売費及び一般管理費		
減価償却費	(　　)	
		：
税引前当期純利益		168,200
法人税等	(　　)	
法人税等調整額	(　　)	(　　)
当期純利益		(　　)

貸借対照表 (単位：千円)

流動資産		流動負債	
商品	(　　)	未払法人税等	(　　)
固定資産			
建物	200,000		
減価償却累計額	(△　　)		
繰延税金資産	(　　)		

➡問題 P.2-4　➡解答・解説 P.2-3

問題 5　将来減算一時差異 1  (10分)　基本

1．期　首(単位：円)

残高試算表

借方科目	金額	貸方科目	金額
固定資産	10,000	減価償却累計額	
繰延税金資産			

2．期　末(単位：円)

(1)　法人税等および税効果に係る仕訳

借方科目	金額	貸方科目	金額
法人税等		未払法人税等	

(2)　損益a/c

損　　益

摘要	金額	摘要	金額
諸費用	6,550	諸収益	15,000
減価償却費			
固定資産売却損			
法人税等			

➡問題 P.2-5　➡解答・解説 P.2-3

問題6　将来減算一時差異 2　簿B（6分）　基本

(1)　01年度

（単位：円）

借　方　科　目	金　　額	貸　方　科　目	金　　額

(2)　02年度

（単位：円）

借　方　科　目	金　　額	貸　方　科　目	金　　額

➡問題 P.2-6　➡解答・解説 P.2-4

問題7　将来減算一時差異のまとめ （15分）　応用

決算整理後残高試算表　（単位：千円）

勘　定　科　目	金　　額	勘　定　科　目	金　　額
現　金　預　金	(　　　)	買　掛　金	(　　　)
売　掛　金	(　　　)	未払法人税等	(　　　)
建　物	(　　　)	貸倒引当金	(　　　)
繰延税金資産	(　　　)	賞与引当金	(　　　)
減価償却費	(　　　)	建物減価償却累計額	(　　　)
貸倒引当金繰入	(　　　)	資　本　金	(　　　)
賞与引当金繰入	(　　　)	諸　収　益	(　　　)
諸　費　用	(　　　)	法人税等調整額	(　　　)
法　人　税　等	(　　　)		
合　計	(　　　)	合　計	(　　　)

➡問題 P.2-7 ➡解答・解説 P.2-6

問題 8 繰延税金負債の計上 簿A（5分） 基本

（単位：千円）

	借方科目	金額	貸方科目	金額
(1)				
(2)				
(3)				

➡問題 P.2-8 ➡解答・解説 P.2-6

問題 9 その他有価証券1 簿A（12分） 基本

決算整理後残高試算表

（単位：千円）

勘定科目	金額	勘定科目	金額
有価証券	（　　）	繰延税金負債	（　　）
投資有価証券	（　　）	その他有価証券評価差額金	（　　）
関係会社株式	（　　）	有価証券評価損益	（　　）
繰延税金資産	（　　）	有価証券利息	（　　）
投資有価証券評価損	（　　）	法人税等調整額	（　　）
関係会社株式評価損	（　　）		

➡問題 P.2-9 ➡解答・解説 P.2-7

問題 10 法人税等調整額の算定 1 簿A（5分） 基本

（単位：千円）

借方科目	金額	貸方科目	金額

繰延税金資産 [　　　　] 千円

➡問題 P.2-9 ➡解答・解説 P.2-7

問題 11 法人税等調整額の算定 2 簿B（5分） 応用

繰延税金資産 [ ] 千円

繰延税金負債 [ ] 千円

損益計算書（一部） （単位：千円）

科目	金額	
税引前当期純利益		（ ）
法人税等	（ ）	
法人税等調整額	（ ）	（ ）
当期純利益		（ ）

➡問題 P.2-10 ➡解答・解説 P.2-8

問題 12 将来減算一時差異 3 財計A（5分） 応用

損益計算書 （単位：千円）

科目	金額	
Ⅲ 販売費及び一般管理費		
減価償却費	（ ）	
賞与引当金繰入額	（ ）	
⋮		⋮
税引前当期純利益		443,000
法人税、住民税及び事業税	（ ）	
法人税等調整額	（ ）	（ ）
当期純利益		（ ）

貸借対照表　(単位：千円)

資産の部		
科目	金額	
Ⅱ 固定資産		
1 有形固定資産		
建物	(　　)	
減価償却累計額	(△　　)	(　　)
2 投資その他の資産		
繰延税金資産		(　　)

➡問題 P.2-10　➡解答・解説 P.2-9

問題 13 商品評価損 財計A (3分) 基本

(単位：千円)

	借方科目	金額	貸方科目	金額
(1)				
(2)				

➡問題 P.2-11　➡解答・解説 P.2-9

問題 14 減価償却費 財計A (3分) 基本

(1)第1期　繰延税金資産 [　　] 千円　法人税等調整額 [　　] 千円

(2)第2期　繰延税金資産 [　　] 千円　法人税等調整額 [　　] 千円

(3)第3期　繰延税金資産 [　　] 千円　法人税等調整額 [　　] 千円

法人税等調整額が貸方残高の場合は金額の前に△をつけること。

➡問題 P.2-11　➡解答・解説 P.2-9

問題15　貸倒引当金繰入　財計A（3分）　基本

（単位：千円）

	借方科目	金額	貸方科目	金額
(1)				
(2)				

➡問題 P.2-12　➡解答・解説 P.2-10

問題16　将来減算一時差異4　財計A（10分）（本試験改題）　応用

貸借対照表　（単位：千円）

資産の部		
科目	金額	
流動資産		
受取手形	(　　)	
売掛金	(　　)	
貸倒引当金	(　　)	(　　)
固定資産		
投資その他の資産		
破産更生債権等	(　　)	
貸倒引当金	(　　)	(　　)
繰延税金資産		(　　)

損益計算書　（単位：千円）

科目	金額	
⋮		⋮
販売費及び一般管理費		(　　)
⋮		⋮
税引前当期純利益		41,750
法人税、住民税及び事業税	14,250	
法人税等調整額	(　　)	(　　)
当期純利益		(　　)

➡問題 P.2-13　➡解答・解説 P.2-11

問題 17　未払事業税　財計A（3分）　基本

（単位：千円）

	借方科目	金額	貸方科目	金額
(1)				
(2)				

➡問題 P.2-13　➡解答・解説 P.2-12

問題 18　圧縮積立金　財計B（10分）　応用

損益計算書　（単位：千円）

科目	金額	
⋮		⋮
Ⅲ　販売費及び一般管理費		
減価償却費	(　　)	
⋮		⋮
税引前当期純利益		1,648,000
法人税、住民税及び事業税	(　　)	
法人税等調整額	(　　)	(　　)
当期純利益		(　　)

貸借対照表　（単位：千円）

資産の部			負債の部	
科目	金額		科目	金額
固定資産			流動負債	
有形固定資産			未払法人税等	(　　)
建物	(　　)		固定負債	
減価償却累計額	(△　　)	(　　)	繰延税金負債	(　　)
投資その他の資産			純資産の部	
繰延税金資産		(　　)	⋮	
⋮			利益剰余金	
			その他利益剰余金	
			建物圧縮積立金	(　　)
			別途積立金	(　　)
			繰越利益剰余金	(　　)

株主資本等変動計算書　(単位：千円)

	利益剰余金		
	その他利益剰余金		
	建物圧縮積立金	別途積立金	繰越利益剰余金
当期首残高	(　　)	126,000	300,000
当期変動額			
圧縮積立金の取崩し	(　　)		(　　)
当期純利益			(　　)
当期変動額合計	(　　)	—	(　　)
当期末残高	(　　)	(　　)	(　　)

➡問題 P.2-14　➡解答・解説 P.2-13

問題 19 その他有価証券2 財計A (5分) 基本

問1 全部純資産直入法

損益計算書　(単位：千円)

科目	金額	
税引前当期純利益		10,000
法人税、住民税及び事業税	(　　)	
法人税等調整額	(　　)	(　　)
当期純利益		(　　)

貸借対照表　(単位：千円)

資産の部		負債の部	
科目	金額	科目	金額
投資その他の資産		固定負債	
投資有価証券	(　　)	繰延税金負債	(　　)
		純資産の部	
		繰越利益剰余金	(　　)
		その他有価証券評価差額金	(　　)

問2　部分純資産直入法

損　益　計　算　書　(単位：千円)

科　　目	金　　額	
税引前当期純利益		8,000
法人税、住民税及び事業税	(　　　)	
法人税等調整額	(　　　)	(　　　)
当期純利益		(　　　)

貸　借　対　照　表　(単位：千円)

資　産　の　部		負　債　の　部	
科　　目	金　　額	科　　目	金　　額
投資その他の資産		固定負債	
投資有価証券	(　　　)	繰延税金負債	(　　　)
		純資産の部	
		繰越利益剰余金	(　　　)
		その他有価証券評価差額金	(　　　)

➡問題 P.2-15　➡解答・解説 P.2-15

問題20　税効果会計のまとめ　財計A　(10分)　応用

貸　借　対　照　表　(単位：千円)

資　産　の　部		負　債　の　部	
科　　目	金　　額	科　　目	金　　額
Ⅰ 流動資産		⋮	⋮
⋮	⋮	純資産の部	
Ⅱ 固定資産		⋮	⋮
3　投資その他の資産		Ⅱ　評価・換算差額等	
繰延税金資産	(　　　)	1　その他有価証券評価差額金	(　　　)

法人税等調整額 [　　　] 千円

➡問題 P.2-16　➡解答・解説 P.2-16

問題 21　注記事項　財計B（5分）　応用

貸借対照表　(単位：円)

資産の部		負債の部	
科目	金額	科目	金額
固定資産		固定負債	
繰延税金資産	( )	繰延税金負債	( )

損益計算書　(単位：円)

科目	金額	
税引前当期純利益		( )
法人税、住民税及び事業税	( )	
法人税等調整額	( )	( )
当期純利益		( )

〈注記〉

繰延税金資産および繰延税金負債の発生の主な原因別の内訳

	前期末	当期末
繰延税金資産		
未払事業税	( )	( )
貸倒引当金	( )	( )
退職給付引当金	( )	( )
繰延税金資産合計	( )	( )
繰延税金負債		
固定資産圧縮積立金	( )	( )
繰延税金資産(負債)の純額	( )	( )

➡問題 P.3-2　➡解答・解説 P.3-1

問題 1　消費税の処理1　簿A（4分）　基本

（単位：千円）

	借方科目	金額	貸方科目	金額
(1)				
(2)				
(3)				
(4)				
(5)				

➡問題 P.3-2　➡解答・解説 P.3-1

問題 2　消費税の処理2　簿B（5分）　基本

（単位：千円）

	借方科目	金額	貸方科目	金額
(1)				
(2)				
(3)				
(4)				
(5)				
(6)				

➡問題 P.3-3　➡解答・解説 P.3-2

問題 3　消費税の処理３　簿B（3分）　応用

（単位：千円）

借方科目	金額	貸方科目	金額
車両減価償却累計額			

➡問題 P.3-3　➡解答・解説 P.3-2

問題 4　消費税の処理４　簿A（15分）　応用

決算整理後残高試算表

（単位：千円）

勘定科目	金額	勘定科目	金額
売掛金	（　　）	買掛金	（　　）
未収入金	（　　）	未払消費税等	（　　）
仕入	（　　）	貸倒引当金	（　　）
租税公課	（　　）	売上	（　　）
貸倒引当金繰入	（　　）	固定資産売却益	（　　）
減価償却費	（　　）		

➡問題 P.3-4　➡解答・解説 P.3-3

問題 5　消費税の処理５　簿B（15分）　（本試験改題）　応用

決算整理後残高試算表

（単位：千円）

勘定科目	金額	勘定科目	金額
現金	（　　）	買掛金	（　　）
当座預金	（　　）	未払消費税等	（　　）
売掛金	（　　）	貸倒引当金	（　　）
繰越商品	（　　）	売上	（　　）
商品仕入	（　　）		
営業費	（　　）		
貸倒引当金繰入	（　　）		

➡問題 P.3-5　➡解答・解説 P.3-4

問題 6　消費税の処理6　財計A（3分）　基本

未払消費税等の金額 [　　　] 千円

➡問題 P.3-5　➡解答・解説 P.3-5

問題 7　消費税の処理7　財計A（3分）　基本

未払消費税等 [　　　] 千円

販売費及び一般管理費 [　　　] 千円

雑収入 [　　　] 千円

➡問題 P.3-6　➡解答・解説 P.3-5

問題 8　消費税の処理8　財計B（12分）　応用

貸借対照表　(単位：千円)

資産の部		負債の部	
科目	金額	科目	金額
Ⅰ 流動資産		Ⅰ 流動負債	
受取手形	(　　)	未払消費税等	(　　)
売掛金	(　　)		
貸倒引当金	(△　　)		
Ⅱ 固定資産			
車両運搬具	(　　)		
減価償却累計額	(△　　)		

損益計算書(単位：千円)

科目	金額
売上高	(　　)
：	
販売費及び一般管理費	(　　)

〈重要な会計方針にかかる事項に関する注記〉
1．過去の貸倒実績率にもとづき、受取手形および売掛金の期末残高に対して1％の貸倒引当金を設定している。
2．車両運搬具は定率法により減価償却を行っている。
3．（　　　）

➡問題 P.3-7　➡解答・解説 P.3-7

問題 9　消費税（総合問題）　簿A（30分）　応用

決算整理後残高試算表　（単位：千円）

借方科目	金額	貸方科目	金額
現金預金		支払手形	
受取手形		買掛金	
売掛金		未払利息	500
繰越商品	24,600	未払法人税等	26,000
建物		未払消費税等	
車両	18,000	貸倒引当金	
備品		借入金	80,000
仕入		減価償却累計額	
営業費		資本金	100,000
建物減価償却費		利益準備金	20,000
車両減価償却費		繰越利益剰余金	16,500
備品減価償却費		売上	
貸倒損失		雑収入	30,000
貸倒引当金繰入		備品売却益	
支払利息			
法人税等	26,000		

Chapter 4　リース会計Ⅰ

➡問題 P.4-2　➡解答・解説 P.4-1

問題 1　ファイナンス・リース取引（所有権移転）1　簿A（5分）基本

決算整理後残高試算表　（単位：円）

リース資産	（　　）	リース債務	（　　）
減価償却費	（　　）		
支払利息	（　　）		

➡問題 P.4-3　➡解答・解説 P.4-2

問題 2　ファイナンス・リース取引（所有権移転外）1　簿B（5分）応用

決算整理後残高試算表　（単位：円）

リース資産	300,000	未払利息	（　　）
減価償却費	（　　）	リース債務	（　　）
支払利息	（　　）	リース資産減価償却累計額	（　　）

➡問題 P.4-4　➡解答・解説 P.4-3

問題 3　ファイナンス・リース取引（所有権移転外）2　簿B（5分）基本

決算整理後残高試算表　（単位：円）

リース資産	（　　）	リース債務	（　　）
減価償却費	（　　）	リース資産減価償却累計額	（　　）
支払利息	（　　）		

➡問題 P.4-5　➡解答・解説 P.4-4

問題 4　ファイナンス・リース取引（所有権移転外）3　簿A（8分）基本

（単位：千円）

①		②		③	
④		⑤		⑥	

リース料支払時の仕訳　（単位：千円）

借 方 科 目	金　額	貸 方 科 目	金　額

減価償却の仕訳　（単位：千円）

借 方 科 目	金　額	貸 方 科 目	金　額
減 価 償 却 費			

➡問題 P.4-6　➡解答・解説 P.4-5

問題 5　ファイナンス・リース取引(所有権移転外) 4　簿A（5分）応用

決算整理後残高試算表　（単位：千円）

備　　　品	（　　　）	未 払 利 息	（　　　）
リ ー ス 資 産	（　　　）	リ ー ス 債 務	（　　　）
減 価 償 却 費	（　　　）	備品減価償却累計額	（　　　）
支 払 利 息	（　　　）	リース資産減価償却累計額	（　　　）
固定資産売却損	（　　　）		

➡問題 P.4-7　➡解答・解説 P.4-7

問題 6　ファイナンス・リースとオペレーティング・リース　簿B（5分）応用

決算整理後残高試算表　（単位：円）

リース資産	（　　）	未払利息	（　　）
減価償却費	（　　）	リース債務	（　　）
支払利息	（　　）	リース資産減価償却累計額	（　　）
支払リース料	（　　）		

➡問題 P.4-8　➡解答・解説 P.4-8

問題 7　ファイナンス・リース取引（所有権移転）2　財計A（4分）基本

(1)

（単位：千円）

借方科目	金額	貸方科目	金額

(2)

貸借対照表

×2年3月31日　（単位：千円）

資産の部			負債の部	
科目	金額		科目	金額
:	:	:	I 流動負債	
I 有形固定資産			リース債務	（　　）
（　　）	（　　）		:	:
減価償却累計額	（　　）	（　　）	II 固定負債	
:	:	:	長期リース債務	（　　）
			:	:

➡問題 P.4-8　➡解答・解説 P.4-9

問題 8　ファイナンス・リース取引(所有権移転外)5　財計B　(5分)　応用

貸借対照表
×2年3月31日
(単位：千円)

資産の部			負債の部	
科目	金額		科目	金額
:	:	:	Ⅰ 流動負債	
Ⅰ 有形固定資産			リース債務	(　　)
(　　　)	(　　)		:	:
減価償却累計額	(　　)	(　　)	Ⅱ 固定負債	
:	:	:	長期リース債務	(　　)
			:	:

支払利息：	千円

➡問題 P.4-8　➡解答・解説 P.4-10

問題 9　オペレーティング・リース取引　財計C　(2分)　基本

(単位：千円)

借方科目	金額	貸方科目	金額

Chapter 5　減損会計

➡問題 P.5-2　➡解答・解説 P.5-1

問題 1　減損処理 1　簿A（3分）　基本

決算整理後残高試算表　（単位：円）

機　　械	（　　　）	機械減価償却累計額	（　　　）
減損損失	（　　　）		

➡問題 P.5-3　➡解答・解説 P.5-1

問題 2　減損処理 2　簿A（5分）　基本

問1

機械A	機械B	機械C

問2

（単位：千円）

機械A	機械B	機械C

問3

（単位：千円）

借　方　科　目	金　　額	貸　方　科　目	金　　額

➡問題 P.5-4　➡解答・解説 P.5-2

問題 3　グルーピング 1　簿B（4分）　基本

土　　地：［　　　　］千円

建　　物：［　　　　］千円

機　　械：［　　　　］千円

➡問題 P.5-4　➡解答・解説 P.5-3

問題 4　共用資産１　簿A（3分）　基本

（単位：円）

借　方　科　目	金　　額	貸　方　科　目	金　　額

➡問題 P.5-5　➡解答・解説 P.5-4

問題 5　共用資産２　簿C（5分）　応用

	千円

➡問題 P.5-6　➡解答・解説 P.5-5

問題 6　共用資産３　簿C（8分）　応用

建物の貸借対照表価額	千円	備品の貸借対照表価額	千円

➡問題 P.5-6　➡解答・解説 P.5-7

問題 7　減損処理3　財計A（3分）　基本

貸借対照表　(単位：千円)

資産の部		
科目	金額	
：		
Ⅱ 固定資産		
1 有形固定資産		
備品	(　　)	
(　　)	(　　)	(　　)

損益計算書　(単位：千円)

：	
Ⅶ 特別損失	
(　　)	(　　)

➡問題 P.5-7　➡解答・解説 P.5-7

問題 8　将来キャッシュ・フローの算定　財計 C（5分）　応用

問1

貸借対照表　(単位：千円)

資産の部		
科目	金額	
：		
Ⅱ 固定資産		
1 有形固定資産		
機械	（　　）	
（　　）	（　　）	
減価償却累計額	（　　）	（　　）

損益計算書　(単位：千円)

：	
Ⅶ 特別損失	
（　　）	（　　）

問2

貸借対照表　(単位：千円)

資産の部		
科目	金額	
：		
Ⅱ 固定資産		
1 有形固定資産		
機械	（　　）	
減価償却累計額	（　　）	（　　）

〈貸借対照表等に関する注記〉

➡問題 P.5-7 ➡解答・解説 P.5-8

問題 9 グルーピング2 財計B （5分） 応用

貸借対照表 (単位：千円)

資産の部		
科目	金額	
：		
Ⅱ 固定資産		
1 有形固定資産		
建物	(　　　)	
減価償却累計額	(　　　)	(　　　)
機械	(　　　)	
減価償却累計額	(　　　)	(　　　)
土地		(　　　)

損益計算書 (単位：千円)

⋮	
Ⅶ 特別損失	
(　　　)	(　　　)

➡問題 P.6-2　➡解答・解説 P.6-1

問題 1　退職一時金制度 1　簿A（2分）　基本

（単位：千円）

借方科目	金額	貸方科目	金額

➡問題 P.6-2　➡解答・解説 P.6-1

問題 2　退職一時金制度2　簿A（10分）　応用

退職給付費用 [　　　　] 千円　退職給付引当金 [　　　　] 千円

➡問題 P.6-3　➡解答・解説 P.6-2

問題 3　企業年金制度　簿A（3分）　基本

（単位：千円）

借方科目	金額	貸方科目	金額

➡問題 P.6-3　➡解答・解説 P.6-2

問題 4　決算整理後残高試算表の金額算定　簿A（5分）　応用

決算整理後残高試算表　（単位：千円）

勘定科目	金額	勘定科目	金額
退職給付費用	（　　　）	退職給付引当金	（　　　）

➡問題 P.6-4　➡解答・解説 P.6-3

問題 5　差異の処理 1　簿B（10分）　応用

(1)	千円	(2)	千円

➡問題 P.6-4　➡解答・解説 P.6-5

問題 6　退職給付にかかる仕訳 （4分）　基本

問1

（単位：千円）

	借方科目	金額	貸方科目	金額
(1)				
(2)				

問2

（単位：千円）

	借方科目	金額	貸方科目	金額
(1)				
(2)				

➡問題 P.6-5　➡解答・解説 P.6-6

問題 7　差異の処理 2　簿A（10分）　（本試験改題）　応用

(1)	千円	(2)	千円
(3)	千円	(4)	千円

➡問題 P.6-5　➡解答・解説 P.6-7

問題 8　差異の処理 3　簿B（5分）　応用

(1)	百万円	(2)	百万円
(3)	百万円		

➡問題 P.6-6　➡解答・解説 P.6-9

問題9　退職給付引当金・退職給付費用 1　簿A（15分）基本

問1　前期末における貸借対照表の退職給付引当金　［　　　　］千円

前期末における損益計算書の退職給付費用　［　　　　］千円

問2　当期末における貸借対照表の退職給付引当金　［　　　　］千円

当期末における損益計算書の退職給付費用　［　　　　］千円

➡問題 P.6-7　➡解答・解説 P.6-11

問題10　ワークシート　簿B（6分）　応用

退職給付引当金に関するワークシート（単位：千円）

	実際 × 1/4/1	退職給付 費用	年金／掛金 支払額	予測 × 2/3/31	数理計算 上の差異	実際 × 2/3/31
退職給付債務	（　20,000）	S　（1,400） I　（　　）	P　400	（　　）	AGL（　　）	（　22,200）
年金資産	［　　］	R	P（　400） C	［　　］	AGL	15,600
未積立退職給付債務	（　　）			（　　）		（　　）
未認識数理計算上の差異	（　200）	A		（　　）	80	（　　）
退職給付引当金	（　6,200）	（　　）	1,320	（　　）	0	（　　）

※　期首（× 1/4/1）における未認識数理計算上の差異は、すべて前期に発生したものである。

➡問題 P.6-7　➡解答・解説 P.6-12

問題11　退職給付会計における簡便法　簿A（3分）（本試験改題）応用

決算整理後残高試算表　（単位：円）

勘定科目	金　額	勘定科目	金　額
退職給付費用	（　　　）	退職給付引当金	（　　　）

➡問題 P.6-8　➡解答・解説 P.6-12

問題 12　退職給付引当金・退職給付費用2（差異なし）　財計A（3分）基本

(1)	千円	(2)	千円

➡問題 P.6-8　➡解答・解説 P.6-13

問題 13　退職給付引当金・退職給付費用3（差異なし）　財計A（3分）基本

(1)	千円	(2)	千円

➡問題 P.6-9　➡解答・解説 P.6-15

問題 14　退職給付引当金・退職給付費用4（差異あり）　財計A（4分）応用

(1)	千円	(2)	千円

➡問題 P.6-10　➡解答・解説 P.6-17

問題 15　税効果会計　財計A（12分）　応用

繰延税金資産		千円
法人税等調整額		千円

➡問題 P.7-2 ➡解答・解説 P.7-1

問題 1 特別修繕引当金 簿B (3分) 基本

(単位：千円)

	借方科目	金額	貸方科目	金額
(1)				
(2)				
(3)				

➡問題 P.7-2 ➡解答・解説 P.7-1

問題 2 特別修繕引当金 財計B (3分) 基本

(1) ×5年3月31日

(単位：千円)

借方科目	金額	貸方科目	金額

(2) ×6年3月31日

(単位：千円)

借方科目	金額	貸方科目	金額

(3) ×7年1月31日

(単位：千円)

借方科目	金額	貸方科目	金額

➡問題 P.7-2 ➡解答・解説 P.7-1

問題 3 債務保証損失引当金 財計B (2分) 基本

(単位：千円)

借方科目	金額	貸方科目	金額

➡問題 P.7-3　➡解答・解説 P.7-2

問題 4　損害補償損失引当金　財計B（2分）　基本

（単位：千円）

借方科目	金額	貸方科目	金額

➡問題 P.7-3　➡解答・解説 P.7-2

問題 5　総合問題（引当金）　財計B（5分）　基本

貸借対照表

×20年3月31日　（単位：千円）

負債の部	
科目	金額
Ⅰ　流動負債	
修繕引当金	（　　　）
Ⅱ　固定負債	
特別修繕引当金	（　　　）
債務保証損失引当金	（　　　）

損益計算書

自×19年4月1日
至×20年3月31日　（単位：千円）

科目	金額
Ⅲ　販売費及び一般管理費	
修繕費	（　　　）
修繕引当金繰入額	（　　　）
特別修繕引当金繰入額	（　　　）
Ⅴ　営業外費用	
債務保証損失引当金繰入額	（　　　）

Chapter 8　社債

➡問題 P.8-2　➡解答・解説 P.8-1

問題 1　社債の一連の処理 1　簿B（3分）　基本

（単位：千円）

	借方科目	金額	貸方科目	金額
(1)				
(2)				
(3)				

➡問題 P.8-2　➡解答・解説 P.8-1

問題 2　社債の一連の処理 2　簿A（5分）　（本試験改題）　基本

決算整理後残高試算表

（単位：千円）

勘定科目	金額	勘定科目	金額
社債発行費	(　　　)	未払費用	(　　　)
社債利息	(　　　)	社債	(　　　)

➡問題 P.8-3　➡解答・解説 P.8-2

問題 3　社債の一連の処理 3　　応用

ア	
イ	

➡問題 P.8-4 ➡解答・解説 P.8-3

問題 4 買入償還 1 簿A (10分) 基本

(単位：千円)

	借方科目	金額	貸方科目	金額
1				
2				

➡問題 P.8-4 ➡解答・解説 P.8-4

問題 5 買入償還 2 簿B (5分) (本試験改題) 応用

決算整理後残高試算表

(単位：千円)

勘定科目	金額	勘定科目	金額
社債利息	(　　)	社債	(　　)
		社債償還益	(　　)

➡問題 P.8-5　➡解答・解説 P.8-5

問題 6　社債の一連の処理４　財計A（3分）　基本

貸借対照表　(単位：千円)

資　産　の　部		負　債　の　部	
科　目	金　額	科　目	金　額
：	：	Ⅰ 流 動 負 債	
Ⅲ 繰 延 資 産		〔　　〕	(　　)
〔　　〕	(　　)	Ⅱ 固 定 負 債	
		〔　　〕	(　　)

損益計算書 (単位：千円)

科　目	金　額
：	：
Ⅴ 営業外費用	
〔　　〕	(　　)
〔　　〕	(　　)

➡問題 P.8-5　➡解答・解説 P.8-6

問題 7　買入償還３　財計B（10分）　基本

貸借対照表　(単位：千円)

資　産　の　部		負　債　の　部	
科　目	金　額	科　目	金　額
		：	：
		Ⅱ 固 定 負 債	
		〔　　〕	(　　)

損益計算書 (単位：千円)

科　目	金　額
：	：
Ⅴ 営業外費用	
〔　　〕	(　　)
：	：
Ⅶ 特 別 損 失	
〔　　〕	(　　)

➡問題 P.8-6　➡解答・解説 P.8-7

問題 8　買入償還４　財計A（10分）　応用

貸借対照表　(単位：千円)

資産の部		負債の部	
科目	金額	科目	金額
		Ⅰ 流動負債	
		〔　　　〕	(　　　)
		〔　　　〕	(　　　)

損益計算書 (単位：千円)

科目	金額
⋮	⋮
Ⅴ 営業外費用	
〔　　　〕	(　　　)
⋮	⋮
Ⅶ 特別利益	
〔　　　〕	(　　　)

➡問題 P.9-2　➡解答・解説 P.9-1

問題 1　株主資本項目の変動　簿B（5分）

（単位：千円）

	借 方 科 目	金　額	貸 方 科 目	金　額
(1)				
(2)				
	当　座　預　金			
			現　　　金	
(3)				
(4)				
(5)				

➡問題 P.9-2　➡解答・解説 P.9-1

問題 2　自己株式の処理 1　簿A（3分）

（単位：千円）

	借 方 科 目	金　額	貸 方 科 目	金　額
(1)				
(2)				

➡問題 P.9-3　➡解答・解説 P.9-2

問題3　純資産の分類　財計A（3分）　基本

①		②		③		④	
⑤		⑥		⑦		⑧	

➡問題 P.9-3　➡解答・解説 P.9-3

問題4　新株の発行と剰余金の配当　財計A（5分）　基本

株主資本等変動計算書

自×1年4月1日　至×2年3月31日

(単位：千円)

	株主資本							純資産合計
	資本金	資本剰余金		利益剰余金			株主資本合計	
		資本準備金	その他資本剰余金	利益準備金	その他利益剰余金			
					別途積立金	繰越利益剰余金		
当期首残高								
当期変動額								
新株の発行								
剰余金の配当								
当期純利益								
当期変動額合計								
当期末残高								

貸　借　対　照　表
×2年3月31日
(単位：千円)

純　資　産　の　部		
科　　目	金　　額	
Ⅰ　株　主　資　本		
1〔　　　　　　〕		(　　　　　)
2　資　本　剰　余　金		
(1)〔　　　　　　〕	(　　　　　)	
(2)〔　　　　　　〕	(　　　　　)	(　　　　　)
3　利　益　剰　余　金		
(1)〔　　　　　　〕	(　　　　　)	
(2)　その他利益剰余金		
〔　　　　　　〕	(　　　　　)	
〔　　　　　　〕	(　　　　　)	(　　　　　)
株主資本合計		(　　　　　)
純資産合計		(　　　　　)

➡問題 P.9-4　➡解答・解説 P.9-4

問題 5　新株予約権 1　簿A（5分）　基本

(単位：千円)

	借　方　科　目	金　　額	貸　方　科　目	金　　額
(1)				
(2)				
(3)				
(4)				

➡問題 P.9-4　➡解答・解説 P.9-5

問題 6　新株予約権 2　簿A（3分）　応用

（単位：千円）

借 方 科 目	金 額	貸 方 科 目	金 額

➡問題 P.9-5　➡解答・解説 P.9-5

問題 7　新株予約権付社債（転換社債型・一括法）1　簿B（4分）　応用

（単位：千円）

	借 方 科 目	金 額	貸 方 科 目	金 額
(1)				
(2)				
(3)				
(4)				

➡問題 P.9-5　➡解答・解説 P.9-6

問題 8　新株予約権付社債（転換社債型・区分法）　簿B（5分）応用

（単位：千円）

	借方科目	金額	貸方科目	金額
(1)				
(2)				
(3)				
(4)				

➡問題 P.9-6　➡解答・解説 P.9-6

問題 9　新株予約権付社債（転換社債型以外）　簿B（10分）（本試験改題）応用

(1)	千円	(2)	千円	(3)	千円

➡問題 P.9-6　➡解答・解説 P.9-7

問題 10　株主資本項目間の変動　財計C（3分）基本

（単位：千円）

	借方科目	金額	貸方科目	金額
(1)				
(2)				
(3)				
(4)				

➡問題 P.9-7　➡解答・解説 P.9-7

問題 11 自己株式の処理２ 財計A （３分） 基本

(単位：千円)

	借方科目	金　額	貸方科目	金　額
(1)				
(2)				
(3)				

➡問題 P.9-7　➡解答・解説 P.9-8

問題 12 自己株式の処理３ 財計A （５分） 応用

貸借対照表　(単位：千円)

資産の部		純資産の部	
科　目	金　額	科　目	金　額
投資その他の資産		株主資本	
〔　　〕	(　　)	資本金	(　　)
〔　　〕	(　　)	その他資本剰余金	(　　)
繰延資産		〔　　〕	(　　)
〔　　〕	(　　)	評価・換算差額等	
		〔　　〕	(　　)

損益計算書(単位：千円)

科　目	金　額
Ⅴ 営業外費用	
〔　　〕	(　　)
〔　　〕	(　　)

➡問題 P.9-8　➡解答・解説 P.9-9

問題 13 新株予約権3 財計A（5分） 基本

貸借対照表
×2年3月31日

（単位：千円）

資産の部		純資産の部	
科目	金額	科目	金額
流動資産		株主資本	
現金預金	（　　）	資本金	（　　）
		資本準備金	（　　）
		その他資本剰余金	（　　）
		〔　　〕	（　　）
		〔　　〕	（　　）

➡問題 P.9-9　➡解答・解説 P.9-9

問題 14 新株予約権付社債（転換社債型・一括法）2 財計B（3分） 基本

（単位：千円）

	借方科目	金額	貸方科目	金額
(1)				
(2)				

➡問題 P.9-10　➡解答・解説 P.9-10

問題 15 純資産等に関する注記 財計A (10分) 応用

株主資本等変動計算書に関する注記

当事業年度の末日における発行済株式数	株
当事業年度の末日における自己株式数	株
当事業年度中に行った配当総額	千円
当事業年度末日後に行う配当総額	千円
新株予約権の目的となる株式数	株

一株あたり情報に関する注記

一株あたり当期純利益は　　円　　銭　である。

一株あたり純資産額は　　円　　銭　である。

➡問題 P.9-11　➡解答・解説 P.9-10

問題 16　株主資本等変動計算書　簿A（12分）　基本

(1) 新株の発行(単位：千円)

借　方　科　目	金　　額	貸　方　科　目	金　　額

(2) 剰余金の配当(単位：千円)

借　方　科　目	金　　額	貸　方　科　目	金　　額

(3) 別途積立金の積立(単位：千円)

借　方　科　目	金　　額	貸　方　科　目	金　　額

(4) 資本準備金の取崩(単位：千円)

借　方　科　目	金　　額	貸　方　科　目	金　　額

(5) 自己株式の取得(単位：千円)

借　方　科　目	金　　額	貸　方　科　目	金　　額

(6) 自己株式の処分(単位：千円)

借　方　科　目	金　　額	貸　方　科　目	金　　額

(7) 自己株式の消却(単位：千円)

借　方　科　目	金　　額	貸　方　科　目	金　　額

(8) 当期純利益(単位：千円)

借　方　科　目	金　　額	貸　方　科　目	金　　額

➡問題 P.9-12　➡解答・解説 P.9-11

問題 17　総合問題 1　簿B（20分）　（公認会計士試験短答改題）　応用

X	千円
Y	千円
Z	千円

➡問題 P.9-14　➡解答・解説 P.9-13

問題 18　総合問題 2　簿B（25分）　（本試験改題）　応用

①	千円	②	千円
③	千円	④	千円
⑤	千円	⑥	千円
⑦	千円	⑧	千円

Chapter10　繰延資産

➡問題 P.10-2　➡解答・解説 P.10-1

問題 1　繰延資産 簿B（3分） 基本

決算整理後残高試算表　（単位：千円）

開発費（　　）	
社債発行費（　　）	
株式交付費（　　）	
開発費償却（　　）	
研究開発費（　　）	
社債発行費償却（　　）	
株式交付費償却（　　）	

➡問題 P.10-3　➡解答・解説 P.10-1

問題 2　繰延資産の償却（株式交付費・社債発行費・開発費） 財計B（3分） 基本

【貸借対照表】

表示科目	金額
（　　）	（　　）千円
株式交付費	（　　）千円
社債発行費	（　　）千円

【損益計算書】

表示科目	金額
（　　）	（　　）千円
開発費償却	（　　）千円
株式交付費償却	（　　）千円
社債発行費償却	（　　）千円

重要な会計方針に係る事項に関する注記
・
・
・

➡問題 P.10-3　➡解答・解説 P.10-3

問題3　繰延資産の償却(創立費・開業費) 財計C (3分) 基本

【貸借対照表】

表示科目	金額
創立費	(　　　) 千円
開業費	(　　　) 千円

【損益計算書】

表示科目	金額
創立費償却	(　　　) 千円
開業費償却	(　　　) 千円

重要な会計方針に係る事項に関する注記
・
・

Chapter11　外貨換算会計

➡問題 P.11-2　➡解答・解説 P.11-1

問題 1　外貨建取引の一巡 （3分）　基本

（単位：千円）

	借方科目	金額	貸方科目	金額
(1)				
(2)				
(3)				

➡問題 P.11-2　➡解答・解説 P.11-1

問題 2　外貨建資産・負債の換算 （8分）　基本

資産・負債	貸借対照表価額	為替差損益
①買掛金	千円	千円
②売掛金	千円	千円
③前払費用	千円	千円
④短期貸付金	千円	千円
⑤土地	千円	千円
⑥長期借入金	千円	千円

➡問題 P.11-3　➡解答・解説 P.11-2

問題 3　換算による差額の処理１ （8分）　基本

決算整理後残高試算表　（単位：千円）

勘定科目	金額	勘定科目	金額
売掛金	(　　)	貸倒引当金	(　　)
前払利息	(　　)	借入金	(　　)
貸倒引当金繰入	(　　)	為替差損益	(　　)
支払利息	(　　)		

➡問題 P.11-3　➡解答・解説 P.11-2

問題 4　換算による差額の処理2  （5分）　応用

決算整理前残高試算表

（単位：千円）

勘定科目	金額	勘定科目	金額
支払利息	(　　　　)	為替差損益	(　　　　)

➡問題 P.11-4　➡解答・解説 P.11-3

問題 5　外貨建取引の一巡 財計B （5分）　基本

（単位：千円）

	借方科目	金額	貸方科目	金額
(1)				
(2)				
(3)				
(4)				
(5)				

➡問題 P.11-4　➡解答・解説 P.11-3

問題 6　外貨建資産・負債の決算時の換算　財計B（8分）　基本

貸借対照表　(単位：千円)

資産の部		負債の部	
科目	金額	科目	金額
Ⅰ 流動資産		Ⅰ 流動負債	
売掛金	(　　)	買掛金	(　　)
前払金	(　　)	未払金	(　　)
短期貸付金	(　　)	Ⅱ 固定負債	
Ⅱ 固定資産		長期借入金	(　　)
土地	(　　)		

損益計算書に表示される為替差損益に関する事項

表示箇所	表示科目	表示金額
		千円

➡問題 P.11-5　➡解答・解説 P.11-4

問題 7　為替予約1（営業取引）　簿A（12分）　基本

問1

（単位：千円）

	借方科目	金額	貸方科目	金額
(1)				
(2)				
(3)				

問2

（単位：千円）

	借方科目	金額	貸方科目	金額
(1)				
(2)				
(3)				
(4)				

×1年度に属する為替差損益：[　　　　]千円

※為替差損の場合は、金額の前に△を付しなさい。

➡問題 P.11-6　➡解答・解説 P.11-5

問題 8　為替予約2（資金取引）　簿A（10分）　基本

問1

（単位：千円）

	借方科目	金額	貸方科目	金額
(1)				
(2)				
(3)				

×1年度に属する為替差損益：　　　千円

※為替差損の場合は、金額の前に△を付しなさい。

問2

（単位：千円）

	借方科目	金額	貸方科目	金額
(1)				
(2)				
(3)				
(4)				

×1年度に属する為替差損益：　　　千円

※為替差損の場合は、金額の前に△を付しなさい。

➡問題 P.11-7　➡解答・解説 P.11-7

問題 9　為替予約3（振当処理）

（12分）　（本試験改題）　応用

決算整理後残高試算表　　　　(単位：千円)

勘定科目	金額	勘定科目	金額
繰越商品	(　　)	買掛金	(　　)
仕入	(　　)	前受収益	(　　)
棚卸減耗損	(　　)	為替差損益	(　　)

➡問題 P.11-8　➡解答・解説 P.11-8

問題 10　為替予約4（独立処理）

簿B （15分）　応用

問1

(単位：千円)

	借方科目	金額	貸方科目	金額
(1)				
(2)				
(3)				
(4)				

問2

(単位：千円)

	借方科目	金額	貸方科目	金額
(1)				
(2)				
(3)				
(4)				

➡問題 P.11-9　➡解答・解説 P.11-9

問題 11　為替予約5（振当処理と独立処理）　簿A（12分）　基本

1　振当処理による場合(単位：千円)

(1)　×15年12月1日

借方科目	金額	貸方科目	金額

(2)　×16年1月1日

借方科目	金額	貸方科目	金額

(3)　×16年3月31日

借方科目	金額	貸方科目	金額

(4)　×16年5月31日

借方科目	金額	貸方科目	金額

2　独立処理による場合(単位：千円)

(1)　×15年12月1日

借　方　科　目	金　　額	貸　方　科　目	金　　額

(2)　×16年1月1日

借　方　科　目	金　　額	貸　方　科　目	金　　額

(3)　×16年3月31日

借　方　科　目	金　　額	貸　方　科　目	金　　額

(4)　×16年5月31日

借　方　科　目	金　　額	貸　方　科　目	金　　額

➡問題 P.11-9　➡解答・解説 P.11-10

問題 12　為替予約6（振当処理）　財計B（15分）　基本

問1

（単位：千円）

	借方科目	金額	貸方科目	金額
(1)				
(2)				
(3)				
(4)				
(5)				
(6)				

問2

貸借対照表

（単位：千円）

資産の部		負債の部	
科目	金額	科目	金額
Ⅰ 流動資産		Ⅰ 流動負債	
売掛金	（　）	〔　〕	（　）
短期貸付金	（　）		
〔　〕	（　）		

損益計算書に表示される為替差損益に関する事項

表示箇所	表示科目	表示金額
		千円

➡問題 P.11-10 ➡解答・解説 P.11-13

問題 13 為替予約7(振当処理) 財計B (12分) 応用

問1

(単位:千円)

	借方科目	金額	貸方科目	金額
(1)				
(2)				
(3)				
(4)				
(5)				

問2 ×22年3月31日の貸借対照表(一部)

貸借対照表

(単位:千円)

資産の部		負債の部	
科目	金額	科目	金額
I 流動資産		I 流動負債	
〔 〕	( )	〔 〕	( )
		〔 〕	( )

問題 14 為替予約8（独立処理） 財計C （12分） 基本

問1

（単位：千円）

	借方科目	金額	貸方科目	金額
(1)				
(2)				
(3)				
(4)				

問2　×22年3月31日の財務諸表(一部)

貸借対照表

（単位：千円）

資産の部		負債の部	
科目	金額	科目	金額
Ⅰ 流動資産		Ⅰ 流動負債	
〔　　　〕	（　　　）	〔　　　〕	（　　　）
		〔　　　〕	（　　　）

損益計算書に表示される為替差損益に関する事項

表示箇所	表示科目	表示金額
		千円

➡問題 P.11-12 ➡解答・解説 P.11-15

問題15 外貨建有価証券1 簿B (10分) 基本

決算整理後残高試算表

(単位：千円)

勘定科目	金額	勘定科目	金額
有価証券	(　　)	有価証券利息	(　　)
投資有価証券	(　　)	為替差損益	(　　)
関係会社株式	(　　)		
有価証券評価損益	(　　)		
関係会社株式評価損	(　　)		

➡問題 P.11-13 ➡解答・解説 P.11-16

問題16 外貨建有価証券2 簿A (10分) 基本

決算整理後残高試算表

(単位：千円)

勘定科目	金額	勘定科目	金額
投資有価証券	(　　)	その他有価証券評価差額金	(　　)
		為替差損益	(　　)

➡問題 P.11-13 ➡解答・解説 P.11-17

問題17 外貨建有価証券3 簿A (10分) 応用

決算整理後残高試算表

(単位：千円)

勘定科目	金額	勘定科目	金額
投資有価証券	(　　)	繰延税金負債	(　　)
繰延税金資産	(　　)	その他有価証券評価差額金	(　　)
投資有価証券評価損	(　　)	法人税等調整額	(　　)

➡問題 P.11-14 ➡解答・解説 P.11-17

問題18 外貨建有価証券4 簿B (15分) 応用

決算整理後残高試算表 (単位：円)

有価証券	( )	有価証券運用損益	( )
投資有価証券	( )	有価証券利息	( )
関係会社株式	( )	為替差益	( )
投資有価証券評価損益	( )		
関係会社株式評価損	( )		
為替差損	( )		

➡問題 P.11-15 ➡解答・解説 P.11-18

問題19 外貨建有価証券5 (15分) (本試験改題)

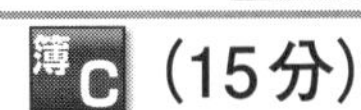

イ	円	ロ	円

問題 20 外貨建有価証券6 財計A (10分) 基本

貸借対照表 (単位：千円)

資産の部		純資産の部	
科目	金額	科目	金額
Ⅰ 流動資産		：	：
〔 〕	( )	Ⅱ 評価・換算差額等	
Ⅱ 固定資産		その他有価証券評価差額金	( )
投資その他の資産			
〔 〕	( )		
〔 〕	( )		
〔 〕	( )		

損益計算書 (単位：千円)

科目	金額
：	：
Ⅳ 営業外収益	
〔 〕	( )
〔 〕	( )
〔 〕	( )
：	：
Ⅶ 特別損失	
〔 〕	( )

➡問題 P.11-17 ➡解答・解説 P.11-21

問題 21 外貨建有価証券7 財計B (15分) 応用

貸借対照表 (単位：千円)

資産の部		負債の部	
科目	金額	科目	金額
Ⅰ 流動資産		：	：
〔　　〕	(　　)	Ⅱ 固定負債	
Ⅱ 固定資産		〔　　〕	(　　)
：	：	純資産の部	
投資その他の資産		：	：
〔　　〕	(　　)	Ⅱ 評価・換算差額等	
		その他有価証券評価差額金	(　　)

損益計算書 (単位：千円)

科目	金額
：	：
Ⅳ 営業外収益	
〔　　〕	(　　)
Ⅴ 営業外費用	
〔　　〕	(　　)
：	：
Ⅶ 特別損失	
〔　　〕	(　　)

➡問題 P.12-2　➡解答・解説 P.12-1

問題 1　売価還元法 1　簿B（3分）　基本

	%

➡問題 P.12-2　➡解答・解説 P.12-1

問題 2　売価還元法 2　簿B（5分）　基本

損益計算書　（単位：円）

Ⅰ 売上高		（　　）
Ⅱ 売上原価		
1 期首商品棚卸高	（　　）	
2 当期商品仕入高	（　　）	
合計	（　　）	
3 期末商品棚卸高	（　　）	
差引	（　　）	
4 商品評価損	（　　）	（　　）
売上総利益		（　　）
Ⅲ 販売費及び一般管理費		
1 棚卸減耗損		（　　）
営業利益		（　　）

➡問題 P.12-3　➡解答・解説 P.12-3

問題 3　売価還元法 3　簿B（5分）　（本試験改題）　応用

仕入		千円
繰越商品		千円

➡問題 P.12-4　➡解答・解説 P.12-4

問題 4　売価還元法４　簿B（5分）　応用

損益計算書　（単位：千円）

Ⅰ 売上高		（　　）
Ⅱ 売上原価		
1 期首商品棚卸高	（　　）	
2 当期商品仕入高	（　　）	
合計	（　　）	
3 期末商品棚卸高	（　　）	
差引	（　　）	
4 棚卸減耗損	（　　）	（　　）
売上総利益		（　　）

➡問題 P.12-5　➡解答・解説 P.12-5

問題 5　売価還元法５　簿B（7分）　基本

(1) 売価還元平均原価法(単位：円)

借方科目	金額	貸方科目	金額

(2) 売価還元低価法(評価損を計上しない方法)(単位：円)

借方科目	金額	貸方科目	金額

(3) 売価還元低価法(評価損を計上する方法)(単位：円)

借方科目	金額	貸方科目	金額

➡問題 P.12-6 ➡解答・解説 P.12-6

問題 6 売価還元法6 財計C （5分） 基本

損益計算書 (単位：千円)

Ⅰ 売上高		(　　)
Ⅱ 売上原価		
1 期首商品棚卸高	(　　)	
2 当期商品仕入高	(　　)	
合計	(　　)	
3 期末商品棚卸高	(　　)	
差引	(　　)	
4 商品評価損	(　　)	(　　)
売上総利益		(　　)
Ⅲ 販売費及び一般管理費		
棚卸減耗損	(　　)	

貸借対照表 (単位：千円)

Ⅰ 流動資産	
商品	(　　)

Chapter13　金融商品Ⅱ

➡問題 P.13-2　➡解答・解説 P.13-1

問題 1　有価証券の保有目的区分の変更1　簿B（5分）　応用

決算整理後残高試算表　（単位：千円）

有価証券	（　　）	その他有価証券評価差額金	（　　）
投資有価証券	（　　）	有価証券評価損益	（　　）
投資有価証券評価損益	（　　）	関係会社株式売却益	（　　）

➡問題 P.13-2　➡解答・解説 P.13-2

問題 2　有価証券の保有目的区分の変更2　簿C（5分）　応用

（単位：千円）

		借方科目	金額	貸方科目	金額
(1)	①				
	②				
(2)	①				
	②				
(3)	①				
	②				

➡問題 P.13-3　➡解答・解説 P.13-3

問題 3　資本剰余金からの配当　簿B（3分）　基本

（単位：千円）

	借方科目	金額	貸方科目	金額
(1)				
(2)				

➡問題 P.13-3　➡解答・解説 P.13-3

問題 4　ゴルフ会員権 1　簿C（5分）　基本

決算整理後残高試算表　（単位：千円）

ゴルフ会員権	（　　）	（　　）	（　　）
ゴルフ会員権評価損	（　　）		
（　　）	（　　）		

➡問題 P.13-4　➡解答・解説 P.13-4

問題 5　有価証券の保有目的区分の変更3　財計 C　(5分)　応用

貸借対照表　(単位：千円)

資産の部		負債の部	
科目	金額	科目	金額
Ⅰ 流動資産		Ⅰ 流動負債	
(　　　)	(　　　)	:	:
:	:	純資産の部	
Ⅱ 固定資産		:	:
3 投資その他の資産		Ⅱ 評価・換算差額等	
(　　　)	(　　　)	(　　　)	(　　　)
(　　　)	(　　　)	:	:

損益計算書　(単位：千円)

:	:
Ⅴ 営業外費用	
(　　　)	(　　　)
(　　　)	(　　　)

➡問題 P.13-4　➡解答・解説 P.13-5

問題 6　ゴルフ会員権2　財計B（3分）　応用

貸借対照表　(単位：千円)

:	:	
Ⅱ 固 定 資 産		
3 投資その他の資産		
(　　　　)	(　　　　)	
(　　　　)	(△　　　　)	(　　　　)

損益計算書 (単位：千円)

:	:
Ⅴ 営業外費用	
貸倒引当金繰入	(　　　　)
:	:
Ⅶ 特 別 損 失	
(　　　　)	(　　　　)

➡問題 P.13-5　➡解答・解説 P.13-6

問題7　コマーシャルペーパー・証券投資信託　財計C（3分）応用

貸借対照表

×2年3月31日　（単位：千円）

資産の部		負債の部	
科　目	金　額	科　目	金　額
Ⅰ 流動資産		:	:
（　　）	（　　）	純資産の部	
Ⅱ 固定資産		:	:
3 投資その他の資産		Ⅱ 評価・換算差額等	
（　　）	（　　）	（　　）	（　　）

損益計算書

自×1年4月1日
至×2年3月31日　（単位：千円）

:	:
Ⅳ 営業外収益	
（　　）	（　　）
（　　）	（　　）

ネットスクール出版

ネットスクール出版